교원 임용 2차 심층면접 대비

임용 면접 레시피
Recipe

류은진 양왕경 이광한 이지혜 공저

평가원
지역

강원 | 경남 | 경북 | 광주 | 대구 | 대전 | 부산 | 세종 | 울산 | 인천 | 전남 | 전북 | 제주 | 충남 | 충북

위더스

Preface

안녕하세요? 『면접레시피』 아홉 번째 개정판으로 인사드립니다. 평가원 지역에 맞춘 임용 면접 책을 출간한 이후, 많은 선생님들께서 따뜻한 응원과 긍정적인 피드백을 보내주셨습니다. 그 격려에 힘입어, 올해도 철저한 기출 분석과 새로운 접근 방식을 통해 평가원 면접 유형을 보다 정확하게 분석하고자 노력했습니다. 자신 있게 출간하는 '2026 면접레시피(평가원 지역)'이 선생님들의 면접 준비에 믿음직한 길잡이가 되기를 소망합니다.

이번 개정판의 주요 특징은 다음과 같습니다.

면접 문항 유형을 파악한 뒤, 연습 문제를 통해 답변 구성에 익숙해지고, 워크북에 제시된 다양한 문제로 실전 감각을 키울 수 있도록 구성하였습니다. 3단계 학습 구조는 수년간의 노하우를 집약한 가장 효율적인 학습 방식임을 자부합니다.

2025 최신 기출 반영 및 사고 흐름 안내

STEP 2에서는 2025학년도 최신 기출을 바탕으로, 문제를 어떻게 해석하고 사고를 전개해 나갈 수 있는지를 구체적으로 제시하였습니다. 면접은 답안을 외우는 시험이 아니라, 자신의 생각을 타인에게 설득력 있게 전달하는 과정이라는 점을 다시 한 번 강조하고 싶습니다. 저자들의 사고 흐름을 따라가며, 면접에 대한 이해와 자신감 모두를 높일 수 있기를 바랍니다.

요즘 교사라는 직업과 학교 현장에 대한 인식이 예전과 많이 달라졌음을 새삼 느낍니다.
그럼에도 불구하고 교직을 선택하신 선생님들을 진심으로 존경하며, 그 결심이 좋은 결실로 이어질 수 있도록 『면접레시피』가 함께하겠습니다.

동료 교사로서 선생님들과 함께 행복하고 고민을 나눌 3월을 기대하며,
올해도 면접 준비의 든든한 동반자가 되고자 노력하겠습니다.

- 『면접레시피』 저자 일동

Contents

교원임용 심층면접 첫걸음

CHAPTER 1. 교원임용 심층면접 A to Z 8
CHAPTER 2. 평가원 공부 레시피 20

평가원 면접 문제 유형 분석하기

CHAPTER 1. 교육관 28
CHAPTER 2. 교사상 34
CHAPTER 3. 학생관 41
CHAPTER 4. 교사의 자질 48
CHAPTER 5. 교사의 역량 55
CHAPTER 6. 교사의 태도 64
CHAPTER 7. 선택 답변 71
CHAPTER 8. 경험·생각·이유 78
CHAPTER 9. 학생 특성 기반 문제해결 99
CHAPTER 10. 수업·평가 상황 문제해결 118
CHAPTER 11. 생활지도 상황 문제해결 133
CHAPTER 12. 상담 관련 문제해결 145
CHAPTER 13. 중등 즉답형 문제 158

평가원
지역

02 step 평가원 최신 기출로 배우는 면접 만점 기술

CHAPTER 1. 2025 평가원 초등　168
CHAPTER 2. 2025 평가원 중등 교과　176
CHAPTER 3. 2025 평가원 중등 비교과　184

03 step 평가원 기출문제 연습하기

CHAPTER 1. 초등(2025~2018)　190
CHAPTER 2. 중등 교과(2025~2018)　206
CHAPTER 3. 중등 비교과(2025~2018)　222

04 step 평가원 실전 모의고사

실전 모의고사 (1회~50회)　241

임용 면접 준비의 시작은 낯설고 막막하게 느껴질 수 있습니다.
이 장을 통해 면접 시험의 흐름과 문제 유형을 체계적으로 정리하고,
각 유형에 따른 효과적인 대비 방법을 알려드리고자 합니다.
특히 평가원 지역의 경우, 유형에 대한 충분한 이해만으로도
면접 준비의 절반을 마쳤다고 해도 과언이 아닙니다.
교사가 되기 위해 겪게 될 시험의 과정을 떠올리며 내용들을 차근차근 따라가다 보면,
처음에는 생소하게 느껴졌던 면접 용어나 절차도 금세 익숙해질 수 있을 거예요.
철저한 준비는 좋은 결과로 이어집니다. 이제, 임용 면접의 여정을 시작해볼까요?

STEP

0

Recipe

교원임용 심층면접 첫걸음

CHAPTER 1. 교원임용 심층면접 A to Z
CHAPTER 2. 평가원 공부 레시피

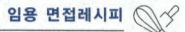

교원임용 심층면접 A to Z

1 교직적성 심층면접 시험 시기

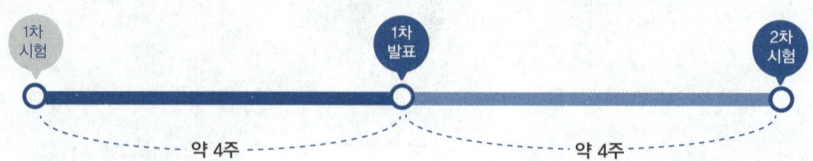

제2차 시험 역시 제1차 시험과 마찬가지로 전국 시·도교육청이 같은 날짜에 진행합니다. 보통 제1차 시험일로부터 약 4주 후에 시험 결과를 발표합니다. 그리고 제1차 시험 합격자 발표가 난 후 약 4주간 심층면접시험 준비 기간이 있습니다.

만약 제1차 시험이 끝나고 바로 심층면접시험 준비를 시작한다면, 총 2달 정도를 준비할 수 있습니다. 하지만 제1차 발표 이후에 제2차 시험을 준비하면 약 4주의 시간만 주어지는데, 일반적인 수험생이 면접에 익숙해지려면 1달 정도 걸린다는 것을 감안하면 늦게 준비하는 것은 도박에 가깝습니다.

따라서 제1차 시험 합격 여부와 상관없이 시험이 끝나고 약간의 휴식기를 가진 뒤 **바로 면접시험 준비를 시작**하는 것을 추천드립니다. **심층면접은 말을 많이 해 볼수록 실력이 쑥쑥 늘어나기 때문입니다.**

2 제2차 심층면접시험 출제범위 및 배점

제2차 심층면접시험 **출제범위 및 배점**은 초등·중등 학교 급간에 따라, 그리고 중등의 경우 교과와 지역에 따라 **달라집니다.**

먼저, 임용 심층면접시험의 **출제범위와 내용**은 크게 세 가지로 이루어집니다.

① 교사로서의 적성   ② 교직관   ③ 인격 및 소양

너무 막연해서 무엇을 공부해야 하는지 감이 잘 안 오시나요? 걱정마세요. 면접레시피 책과 함께라면 짧은 시간 동안 충분한 실력을 갖출 수 있습니다. 위의 출제범위와 내용이 문제에서 어떤 식으로 구현되는지는 뒤에 나오는 '문제 유형과 답변 요령', '평가원 공부 레시피'에서 함께 살펴보겠습니다.

교원임용 제2차 시험 중 **심층면접의 배점**은 다음과 같습니다.

[초등] (2025년 대비 임용시험 기준)

	강원	경남	경북	광주	대구	대전	부산	세종	울산	인천	전남	전북	제주	충남
초등	40	30	30	30	45	40	40	40	40	40	45	40	35	50

[중등] (2025년 대비 임용시험 기준)

	강원	경남	경북	광주	대구	대전	부산	세종	울산	인천	전남	전북	제주	충남	충북
일반교과	50	40	40	40	20	40	40	40	50	40	50	50	40	50	50	50
실기·실험교과	40	40	40	40	20	20	40	40	50	40	50	50	40	실기 40	실기 15 / 실험 40	50
비교수교과	100	100	100	100	40	60	100	100	100	100	100	100	100	100	100	100

3 지역별 면접 문항수와 시간

지역은 편의상 '평가원 지역'과 '자체 출제 지역'으로 구분합니다. **평가원 지역은 한국교육과정평가원에서 출제하는 심층면접 문항을 사용하여 심층면접시험을 치르는 지역**으로 강원, 경남, 경북, 광주, 대전, 부산, 세종, 울산, 인천, 전남, 전북, 제주, 충남, 충북(중등)이 해당합니다. **자체 출제 지역은 해당 시·도교육청에서 직접 심층면접 문항을 출제하는 지역**으로 경기, 대구, 서울, 충북(초등)이 해당합니다. 대구의 경우 평가원 출제 문항과 자체 출제 문항을 혼용하여 평가합니다.

[초등]

지역	문항수	구상시간	면접시간
평가원	구상형 1문항, 즉답형 2문항	10분	10분

[중등]

지역	문항수	구상시간	면접시간
대구	평가원 구상형 3문항, 즉답형 1문항	25분	25분
	대구교육청 출제 3문항		
평가원	구상형 3문항, 즉답형 1문항	10분	10분

4 교직적성 심층면접 응시자 유의사항

교직적성 심층면접 장소는 보통 다음과 같이 운영됩니다. (지역 및 응시과목에 따라 다를 수 있습니다.)

대기실 → 구상실 → 평가실

대기실

시험 당일 시험장에 부착된 시험실 배치도 및 시험실별 응시자 배정 일람표를 확인하여 **시간 내에 대기실로 입실 완료**하여야 합니다. **시험 시작 시간 이후에는 입실이 불가**합니다. 절대 지각하지 않도록 교통 상황, 기상 상황 등을 고려하여 여유 있게 시험장으로 이동하시기 바랍니다.

대기실에 입실하면 감독관의 지시에 따라 응시자는 직접 관리번호를 추첨합니다. 이후 관리번호가 표기된 명찰을 직접 왼쪽 가슴에 패용합니다. 지역에 따라 대기실에서 구상실로 이동하기 전에 관리번호 명찰을 패용하는 경우도 있습니다. **관리번호 명찰은 당일 시험이 끝날 때까지 반드시 패용**해야 합니다.

대기실 내에서는 진행 중인 **평가에 방해가 되지 않도록 정숙**을 기하여야 합니다. 면접시험 당일은 모든 응시자가 긴장하고 있으므로 책장 넘기는 소리, 볼펜 똑딱이는 소리 등 소음에 주의해주시고, 다리를 심하게 떠는 것과 같이 다른 응시자의 주의를 분산시키는 피해를 주는 행동은 서로 조심하는 것이 좋습니다.

대기 중에는 준비한 물, 간식을 먹을 수 있으나 냄새가 많이 나는 음식은 다른 응시자에게 피해가 될 수 있으므로 주의해야 합니다.

일반적으로 대기실에서 종이서적은 열람이 가능하나 전자책, 전자사전 등 전자기기는 일절 사용할 수 없습니다. 대기실에서 볼 종이서적이나 자료를 미리 준비하는 것이 좋습니다. **응시지역에 따라 상이하니 꼭 공문을 확인**하세요.

응시자는 **평가관과 일절 접촉 및 대화를 할 수 없으며**, 대기실 및 구상실 감독관과도 시험 진행상 필요한 대화 외에는 허용하지 않습니다.

화장실은 대기실에 있는 동안 1명씩 교대로 이용할 수 있습니다. **구상실에 입실한 이후부터 평가가 종료될 때까지는 화장실을 이용할 수 없습니다.**

휴대전화 등 통신·전자기기는 소지할 수 없습니다. 소지자는 시험실 감독관의 지시에 따라 반드시 제출하여야 합니다. 특히, 시험 진행 도중 휴대전화, MP3 등 통신·전자기기를 **소지 또는 사용하는 경우 부정행위자로 처리될 수 있으므로 유의**해야 합니다.

※ 응시자 소지 금지 물품 : 휴대전화, 태블릿PC, 노트북, 넷북, 디지털카메라, MP3, PMP, 전자사전, 카메라펜, 캠코더, 전자계산기, 디지털전자시계, 라디오, 휴대용 미디어 플레이어, 스마트워치·스마트센서 등 웨어러블 기기, 전자담배, 이어폰 등 모든 통신·전자기기

구상실

진행요원의 안내에 따라 관리번호 순서대로 대기실에서 구상실로 이동합니다. 구상실에는 **필기구만 지참한** 상태로 입실할 수 있습니다. 개인 소지품은 지정된 곳에 두고 필기구만 지참한 상태로 구상실로 들어갑니다.

구상실에서는 문제지를 배부받고 지정된 구상 시간 동안 답변을 구상합니다. 중등의 경우 즉답형 문제지도 함께 배부받습니다. 즉답형 문제에 대한 질문은 응시자용 책상 위에 비치되어 있으며, 해당 문항에 대해 답변하기 직전에 확인할 수 있습니다. 이때 문제지에 **밑줄을 긋거나 여백에 답변 키워드 등을 메모할 수 있습니다.** 구상지가 따로 제공되는 지역도 있습니다.

구상실 감독관이 구상 시간 종료를 알리면 즉시 문제지에서 손을 떼고 펜을 책상 위에 내려놓아야 합니다. 감독관의 지시에 불응하고 계속해서 문제지에 메모를 하면 부정행위로 간주될 수 있습니다.

평가실

평가실에 입실할 때는 필기구를 가지고 입실할 수 없습니다. 지정된 곳에 응시자의 소지품과 필기구를 두고 구상형 문제지, 구상지, 응시자 유의사항을 가지고 평가실에 입실합니다.

먼저, 평가실에 입실한 후 "관리번호 ○번입니다."라고 본인의 관리번호를 말하고 응시자 좌석에 앉습니다. 이때, 관리번호 외에 수험번호, 성명 등 **개인 인적사항을 평가관에게 절대로 말하면 안 됩니다.** 위반할 경우 면접 점수에 불이익이 있을 수 있습니다.

다음으로, **구상형 답변이 모두 끝난 후에는 즉답형 문제를 확인하고 즉답형 답변을 합니다.** 평가실에 비치된 즉답형 문제지에는 메모를 할 수 없습니다.

마지막으로, 답변을 마친 후에는 "이상입니다."라고 말하여 답변이 끝났다는 것을 알립니다. 제한 시간 내에 모든 답변을 마쳐야 하며, **답변에 대한 시간 안배는 응시자 본인이 해야 합니다.** 시간 관리는 응시자 본인의 책임이므로 **면접 준비 기간 동안 시간 관리에 대한 연습을 충분히 하셔야 합니다.**

종료 시간까지 답변을 마치지 못한 경우에도 종료가 고지된 즉시 답변을 중지하고, 퇴실 지시에 따라 평가실에서 퇴실하여야 합니다.

심층면접 평가가 모두 끝난 이후에는 문제지와 응시자 유의사항을 복도 감독관에게 제출하고, 보관된 소지품을 챙겨서 바로 시험장 밖으로 퇴장하여야 합니다. **퇴장할 때는 진행되는** 평가에 방해가 되지 않도록 각종 소음에 주의하여 이동해야 합니다. 응시자 개인의 시험이 종료되었을지라도 시험장 밖으로 퇴장하기 전에는 휴대전화 사용이나 다른 응시자와 대화 또는 접촉은 할 수 없습니다.

5. 면접 당일 체크리스트

항목	내용	확인
수험표	제2차 시험은 수험번호가 새롭게 부여되기 때문에 **수험표를 새로 출력해야 합니다**. 수험표를 출력할 때는 이면지에 출력해서는 안 됩니다. 또 수험표 앞·뒷면에 메모나 낙서를 하지 않아야 하고, 컬러프린터로 출력하도록 합니다.	
신분증	**본인 확인을 위해 신분증**이 필요합니다. 신분증으로 인정되는 것은 주민등록증, 운전면허증, 여권, 장애인등록증, 장애인복지카드 등입니다. 신분증 미지참으로 본인 확인을 받지 못할 경우 해당 시험이 무효 처리될 수 있습니다.	
시험 장소 확인	제2차 시험 장소는 제1차 시험 장소와 다를 수 있습니다. 제2차 시험 공고 또는 제2차 시험 수험표를 통해 선발과목에 맞는 **시험 장소를 정확하게 확인**하고, 시험 장소까지 가는 대중교통도 미리 확인합니다.	
대기실 섭취용 간식, 물 등	대기하는 동안 대기실에는 온풍기가 가동됩니다. **목이 건조해질 수 있기 때문에 중간중간 수분을 보충**해주시면 좋습니다. 또 대기번호가 뒤쪽일 경우 대기하는 동안 약간의 간식을 섭취하면 고요한 대기실에서 꼬르륵 소리가 울려퍼지는 민망한 상황을 예방할 수 있습니다. **간식 섭취 여부는 지역마다 다를 수 있으니 제2차 시험 공고문을 꼭 확인하세요.**	
손목시계	답변 시간 관리를 위해 시계를 지참하는 것을 권장합니다. **시계는 아날로그 손목시계만 가능**하며, 스마트워치, 디지털 시계 등은 사용이 불가합니다. 아날로그 손목시계 외에 탁상용 시계 등은 이용할 수 없습니다. 평가실에 참고용 시계를 설치하는 경우가 있지만, 시간 관리는 응시자 책임이기 때문에 본인이 참고할 별도의 아날로그 손목시계를 챙기는 것을 추천합니다.	
지워지거나 번지지 않는 검은색 필기구	**구상형 문제를 풀 때 사용할 펜**이 필요합니다. 색 볼펜이나 형광펜 사용 가능 여부는 지역에 따라 차이가 있을 수 있습니다. 보통은 검정색 펜만 사용이 가능하기 때문에 검정색 펜은 꼭 챙기시기 바랍니다. 만약의 경우를 대비하여 여유분을 하나 더 챙기셔도 좋습니다.	
따뜻한 복장	교실에 온풍기를 가동하지만 여러 사정으로 추울 수 있습니다. 추위에 대비하여 시험이 끝날 때까지 좋은 컨디션을 유지할 수 있도록 **따뜻한 겉옷**을 준비하시기 바랍니다. 평가실 안에서는 겉옷을 벗고 들어가기 때문에 면접 복장에 먼지나 보풀이 많이 묻을 수 있는 겉옷은 피하는 것이 좋습니다.	
도시락(중식)	중식은 **간편하게 먹을 수 있고, 소화가 잘되는 음식으로 준비**하는 것이 좋습니다. 죽, 샌드위치 등을 추천합니다. 냄새가 많이 나는 음식은 다른 응시자에게 피해를 줄 수 있기 때문에 주의해야 합니다. 학교 내에 배달 음식을 주문하는 것이나 외부 식당을 이용하는 것은 불가합니다. 또 학교 내에서 취사도구를 사용하는 것 역시 불가합니다.	

6 심층면접의 두 유형, 구상형과 즉답형

① **구상형**은 면접 문제지를 미리 배부받고 구상실에서 주어진 시간 동안 답변을 구상하는 문제 유형입니다. 문제지에 밑줄을 치거나 여백에 키워드나 문장을 적을 수 있습니다. 혹은 지역에 따라 '구상지'가 제공되어 구상지에 답을 미리 적고 생각할 수 있습니다. 구상시간이 끝나면 평가실로 이동하여 문제지와 구상지를 보면서 대답할 수 있습니다. 때문에 **'구상'을 어떻게 하는지에 따라서 답변이 달라질 수 있는 유형**입니다.

② **즉답형**은 **초등은 면접질문을 미리 확인할 수 없고** 평가실에 입장하여 그 자리에서 확인하고 바로 답변해야 하는 유형입니다. 구상형 답변이 끝난 뒤 책상에 놓여 있는 즉답형 질문지를 확인하고 답변합니다. **중등은 구상실에서 즉답형 문제상황을 미리 확인할 수 있으며 구상실에서 봤던 즉답형 문제상황에 대한 질문이 평가실 책상 위에 있으며** 구상형 질문에 대한 답변이 모두 끝난 후 질문에 답을 하는 유형입니다. 때문에 **'즉각적으로' 문제를 파악하는 능력**에 따라서 답변이 달라질 수 있는 유형입니다.

7 문제 유형에 따른 접근 요령

구상형 문제 접근 요령

구상형 문제 접근 요령을 예시 문제를 함께 풀어보면서 알아봅시다. 실제 시험문제라고 생각하고 아래의 문제를 한번 살펴보세요.

> **Q** 다음 상황에서 교사에게 필요한 자질을 2가지 말하고, 그 자질과 관련된 향후 노력을 각 1가지씩 제시하시오.
>
> > 우리 반 현우는 지각과 결석이 잦은 학생이다. 이제도 역시 지각을 했다. 걱정되는 마음에 "현우야. 지각하지 마. 너 때문에 선생님이 너무 힘들어. 계속 지각하고 학교에 결석하면 출석일수가 부족해서 유급될 수 있어."라고 말해주었다. 그런데 현우는 오늘도 보란 듯이 지각을 하였다.

이 문제를 실제 시험장에서 해결할 때 구상하는 방법이 두 가지로 나뉩니다.
본인이 봤을 때 어떻게 구상지를 작성하는 것이 실제 면접 답변을 할 때 도움이 될지 생각해 보세요.

1번

교사는 학생의 문제를 공감하고 해결해 줄 수 있어야 한다.
공감하는 자질이 필요하다. 너 때문에 내가 힘들다고 이야기하며 학생의 상태에 관심 있기보다 나의 힘듦에 대해 토로하고 있다. 원인을 학생에게 돌리면서 비난하기보다 공감하는 자질이 필요하다.
긍정적으로 바라보는 자질이 필요하다. 너 계속 이러면 유급이야라고 말하며 앞으로도 계속 결석할 것이라고 단정하며 이야기한다. 학생의 변화 가능성에 대해 이야기하며 긍정적으로 반응해야 한다.
공감하는 자질을 기르기 위해 상대방 입장을 생각하는 훈련을 실시하겠다. 의식적으로 내가 만약 누구라면 생각하며 훈련하겠다. 학생, 동료교사, 관리자 모두의 입장을 고려하며 공감하도록 노력하겠다.
긍정적으로 바라보는 자질을 기르기 위해 전문적학습공동체를 활용하겠다. 동료교사들과 함께 생활지도 관련 공동체를 운영하며 학생을 긍정적으로 바라볼 수 있는 눈과 힘을 키우겠다. 가끔 지치고 힘들 때 동료교사들과 함께 이야기하며 마음을 다잡고 긍정적으로 지도할 수 있도록 노력하겠다.

2번

필요한 자질	① 공감의 자질	자신의 힘듦에 집중하여 이야기하고 있음.
		원인을 학생에게 돌리면서 비난하고 있음.
	② 긍정적으로 바라보는 자질	계속 지각할 것이라 단정 지으며 이야기하고 있음.
		학생의 변화가능성에 주목해야 함.
향후 노력	① 상대방의 입장을 자주 생각	의식적으로 다른 사람의 마음을 생각
		학생, 동료교사, 관리자 모두 입장 공감
	② 전문적학습공동체 활용	생활지도 관련 학습공동체 운영
		함께 이야기하고 의지하며 긍정적으로 지도 노력

내가 읽고 공부할 때는 1번이 완성형 문장이기 때문에 더 편합니다. 그래서 실제로 공부를 시작하시는 분들이 구상지에 답안을 작성할 때도 1번처럼 작성하는 모습을 보입니다. 하지만 실제 시험장에서는 **구상시간이 한정되어 있기 때문에 1번 구상지처럼 모든 내용을 문장으로 적을 시간이 없습니다.**

또한 실제 답변할 때는 구상지를 계속 보면서 답하는 것이 아닌 면접관을 보면서 필요에 따라 구상지를 보기 때문에 **가독성이 많이 떨어지면 자연스러운 답변이 어려워집니다.** 내가 어디까지 답변했는지 무엇을 놓쳤는지 구분하기 어렵기 때문입니다.

반면 2번 구상지처럼 내용을 구조화해서 구상한다면 저 짧은 어구에 살만 붙이면 답변이 바로 가능합니다. 또한 내가 어디까지 답변했는지 무엇을 놓쳤는지 바로 찾아낼 수 있고 자연스러운 면접 답변이 가능합니다. 처음에 연습할 때는 1번처럼 시작하셔도 좋습니다. 하지만 점점 익숙해지기 시작하면 **2번처럼 구상내용을 구조화해서 구상형 문제를 답변하는 연습**으로 넘어가는 것을 추천합니다.

즉답형 문제 접근 요령

즉답형은 약간의 생각할 시간이 주어지지만 **길게 생각하다가는 답변 시간이 초과**됩니다. 답변시간이 초과되면 아예 답을 못했기 때문에 채점이 불가능합니다. 시험 도중 시간을 확인하여 아직 시간이 여유 있으면 충분히 생각한 뒤에 답변하시면 됩니다. 하지만 시간이 얼마 남지 않은 경우 어떻게 해야 되는지도 알아보도록 하겠습니다.

아래의 예시문제를 보고 즉답형 문제를 푼다 생각하고 스스로 답을 해 보세요.

> A 교사와 B 교사는 평소 친밀한 사이였다. 최근 학교가 디지털 선도학교로 지정되면서 디지털 수업활동에 대한 의견차이로 갈등이 생겨 관계가 나빠진 상황이다. A 교사는 학생 참여 중심의 이벤트 수업으로 진행하자 주장하고, B 교사는 모든 교과와 연계하여 교과수업으로 진행하자 주장하고 있다. A 교사는 자신의 방식이 더 효율적이라고 생각해서 이번에는 꼭 자신의 의견대로 추진하고 싶은데 어떻게 이야기해야 할까 고민하고 있다.

1-1. 제시문 속 상황에서 내가 A 교사라면 어떻게 행동할 것인지 답하시오.
1-2. 위에서 한 답변대로 행동했을 때 유의할 점을 답하시오.
1-3. 내가 A, B 교사를 중재해야 하는 제3자의 입장이라면 어떻게 중재할 것인지 답하시오.

스스로 답해보니 어떤가요? 쉽게 답할 수 있나요? 아마 대부분의 사람들은 즉답형 문제를 보자마자 머리가 하얗게 되면서 뭐라고 해야 할지 모를 것 같습니다. 그렇다면 제가 의식의 흐름대로 즉답형 문제를 풀어 보겠습니다. (색글씨는 머릿속 생각입니다.)

> **"즉답형 문제 읽고 답변드리겠습니다."** (문제확인)
>
> 좋아. 일단 내가 A 교사라면 학생 참여 중심 이벤트 수업이 얼마나 효과적인지 근거 자료를 갖고 B 교사를 설득해 보겠어. 평소 친하니까 왜 내 의견이 좋은지 다양한 자료를 준비하면 설득할 수 있을 거야.
> 이렇게 했을 때 유의점은 너무 내 주장만 강하게 내세우면 안 되겠지? B 교사가 역으로 자료를 준비해오면 열린 마음으로 B 교사의 의견을 들을 준비를 해야겠네.
> 내가 제3자인데 나 혼자서 중재하려고 하면 어려울 것 같아. 전체 회의에서 토론 안건으로 올려보자고 제안해야겠어. 다른 분들의 의견을 듣다 보면 더 좋은 방법이 나올 수도 있으니 함께 문제를 풀어가자고 제안해야겠다.
> '됐다, 이제 답변해야지.'

"답변드리겠습니다. 제시문 속 상황에서 제가 A 교사라면 학생 참여 중심의 이벤트 수업의 효과에 대한 근거 자료를 바탕으로 B 교사를 설득하려 노력하겠습니다. 단순히 친분으로만 설득하려하기보다 A 교사의 제안이 B 교사의 제안에 비해 갖는 장점과 효과를 보여줄 수 있는 다양한 자료를 활용하여 논리적으로 설득하려고 노력하겠습니다.
"다음으로 위에서 한 답변대로 행동했을 때 유의점은…"
(어, 갑자기 생각이 안 나네?)
"잠시 생각한 뒤에 다시 답변드리겠습니다."
(뭐였더라… 아 맞다! 너무 내 주장만 하지 말자였지. 그리고 중재는 교직원회의!)
"다시 답변드리겠습니다"

> "지나치게 나의 주장만 계속 주장하지 않도록 유의해야 합니다. 내가 자료를 준비해 왔어도 반대로 B 교사도 본인 주장의 장점과 효과를 보여줄 수 있는 자료를 준비해 올 수 있습니다. 이때 조금 더 열린 마음으로 B 교사의 의견을 듣고 함께 좋은 수업을 구상해 가야 합니다."
>
> "마지막으로 제가 제3자라면 학교 전체 교직원회의에 해당 안건을 토론 주제로 정해볼 것을 제안하겠습니다. 둘이서 계속 대화하는 것보다 토론이 있는 교직원회의를 통해 다양한 의견을 듣다 보면 더 좋은 방법을 발견할 수 있습니다. 갈등을 둘이서 해결하게 떠넘기지 않고 함께 해결하기 위해 노력하겠습니다. 이상입니다."

위의 즉답형 문제 풀이에서 중요한 포인트는 3가지입니다.

① 서론-결론 이런 것 없이 바로 **'본론'을 정확하게 답변하는 것**이 중요합니다. 즉답형은 시간과의 싸움입니다. 문제에서 묻는 것에 집중하여 바로 대답합시다.

② 답변하다가 생각해 놓은 답을 잊을 수 있습니다. 그럴 땐 **"잠시 생각한 뒤에 답변드리겠습니다."**라고 말하고 얼른 생각한 뒤에 답변하면 됩니다. 혹은 빠르게 생각해 낼 수 있을 땐 2~3초 정도 멈췄다가 답변하면 됩니다.

③ **문제에서 묻는 것을 정확하게 대답해야 합니다.** 내가 제3자의 입장에서 중재해야 하는 문제인데 실제 문제를 푸는 수험생들 대다수가 A 교사의 입장이나 B 교사의 입장에서 해결 방안을 답변했습니다. 이렇게 되면 문제의 조건을 벗어났기 때문에 정답으로 인정받을 수 없습니다. '반드시' 문제에서 묻는 것을 정확히 대답해야 합니다.

만약 **즉답형 답할 시간이 30초밖에 남지 않았다면 어떻게 해야 하나요?**
실제 시험에서 시간이 없다면 극단적으로 본론만 이야기하는 것이 최선의 방법입니다.
제가 위에서 했던 문제풀이를 30초 이내로 줄여보겠습니다.

> 즉답형 답변드리겠습니다.
> 먼저, 제가 A 교사라면 다양한 객관적인 자료를 활용하여 논리적으로 설득하려 노력하겠습니다.
> 다음으로, 이렇게 행동했을 때 지나치게 계속 나의 주장만 우기거나 고집하지 않아야 합니다.
> 마지막으로, 제가 제3자라면 해당 안건을 교직원회의의 토론주제로 정해 교직원 모두의 의견을 듣고 해결해 보자고 제안하겠습니다. 이상입니다.

이렇게 해도 좋은 점수를 받을 수 있냐고요? **정말로 주장을 깔끔하게 이야기하면 만점도 가능**합니다. 하지만 가능성은 적겠지요. 중요한 것은 30초라는 시간 안에 문제에서 묻는 것을 다 답하였고 이제 채점기준에 따라서 채점이 이루어지길 기다리면 됩니다.

반면에 30초 동안 내가 A 교사라면~~~ 첫 번째 문제를 답하다가 뒤의 2문제를 답변 못했다면? 아예 채점의 기회조차 없어집니다. 명심하세요. 시간 안에 꼭 답하는 것을!

8 답변 TIP

답변을 할 때는 문제는 말하지 않고 답변만 말합니다. 답변이 시작되는 시점부터 시간을 측정하여 정해진 평가 시간이 되는 시점에 평가를 종료하게 됩니다.

❶ 정확한 문제 파악으로 정확한 답변을

면접 답변의 시작은 문제를 정확하게 파악하는 것부터 시작합니다. 예를 들어, 문제에서 요구하는 것이 '해결 방안'을 말하라는 문제라면 '교사 측면의 해결 방안'인지, '학교 측면의 해결 방안'인지, '전체 측면의 해결 방안'인지 파악해야 합니다.

또 문제점을 2가지 찾고, 해결 방안을 2가지 말하라는 문제라면, 각 문제점에 대한 해결 방안을 2가지씩 말하는 것인지, 문제점과 해결 방안을 2가지씩 말하는 것인지 등을 파악해야 합니다. 문제를 자칫 잘못 파악하면 가짓수를 놓치거나 답변 방향이 엉뚱한 곳으로 흘러갈 수 있기 때문에 **문제를 정확하게 파악하는 것은 아주 중요**합니다. 문제를 읽을 때 **중요한 부분에 표시**를 하여 기억할 수 있도록 하는 것도 좋습니다.

❷ 중요한 것은 본론

서론과 결론은 점수에 큰 영향을 미치지 않습니다. 반드시 서론-본론-결론의 순서로 답변해야 한다는 규정도 없습니다. 따라서 시간이 부족하거나 서론·결론을 만드는 것이 너무 어렵다면 굳이 하지 않아도 됩니다. 서론과 결론보다 **본론에서 더 풍부한 답변**을 하는 것도 좋은 전략입니다.

❸ 두괄식으로 깔끔하고 강렬하게

답변 방법은 두괄식과 미괄식으로 나눌 수 있습니다.

두괄식은 결론이나 주장이 답변의 제일 처음에 나오는 형식입니다. 자신의 주장을 먼저 제시하고 이를 뒷받침하는 근거와 예시 등을 이야기하는 방식입니다. 평가관은 보통 고경력 교사나 학교의 관리자 또는 교육청 장학사인 경우가 많습니다. 즉, 결과 중심적인 보고체계에 익숙한 사람들입니다. 그리고 같은 이야기를 이른 아침부터 오후까지 계속 들어야 하는 평가관의 입장에서는 핵심을 요약하여 처음에 결론부터 말해주는 두괄식 답변이 가장 기억에 남고 듣기 쉬울 수 있습니다.

미괄식은 결론이 답변의 맨 마지막에 나오는 형식입니다. 근거, 예시 등을 먼저 제시하고 이를 바탕으로 자신의 주장을 이야기하는 방식입니다. 뒤쪽에 힘을 싣고 싶을 때, 숨겨둔 무기를 보여주듯이 "그래서 결론은 이것입니다."라고 미괄식으로 이야기할 수도 있습니다.

❹ 제한 시간을 꼭 지키자

반드시 주어진 시간을 꽉 채워서 답변해야 하는 것은 아닙니다. 긴 시간 동안 답변했다고 해서 좋은 점수를 받는 것도 아닙니다. 고득점을 위해서는 문제에서 요구하는 것을 빼먹지 않고 모두 말하는 것이 중요합니다. 시간이 남았더라도 필요한 답을 모두 했다면 걱정하지 않아도 됩니다. 그러나 답변에 불필요한 사족이 많아서 답변을 완료하지 못한 채로 제한 시간을 넘기게 되면, 답변하지 못한 부분에서 점수를 받지 못하는 것이 너무나 자명합니다. 아무 점수를 받지 못하는 것보다 0.1점이라도 더 챙기는 것이 우리에게는 이득이기 때문에 주어진 시간 내에 모든 답변을 완료할 수 있도록 연습하는 것이 필요합니다. 면접을 준비하는 기간 동안에는 구상 시간과 답변 시간을 정해진 시간보다 1~2분 정도 적은 시간으로 세팅하여 연습하는 것을 추천합니다. 연습이 반복되면 어느 정도 양을 답변했을 때 시간이 얼마만큼 흘렀는지 몸으로 감을 익힐 수 있습니다.

❺ **구조화된 답으로 논리적으로 말하자**

중언부언하지 않고 깔끔하게 구조화된 답변은 하는 사람도, 듣는 사람도 만족스럽습니다. 모든 답변을 일률적으로 공식화할 수는 없지만, 처음 심층면접 공부를 시작하는 분들이라면 다음과 같은 방법으로 접근하는 것을 추천드립니다. 연습을 계속하다 보면 문제 상황이나 유형에 적절하게 답변을 구조화하는 역량이 높아질 것입니다.

대부분의 사람들은 답변 방식①의 방법을 활용하겠지만, 문제에 따라서 방식②를 활용하는 것도 또 다른 방법이 될 수 있습니다.

2020 평가원 중등 구상형 2번

> **Q** 다음 상황에서 교사에게 필요한 자질을 2가지 말하고, 그 자질과 관련된 향후 노력을 각 1가지씩 제시하시오.
>
> 우리 반 현우는 지각과 결석이 잦은 학생이다. 어제도 역시 지각을 했다. 걱정되는 마음에 "현우야. 지각하지 마. 너 때문에 선생님이 너무 힘들어. 계속 지각하고 학교에 결석하면 출석일수가 부족해서 유급될 수 있어."라고 말해주었다. 그런데 현우는 오늘도 보란 듯이 지각을 하였다.

서론	(문제에 나온 상황을 참고하여 서론으로 활용) 교사는 학생이 학교에 적응을 못하거나 어려움이 있을 때 이를 파악하고 적절한 도움을 제공할 수 있어야 합니다. 제시문과 같은 상황에서 교사에게 필요한 자질과 향후 노력을 말씀드리겠습니다.
본론	[답변 방식① – 필요한 자질과 향후 노력을 각각 말하는 방법] (답변해야 하는 내용이 많을 경우, '먼저', '다음으로', '마지막으로' 혹은 '첫째', '둘째', '셋째' 등과 같이 접속어를 적절하게 활용한다.) 먼저, 교사에게 필요한 자질을 2가지 말씀드리겠습니다. 첫째, 공감하는 자질이 필요합니다. 제시문의 교사는 현우에게 '너 때문에 선생님이 너무 힘들다.'고 말하면서 현우의 상황을 생각하기보다 자신의 힘듦을 호소하고 있습니다. (중략)

본론	**둘째, 긍정적으로 학생을 바라보는 자질이 필요합니다.** 학생이 지속적으로 결석하고 변하지 않을 것이라 생각하지 않고 교사로서 학생을 믿어주는 것이 필요합니다. (중략) 다음으로, 말씀드린 두 가지 자질과 관련하여 향후 노력을 말씀드리겠습니다. **첫째,** 공감하는 자질을 함양하기 위해서 늘 **상대방의 입장에서 생각하는 훈련**을 하겠습니다. 내가 상대방의 입장이 되어보지 않는 한 100% 이해할 수는 없습니다. (중략) **둘째,** 긍정적으로 학생을 바라보는 자질을 위해 **지속적으로 칭찬을 하는 연습**을 하겠습니다. 학생을 자세히 관찰하면서 학생의 강점을 발견하고 지속적으로 칭찬한다면 자연스럽게 긍정적인 시야를 갖게 됩니다. (중략) **[답변 방식② – 필요한 자질과 향후 노력을 같이 말하는 방법]** ('필요한 자질', '향후 노력'이라는 단어를 반드시 언급하여 문제에서 요구하는 것을 모두 말하고 있다는 것을 알린다.) **먼저, 공감하는 자질이 필요합니다.** 제시문의 교사는 현우에게 '너 때문에 선생님이 너무 힘들다.'라고 말하면서 현우의 상황을 생각하기보다 자신의 힘듦을 호소하고 있습니다. (중략) 이러한 자질과 관련된 **향후 노력은 상대방의 입장에서 생각하는 훈련**을 하겠습니다. 내가 상대방의 입장이 되어보지 않는 한 100% 이해할 수는 없습니다. (중략) **다음으로, 긍정적으로 학생을 바라보는 자질**이 필요합니다. 학생이 지속적으로 결석하고 변하지 않을 것이라 생각하지 않고 교사로서 학생을 믿어주는 것이 필요합니다. (중략) 이러한 자질과 관련된 **향후 노력은 지속적으로 칭찬을 하는 연습**을 하겠습니다. 학생을 자세히 관찰하면서 학생의 강점을 발견하고 지속적으로 칭찬한다면 자연스럽게 긍정적인 시야를 갖게 됩니다. (중략)
결론	(관련 주제와 관련지어 교사로서의 포부, 관련 주제의 중요성 등을 언급) 제가 교사가 된다면 학생의 마음을 공감하고 변화가능성을 믿어주는 교사가 되어 단 한 명의 학생도 포기하지 않도록 하겠습니다. 이상입니다.

❻ 자신의 교육철학이 드러나도록

제시문의 의미를 분석하는 것만으로는 높은 점수를 받기 어렵습니다. 주제에 대한 **키워드, 배경지식과 함께 자신의 교육적 관점이 조화**를 이루어야 합니다. 핵심 개념과 배경지식이 면접 답변의 토대라면, 자신의 교육철학은 답변의 꽃이라고 할 수 있습니다. 따라서 면접시험을 준비하는 동안 교육적 주제와 관련하여 늘 자신이 생각을 정리하고 말로 표현해 보는 연습을 하는 것이 중요합니다.

❼ 교사로서의 자신감 보여주기

최근 교육현장은 예전과는 분위기가 사뭇 달라졌습니다. 교사를 대상으로 한 학생과 학부모의 폭력이나 교권 침해 등 많은 이슈들이 교사를 주눅들게 하기도 합니다. 그럼에도 불구하고 교사는 전문성과 학생에 대한 관심과 사랑으로 무장하여 학교에서 학생과 함께해야 합니다. 따라서 심층면접 평가 상황에서는 '나는 학교에서 수많은 일들이 발생할 수 있는 상황에서도 굳건하고 성실하게 자신이 맡은 임무를 수행할 수 있는 사람'이라는 인상을 심어주어야 합니다. 평가실에 들어가는 순간부터 평가실에서 나와 문을 닫는 순간까지 모든 **자세나 표정, 말투, 시선처리, 걸음걸이 등에서 자신감과 당당함**을 보여주시길 바랍니다. 또 **답변 내용에서는 자신의 전문성과 교사로서의 소양이나 인격, 교직관이 잘 드러날 수 있도록** 하여 답변에서도 선생님의 자신감이 묻어나올 수 있도록 준비하시길 바랍니다.

평가원 공부 레시피

1 평가원 지역 출제경향 분석

지난 13년(2013~2025)간의 평가원 지역 출제 빈도를 주제에 따라 분석해 보았습니다.

[초등]

교사의 역량·자질	학습 지도	상황 대처	교사의 태도 생활지도	교사의 노력	원격수업	전문적 학습공동체	교육공동체
15	9	5	4	3	2	2	2

[중등]

교사상 (학생상)	교사의 역량·자질	교사의 노력	상황 대처	관계	학습 지도	교육관
15	12	9	7	6	6	5

[비교과]

교사상 (학생상)	상황대처	교사의 역량·자질	관계	교사의 노력	교육관	생활 지도
13	9	8	6	5	4	4

위의 대표 유형들이 출제 주제의 거의 대부분을 차지하고 있습니다. 즉, 이 주제만 확실히 공부해도 **95% 이상은 학습이 완료**되었다는 뜻이겠지요.

> 평가원 지역의 경우 공고문에 제시된 출제 범위는 **"교원으로서의 적성, 교직관, 인격 및 소양"**입니다.
> 이를 자세하게 구현한 주제들이 바로 위의 주제라고 생각하시면 됩니다.

 대표 주제는 반드시 집중적으로 공부할 필요가 있습니다.
(면접레시피 STEP 1 평가원 면접 문제 유형 분석하기에서 이를 완벽하게 공부할 수 있습니다.)

2 대표 주제 공부전략

교사상(학생상)은 본인의 가치관에 따라 선호하는 교사(학생)의 모습을 묻고, 이에 따른 교사(학생)가 되기 위해 노력한 점을 묻거나 교사상(학생상)에 따라 어떤 교육을 할 것인지 등의 문제가 출제되었습니다.

> - 학급 규칙에 대한 두 교사의 입장 중 **자신의 입장에 더 가까운 교사**를 선택하고 자신의 학생관에 비추어 그 이유를 말하시오. `21 평가원 초등`
> - 다음 제시문의 두 교사 중 자신의 교육적 가치관과 일치하는 교사를 선택하고 이유를 말하시오. 또한, 이를 바탕으로 **자신이 실현할 교사상**에 대해 이야기하시오. `23 평가원 중등`

 교사상은 나는 어떤 교사가 되고 싶은지에 대해 고민을 많이 해보는 것이 중요합니다. 존경하는 교사, 내가 되고 싶은 교사의 모습을 평상시 떠올려 본다면 쉽게 답할 수 있을 것입니다.

교사의 자질과 역량은 교사로서 스스로가 갖고 있는(혹은 부족한) 자질·역량, 특정 상황 속 교사에게 필요한 자질·역량을, 특정 주제와 관련된 자질·역량 등을 묻는 문제가 출제되었습니다.

> - 다음 상황에서 **교사에게 필요한 자질**을 2가지 말하고, 그 자질과 관련된 향후 노력을 각 1가지씩 제시하시오. `20 평가원 중등`
> - 다음 상황에서 요구되는 리더십 행동 2가지와 **인성적 자질** 2가지를 말하시오. `25 평가원 초등`

 교사의 자질과 역량은 제시문이 주어지는 경우 반드시 제시문에서 근거를 찾아 제시하는 것이 중요합니다. 또한, 평소에 상상력을 발휘하여 교사가 학교에서 겪을 수 있는 다양한 상황을 떠올려 본다면 충분히 연습 가능한 주제입니다.

관계는 동료교사와의 관계 혹은 학생·학부모 등 교육 공동체와의 관계 속에서 겪는 갈등을 해결하는 문제, 이 같은 관계에서 필요한 태도 등이 출제되었습니다.

> - [**학부모와 통화에서 갈등**을 겪은 교사가 일방적으로 통화를 끊어버린 상황] 다음 상황에서 최 교사에게 필요한 인성적 자질 3가지와 이유를 말하시오. `24 평가원 초등`
> - 자신이 선호하지 않는 **부장교사와 함께 일을 하면서 갈등**이 발생하였을 때 어떻게 대처할 것인지 말하시오. `20 평가원 중등`

 관계 문제의 경우 기본적으로 소통과 협력을 이끌어내는 방향으로 답하는 것을 추천드립니다. 본인이 학교 현장에서 교육공동체와 갈등을 겪는다면 어떻게 해결해 나가고 싶은지 생각해 보면 도움이 될 것입니다.

교사의 노력은 문제상황을 해결하기 위해 교사가 어떤 노력을 해야 하는지, 본인이 어떤 노력을 해왔는지 혹은 앞으로 어떤 노력을 할 것인지 묻는 내용이 출제되었습니다.

> - 테크놀로지 활용 수업을 할 때 교사로서 유의점을 1가지 말하고, 이와 관련된 **전문성을 신장하기 위한 향후 계획**을 1가지 제시하시오. `23 평가원 중등`

- 향후 가져야 할 자질을 각각 1가지씩 말하고 자질을 향상하기 위한 노력을 말하시오. `23 평가원 중등 비교과`
- 이러한 자질을 갖추기 위해 지금까지 해온 노력에 대해 이야기하시오. `18 평가원 중등`

'교사의 노력'은 앞으로 여러분이 뒷부분의 학습내용을 공부하면서, 앞으로 학교 현장에 이를 적용할 방안을 미리 고민해 보는 것이 큰 도움 될 것입니다. 혹은 해보고 싶은 동아리, 공동체 및 듣고 싶은 연수 등을 상상해 본다면 교사의 노력 문제는 해결하기 수월해질 것입니다.

상황 대처는 제시문의 상황을 해결하기 위해 동료교사, 학생에게 어떤 대처(즉각 대처)를 해야 하는지 묻는 내용이 출제되었습니다.

- 당신이 김 교사라면 제시문의 상황에서 동료교사에게 어떻게 대처할 것인지 말하시오. `21 평가원 중등`
- 다음 상황에서 박 교사의 대처 방안을 2가지 말하시오. `19 평가원 초등`
- 수업 상황에서 문제점을 찾고 교사가 할 수 있는 즉각적인 대처 방안을 말하시오. `19 평가원 중등`

상황 대처 문제는 현재 문제에서 요구하는 것이 즉각적인 대처인지 향후 대처 방안인지 잘 파악하는 것이 중요합니다. 또한, 제시문과 함께 제시되는 경우가 많기 때문에 제시문의 문제 상황을 해결하는데 정말 효과가 있는지 생각하며 답을 구상하는 것이 중요합니다.

학습 지도는 수업 상황 속 교사가 겪는 어려움과 이를 해결하기 위한 지도 방안이나 학생들의 학습 고민을 해결하기 위한 방안, 학생의 특성에 맞는 적절한 지도 방안을 제시하는 등의 문제가 출제되었습니다.

- 〈장면 1〉에 나타난 김 교사 수업의 문제점 2가지와 이에 대한 개선 방안을 각각 1가지씩 말하시오. `25 평가원 초등`
- 다음 수업일지에서 유추할 수 있는 김 교사의 수업설계 시 문제점 1가지와 문제점에 대한 구체적인 해결 방안 1가지를 원인과 관련지어 말하시오. `24 평가원 중등`

학습지도는 초등, 중등 교과에서 구상형 1번으로 많이 출제되는 문제입니다. 기출문제를 풀어보면서 다양한 상황에서 교사로서 어떻게 학습 지도를 할 것인지 고민하는 것이 필요합니다. 보통 어려움, 문제를 겪는 학생을 돕는 문제가 출제되기 때문에 학생들이 학교에서 학습과 관련하여 어떤 어려움을 겪을지 생각해 보고 대비책을 떠올리는 연습을 해봅시다.

교육관(교직관)은 평소에 본인이 생각하는 교직에 대한 관점・교육철학・사명감 등을 묻는 문제, 본인의 교육관에 근거하여 상황에 대한 대처 방법, 지도 방법을 묻는 문제 등이 출제되었습니다.

- 다음 제시문의 두 교사의 관점 중 자신의 교육관에 부합하는 관점을 선택하고 그 이유를 말하시오. 이를 바탕으로 자신이 실현할 교육활동 1가지를 이야기하시오. `24 평가원 중등`
- 교육현장에서 ㉠, ㉡에 해당하는 사례를 한 가지씩 제시하고, 그와 관련하여 본인이 추구하는 교육관을 말하시오. `20 평가원 중등`

교육관(교직관)은 STEP 1에서 제시되는 다양한 상황에 대해 스스로 답해보는 연습을 통해 충분히 대비할 수 있는 유형입니다. 특히, 중등 기출을 풀어보면서 답변하는 감을 잡아가길 바랍니다.

생활지도는 제시문 속 학생이 학교생활에서 겪는 여러 가지 문제를 해결할 수 있도록 돕는 방안을 묻거나 학생의 행동 특성을 고려하여 적절한 지도 방법을 제시하거나 인성 교육 방안을 묻는 문제 등이 출제되었습니다.

- 다음 상황을 읽고 A 학생이 화가 난 이유를 학생의 입장에서 말하고, 당신이 김 교사라면 A 학생을 어떻게 지도할 것인지 2가지 말하시오. `18 평가원 중등 비교과`
- 다음 제시문의 상황에서 민수와 학급 학생들의 문제점을 1가지씩 말하고 이에 대한 지도 방안을 1가지씩 제시하시오. `25 평가원 중등`

생활지도 문제는 예전에 비해 출제 중요도가 떨어지고 있습니다. 다만, 교사로서 생활지도는 필수적인 영역이기 때문에 놓치지 않고 공부하는 것을 추천합니다.

평소에 교직관, 교사상 등 자신만의 생각을 만들어가는 연습과 학습 지도, 생활 지도 등에서 구체적인 방법론을 공부하는 연습 둘 다 중요합니다.

3 기타 주제 공부전략

최근 평가원 지역의 경우 에듀테크 활용 수업, 원격수업, 기초학력 등 교육계에서 화두인 최신 이슈들도 활용하여 출제하고 있습니다.

- 가짜 뉴스, SNS 허위 사실 유포 등 문제 관련 학생들에게 필요한 구체적 지도방안 1가지와 이와 관련된 전문성 신장을 위한 노력 방안을 1가지 말하시오. `25 평가원 중등 비교과`
- 다음 설문을 읽고 메타버스 활용 수업에서 발생한 문제점 3가지를 찾고 해결 방안 3가지 말하시오. `23 평가원 중등`
- 제시문을 읽고 무기력하고 기초학력이 부족한 학생의 지도를 어려워하는 김 교사가 학교에서 활용할 수 있는 지원방안 2가지를 구체적으로 설명하시오. `24 평가원 초등`

이전에도 사회 전체적으로 이슈가 된 사건과 관련하여 문제가 출제된 적이 있습니다.

- 다음 상황을 읽고 교사 소진 현상을 2가지 설명하고, 이때 교사에게 필요한 태도를 2가지 말하시오.
  `교권 침해 관련 교사 소진 이슈, 25 평가원 초등`
- [통일이 된 지 3년이 지났다. 함경도에 교사 수가 부족하다] 다음 상황에서 전보 신청을 할 것인지 아닌지 이유를 들어서 말하고, 신청 유무를 떠나 어떤 마음가짐으로 교육에 임할 것인지 말하시오.
  `18년도 당시 남북 정상회담 이슈, 19 평가원 중등`

자주 출제되는 주제 위주로 공부하되 다른 주제들도 얇고 넓게 공부해 두는 것이 시험에 도움이 됩니다. 해당 주제와 위에서 다뤘던 대표 주제를 함께 엮어서 출제할 가능성이 존재합니다.

- [진로에 대해 잘 할 수 있을지 걱정하는 학생, 1인 방송인을 희망하며 특강에 흥미를 못 느끼는 학생] 학생들이 겪고 있는 동기 문제와 이에 대한 지도 방안을 학생별로 각각 1가지씩 제시하시오. `진로교육+학습지도, 24 평가원 중등 비교과`
- 기초학력 부진 학생들이 늘어나고 있다. 기초학력 부진 학생들을 지도하는 입장에서 교사가 가져야 할 인성적 자질과 전문적 자질 각 1가지씩 말하고, 그 자질을 기르기 위한 방안을 1가지씩 말하시오.
  `기초학력 부진 학생 지도법+교사의 자질, 22 평가원 중등`

4. 기출 공부의 중요성

과거에 출제되었던 주제는 언제든지 **다시 출제**되어도 이상하지 않기 때문에 기출을 바탕으로 면접 연습을 하는 것이 중요합니다. 아래 예시를 통해 여러 시험에 걸쳐 기출 주제가 반복되고 있음을 가시적으로 확인할 수 있습니다.

> **동기적 특성**
> - 제시문 속 각 학생이 가지는 동기적 특성을 1가지씩 말하고 각 학생들에게 적절한 과제를 하나씩 제시하시오. `22 평가원 중등`
> - 아래의 학생들이 겪고 있는 동기 문제와 이에 대한 지도 방안을 학생별로 각각 1가지씩 제시하시오. `24 평가원 중등 비교과`
>
> **에듀테크 활용 수업**
> - 테크놀로지 활용 수업을 할 때 교사로서 유의점 1가지와 이와 관련된 전문성을 신장하기 위한 향후 계획을 1가지 제시하시오. `24 평가원 중등`
> - 스마트기기 활용 수업에서 학생들에게 필요한 지도 방안 1가지와 이와 관련된 전문성 신장 계획 1가지를 말하시오. `24 평가원 중등 비교과`
> - 디지털 기기 활용 수업에서의 문제점 2가지와 이에 대한 개선 방안을 각각 1가지씩 말하시오. `25 평가원 초등`
>
> **온라인 수업**
> - 다음의 **온라인 수업 관련 성찰일지**에서 문제점 1가지씩을 찾고, 문제점을 해결하기 위한 구체적인 해결 방안을 각 2가지씩 말하시오. `22 평가원 초등`
> - 다음 설문을 읽고 **메타버스 활용 수업**에서 발생한 문제점 3가지를 찾고 해결 방안 3가지를 말하시오. `23 평가원 중등`
>
> **다문화**
> - **다문화 학생**은 평균적으로 언어학습능력이 부족하다는 통계가 있다. 다문화 학생을 지원하기 위해 교사가 할 수 있는 자기계발 방안을 3가지 말하시오. `16 평가원 초등`
> - [A는 다문화 학생, 특징묘사 제시문] 담임교사는 A와의 상담을 통해 A가 학교생활 측면에서 문제를 겪고 있음을 확인하였다. 제시문을 읽고 A에게 문제가 발생한 원인을 2가지 제시하고, 이에 대한 해결 방안을 원인과 관련하여 제시하시오. `18 평가원 초등`

5. 기타 공부법 관련 질문 모음

Q. 초등이면 초등, 중등이면 중등기출만 보면 되나요?

초등에서 출제된 주제가 중등에서 출제되기도 하고 반대의 경우도 종종 발생합니다. 한 번 공부할 때 제대로 공부하는 마음으로 언제 나올지 모르는 한 문제를 잡기 위해 조금 더 노력하는 것이 **합격 확률을 높인다**고 생각합니다. 학교급에 지나치게 동떨어진 주제를 제외하고는 **자신의 학교급에 맞춰 답을 생각**해 보면서 공부하는 것을 추천합니다.

[에듀테크 활용 수업] 24 중등, 24 비교과, 25 초등
[다문화] 16 초등, 18 중등
[교사상] 20 중등, 21 초등
[상담] 14, 15 중등, 21 초등
[온라인수업] 23 중등, 22 초등

Q. 평가원이면 다른 지역 기출은 볼 필요 없나요?

평가원의 경우 다른 지역에 비해 **대부분 대표 주제에서 출제가** 되기 때문에 대표 주제만 공부해도 **95% 완성**된 상태로 시험응시가 가능합니다. 다만, 다른 지역(비평가원 지역)에 출제되었던 주제가 평가원에서 나오는 경우도 종종 있었습니다.

[기초학력 관련 문제] 20년도 세종 초등과 21년도 세종 중등, 서울 중등에서 출제
이전에 평가원에서 출제된 적이 없는 내용이었지만 22년도 평가원 중등에서 출제
– 구체적인 내용을 몰라도 풀 수 있지만 사전에 주제를 접해봤으면 쉽게 접근할 수 있었던 문제였음.

[아동학대 문제] 18년도 경기 초등, 20년도 평가원 초등에서 출제
– 아동학대 관련 대처 방안을 묻는 동일한 내용의 문제가 출제됨.

[원격수업 문제] 21년도 세종 초등에서 출제, 22년도 평가원 초등, 23년도 평가원 중등에서 출제
– 원격수업의 문제점과 해결 방안을 제시하는 동일한 내용의 문제가 출제됨.

[테크놀로지활용 수업] 23년도 서울 중등, 24년도 평가원 중등에서 출제
– 에듀테크 활용 수업의 유의점을 묻는 동일한 내용의 문제가 출제됨.

공부를 **평가원 기출분석으로 시작**하되 주제와 유형을 완벽하게 학습하고 나서, 추가로 **다른 지역의 문제도** 풀어보는 것을 추천합니다. 다른 지역 내용에 평가원의 최다 빈출 주제인 자질, 역량, 교직관 등을 대입해서 고민해 보면 좋은 공부가 될 것입니다.

[다른 지역 문제 공부 방법 예시]
교육과정 중심 진로교육을 실시할 때 고려해야 할 중점 사항을 4가지 말하시오. `21 강원 초등`
→ 1차) 진로교육할 때 이런 사항을 고려해야 하는구나! (간단한 내용학습)
　2차) 이때 필요한 교사의 역량은 무엇이 있을까? (문제 변형)
　3차) 진로와 관련해서 학생이 부모님과 갈등을 겪고 있다면 관계를 어떻게 풀어나갈까? (문제 확장)

이런 식으로 다른 지역의 기출도 풀어보면서 평가원 최다 빈출 주제에 맞게 생각의 폭을 넓혀나가는 공부법을 추천합니다.

최종정리

합격을 100% 보장하는 적중률 100%의 공부법은 사실 존재하지 않습니다. 레시피가 제공해 드리는 공부법은 기존의 출제 경향을 바탕으로 면접시험을 준비하는 선생님들을 위해 공부방향을 설정하는 데 도움을 드리는 정도입니다. 결국 합격 100%의 비법은 선생님들의 **노력 100%**라는 것을 믿고 레시피와 함께 열심히 공부하시길 추천드립니다!

음식의 맛은 재료가 반이라고 합니다. 임용 면접도 마찬가지입니다.
좋은 답변을 위해서는 먼저 핵심을 꿰뚫는 지식이 준비되어야 합니다.
STEP 1에는 역대 평가원 기출 문제들을 종합적으로 분석하여
답변 구상에 반드시 필요한 핵심 면접 재료들을 정리하였습니다.
효과적인 면접 준비를 위해서는 이 내용들을 자신의 것으로 만드는 것이 중요합니다.
교사로서 갖추어야 할 마음가짐부터 최근 교육 현장의 주요 이슈까지,
면접의 기본기를 탄탄히 다질 수 있는 내용들을 꼼꼼히 익히는 과정을 통해
여러분만의 색깔이 담긴 면접 답변에 한 걸음 더 다가갈 수 있을 것입니다.

STEP
01
Recipe

평가원 면접 문제 유형 분석하기

CHAPTER 1. 교육관
CHAPTER 2. 교사상
CHAPTER 3. 학생관
CHAPTER 4. 교사의 자질
CHAPTER 5. 교사의 역량
CHAPTER 6. 교사의 태도
CHAPTER 7. 선택 답변

CHAPTER 8. 경험·생각·이유
CHAPTER 9. 학생 특성 기반 문제해결
CHAPTER 10. 수업·평가 상황 문제해결
CHAPTER 11. 생활지도 상황 문제해결
CHAPTER 12. 상담 관련 문제해결
CHAPTER 13. 중등 즉답형 문제

CHAPTER 1. 교육관

임용 면접레시피

기출 문제

교육관	[중등] 24년 구상3 → 변화 대응 교육 vs 보편적 가치 교육, 추구하는 교육관은? 　　　　　　　실현할 교육활동은? 20년 구상3 → <u>스스로 교육 vs 억지로라도 교육</u>, 추구하는 교육관은? 19년 구상3 → 인간 vs 로봇, 누가 수업을 해야 하는지? 추구하는 교육관은? 18년 구상3 → 학생의 성적 향상도를 교원평가에 반영, 교육관을 바탕으로 찬/반?

기출 유형

직접 질문	"선생님의 교육관은 무엇인가요?"
비교형	"A 교육관과 B 교육관 중에 어느 교육관 쪽에 더 동의하시나요?"
실천형	"해당 교육관을 교실, 수업에서 어떻게 실천하시겠습니까?"
비판형	"A 교육관의 한계는 무엇이라고 생각하십니까?"
통합형	"최근 교육정책 중에 어떤 것이 선생님의 교육관과 잘 맞는다고 생각하나요?"
상황 적용형	"특정 문제행동을 보이는 학생이 있을 때 교사로서 어떤 교육관을 바탕으로 접근하시겠습니까?"

대표 기출문제 살펴보기

2020년도 중등 평가원 구상형 3번 문제

Q 교육현장에서 A와 B에 해당하는 사례를 1가지씩 제시하고, A 또는 B 중에서 본인이 추구하는 <u>교육관</u>을 말하시오.

> A : 말을 물가로 끌고 갈 수는 있으나 억지로 물을 먹일 수는 없다. <u>스스로 물을 먹도록 해야 한다.</u>
> B : 말을 물가로 데려가서 억지로라도 물을 먹도록 해야 한다.

> 📌 **답변 포인트 정리**

[A와 B에 해당하는 사례를 1가지씩 제시]
- A : 문제 해결 수업, 프로젝트 수업, 학생 자치
- B : 강의식 수업, 교사 중심 수업, 필요한 정보 제공

[A vs B 구분을 명확히 하여 입장 밝힘]
- A : 교사는 학습의 주체가 학생이 되도록 환경을 설계하고 의미 있는 경험을 제공하는 촉진자라고 생각합니다.
- B : 교사는 학생에게 사회 구성원으로서 살아가기 위한 핵심 지식과 기능을 책임 있게 전달하는 사람이라 생각합니다.

[추구하는 교육관과 관련된 다짐으로 마무리]
- A : 앞으로도 저는 학생 한 명 한 명이 주체적으로 배우고 성장할 수 있도록, 탐구와 선택의 기회를 제공하는 교사가 되고자 합니다.
- B : 앞으로도 저는 학생이 사회 속에서 반드시 갖추어야 할 핵심 역량을 기를 수 있도록 책임감 있게 교육 과정을 구성하고 안내하여 학생들이 유의미한 학습을 경험할 수 있도록 하겠습니다.

1 교육관 학습재료

❶ 교육관이란?

교육관	• 교육에 대한 철학적 관점과 가치관 • 교사의 존재 이유, 학생에 대한 태도, 교육의 목적에 대한 생각
교육관이 중요한 이유	• 교사로서의 신념과 책임감을 드러냄 • 다양한 교육 상황에서 일관된 판단과 행동을 할 수 있는 기준 제공 • 교육적 소명의식과 인성, 전문성을 종합적으로 보여주는 요소

❷ 교육관을 구성하는 하위 요소

교사관	학생을 어떻게 바라보는가? (키워드 : 성장 가능성, 존중, 주체성 등)
학생관	교사의 역할은 무엇인가? (키워드 : 촉진자, 동반자, 책임자 등)
교육목적관	왜 교육을 하는가? (키워드 : 전인적 성장, 자아실현, 민주시민 등)
교실 철학	어떤 교실을 만들고 싶은가? (키워드 : 소통, 배려, 공동체, 자율 책임 등)

❸ 교육학에 따른 교육관의 분류

교육관	핵심개념	교육목적	키워드
관념론적 교육관	정신·이념·보편적 진리를 중시. 인간의 본질은 정신에 있음.	이성적·도덕적 인간 양성	진리, 정신, 이상, 절대적 가치
실재론적 교육관	현실 세계는 객관적으로 존재하며, 경험과 이성으로 인식 가능	객관적 지식 습득 및 이성 계발	사실, 경험, 과학적 탐구, 논리
실용주의적 교육관	진리는 경험 속에서 검증되며, 변화와 적응을 중시	문제 해결력, 창의성, 적응력 신장	경험, 변화, 실천, 유용성
진보주의적 교육관	아동 중심, 활동 중심, 교육은 성장의 과정	전인적 성장, 자율적 인간 양성	학생 중심, 활동, 경험, 민주적 교실
본질주의적 교육관	사회에 꼭 필요한 핵심적 지식과 기능 중심 교육	기본 소양과 학력 배양	훈련, 기초학력, 규범, 교사 중심
구성주의적 교육관	지식은 학습자가 능동적으로 구성하는 것	자기 주도적 학습자 양성	의미 구성, 상호작용, 맥락, 탐구

교육학에서 분류하는 특정 '교육관'이 임용 면접에 그대로 출제되지는 않습니다. 하지만 면접에서 진보주의, 실존주의, 구성주의 교육관 요소를 반영하는 경우가 있습니다. (예 학생 주도, 민주시민교육, 비판적 사고 등) 또한 교육관을 말할 때는 어떤 교육철학에 기반을 두었는지 간단히 언급하면 논리성이 올라가기 때문에 활용하시는 것이 좋습니다. (예 저는 진보주의 교육관에 입각하여, 학생 중심의 수업과 자발적 배움을 추구하고자 합니다.)

2 교육관 답변 연습

> **Q** 자신이 갖고 있는 교육관을 설명하시오.

❶ 교육관 답변 기본 구조

서론 (입장 표명)	저는 구성주의적 교육관에 기반하여 지식은 학생이 스스로 구성해 나가는 것이라고 생각합니다.
본론 (질문 답변)	따라서 저의 교육관은 교사는 지식을 일방적으로 전달하는 존재가 아니라 학생이 자기 주도적으로 탐구하고 의미를 만들어갈 수 있도록 지원하는 촉진자의 역할을 해야 한다는 것입니다. 저는 교육실습 중 과학 수업에서 학생들이 직접 지식을 스스로 구성하는 활동을 진행한 경험이 있습니다. 이를 통해 제가 계획했던 목표를 넘어 학생들이 새로운 생각을 발견해냈던 경험이 있습니다.
결론 (요약+다짐)	이러한 교육관을 바탕으로 앞으로도 저는 학생 개개인의 사고를 존중하며 다양한 탐구와 협력 활동을 통해 배움이 일어나는 교실을 만들겠습니다.

> **tip** **꼭 모든 답변을 서론-본론-결론 형식으로 답변하지 않아도 됩니다.** 시간이 촉박할 경우에는 묻는 말(본론)에 답변을 논리적으로 제대로 하는 것이 가장 중요합니다. 답변 방식에 일률적으로 정해진 정답은 없습니다.

3 교육관 레시피 연습 문제

Q 교사가 되고 싶은 이유를 자신의 교육관을 바탕으로 설명하시오.

예시답변

답변드리겠습니다.
저는 본질주의 교육관에 기반하여 학생들이 시대와 환경의 변화 속에서도 스스로 살아갈 수 있도록 핵심 역량을 갖추게 하는 것이 교사의 중요한 책무라고 생각합니다.
저는 초등학교 시절 기초학력 부진으로 어려움을 겪은 경험이 있습니다. 수학 시간마다 문제를 제대로 풀지 못해 스스로 부족하다는 생각에 위축되곤 했습니다.
그런 저에게 담임 선생님께서는 "너는 못하는 게 아니라, 방법을 모를 뿐이야."라고 말씀하시며 기초 개념부터 차근차근 다시 알려주셨습니다. 그 경험을 통해 저는 기본 개념을 정확히 이해하고 반복하며 익히는 학습이야말로 배움의 기반이 된다는 것을 몸소 느꼈습니다. 또한, 학생의 가능성을 믿고 끝까지 함께하는 교사의 존재가 삶에 얼마나 깊은 영향을 줄 수 있는지도 깨달았습니다.
이후 담임 선생님의 모습을 거울삼아, **학습 앞에서 주저하는 학생들이 좌절하지 않도록 곁에서 함께하며 기초부터 차근차근 다질 수 있도록 돕는 교사가 되고 싶다**는 마음을 품게 되었습니다.
저는 학생들이 꼭 갖추어야 할 핵심 역량을 익힐 수 있도록 질문하고, 기다려주며, 끝까지 함께하는 교사가 되고 싶습니다. 이상입니다.

4 교육관 레시피 워크북

● 아래 유형별 질문에 자신만의 답변을 준비하고, 스터디를 통해 답변을 공유해 보세요!

(1) 직접 질문형 : 교육관 자체에 대한 기본적인 입장을 묻는 대표 유형

> **Q** 선생님의 교육관은 무엇인가요? 그 이유는 무엇이며, 어떤 교사가 되고 싶으신가요?

(2) 비교형 질문형 : 상반된 교육관이나 가치 간 비교를 통해 사고의 확장을 유도

> **Q** '학생 중심 수업'과 '교사 주도 수업'은 각각 어떤 교육관에 기반한다고 생각하십니까? 자신이 어느 쪽에 더 동의하시는지 선택하고 그 이유를 설명하세요.

(3) 실천형 질문형 : 자신의 교육관을 실제 수업이나 학생지도에 어떻게 적용할지를 물음

> **Q** '교사는 가르침 이전에 배움의 동반자여야 한다.'는 관점에 대해 동의하신다면, 이를 어떻게 수업과 평가에 반영할 수 있을지 말하시오.

(4) 비판형 질문형 : 특정 교육관의 한계와 문제점을 비판적으로 바라보게 하는 문제

> **Q** '모든 학생은 자기 주도적으로 배울 수 있다.'는 구성주의적 관점에 대해 어떻게 생각하시나요? 현실적인 어려움은 없을까요?

(5) 통합형 질문형 : 여러 교육관을 통합적 관점에서 해석하거나 조합해보는 문제

> **Q** 현대 교육현장에서 단일한 교육관보다는 통합적 교육관이 필요하다고 생각하시나요? 그 이유를 설명해보세요. 구체적 사례와 함께 말해주세요.

(6) 상황적용 질문형 : 특정 상황 속에서 교육관에 따라 판단하고 대응하는 능력을 평가

> **Q** 기초학력이 부족한 학생이 수업에 흥미를 보이지 않는다면, 어떤 교육관을 바탕으로 어떻게 지도하시겠습니까?
>
> **Q** 다양한 배경을 가진 학생들이 함께 있는 학급에서, 본인의 교육관에 따라 수업을 어떻게 운영하시겠습니까?

CHAPTER 2 교사상

기출 문제

교사상	[초등] 18년 즉답1 → 내가 꿈꾸는 바람직한 학교생활(교사들)의 모습은?
	[중등] 23년 구상3 → 학생의 성취는 배경 vs 재능·노력, 선택하고 실현할 교사상은? 22년 구상3 → 교사 SNS 자유 vs 통제, 교사상(가치관)을 바탕으로 선택? 21년 구상3 → 기초학력 vs 자신감 vs 교우관계, 교사상을 바탕으로 가장 중요한 것 선택? 17년 구상3 → 학생과의 의사소통이 중요 vs 수업 전문성이 중요, 　　　　　　 선택하고 이유를 교사상을 바탕으로 설명?
	[비교과] 20년 구상2 → 생활지도에 힘써야 함 vs 수업준비에 힘써야 함 　　　　　　 교사상을 선택하고 노력해 온 점 설명?

기출 유형

직접 질문	• 어떤 교사가 되고 싶은가 • 본인이 추구하는 교사상은 무엇인가 • 교사는 학생에게 어떻게 기억되어야 한다고 생각하는가
경험 연결형	• 교사가 되고 싶다고 마음 먹은 경험은 무엇인가 • 교직을 준비하면서 본인의 교사상을 정한 계기는 무엇인가 • 존경하는 교사가 있는지, 어떤 모습이 인상 깊었는지 말하시오.
철학·가치형	• 교사에게 가장 필요한 자질은 무엇인가 • 교사에게 책임감이란 어떤 의미인가 • 바람직한 사제 관계는 무엇이라고 생각하는가
비교· 우선순위형	• 교사에게 공감 능력과 전문성 중 더 중요한 것은 무엇인가 • 본인의 교사상은 학생 중심 교사와 목표 지향적 교사 중 무엇에 더 가까운가
상황 적용형	• 학습 의욕을 잃은 학생에게 교사로서 어떻게 지도할 것인가 • 교사의 말 한마디가 학생에게 상처를 줄 수 있다는 말에 대해 어떻게 생각하는가
교육관/ 정책 통합형	• AI 기반 교육 환경에서 교사의 역할은 어떻게 변화해야 하는가 • 디지털 시민 교육과 관련하여 교사는 어떤 방향으로 학생을 이끌어야 하는가

대표 기출문제 살펴보기

2023년도 중등 평가원 구상형 3번 문제

Q 다음 두 교사 중 자신의 교육관과 일치하는 교사를 선택하고, 그 이유를 말하시오. 선택한 교육관을 바탕으로 자신이 실현하고 싶은 교사상을 설명하시오.

> A : 학생의 성취는 사회경제적 배경에 따라서 결징됩니다. 그렇기 때문에 사회적·경제적 격차를 없앨 수 있도록 학생을 지원하는 것이 중요합니다.
> B : 학생의 성취는 개인의 능력과 노력에 따라 결정됩니다. 그렇기 때문에 학생의 재능과 잠재력을 발전시키고 노력할 수 있도록 지원하는 것이 중요합니다.

답변 포인트 정리

[입장을 명확하게 선택하고 그 이유를 교육관과 연계]
- A : 저는 A 교사 관점에 공감합니다. 저의 교육관에 따라 학교 교육이 단지 지식을 전달하는 것이 아니라 사회적 불평등을 완화하고 학생이 평등하게 출발선에 설 수 있도록 돕는 장소가 될 수 있어야 하기 때문입니다.
- B : 저는 B 교사 관점에 공감합니다. 저의 교육관에 따라 학생은 주체적으로 지식을 구성할 수 있는 존재이고, 교사는 그 잠재력을 끌어낼 수 있도록 돕는 촉진자라고 생각하기 때문입니다.

[자신이 실현하고 싶은 교사상을 구체적으로 강조하며 설명]
- A : 저는 학교가 학생에게 제2의 기회가 되어야 한다고 믿습니다. 가정환경이나 지역사회 여건이 학생의 가능성을 제약하지 않도록 교사는 관계와 실천을 통해 그 가능성을 회복시켜주는 역할을 해야 한다고 생각합니다. 앞으로도 저는 교육이 '불평등을 조정하는 정의의 실천'이라는 철학을 실현하는 교사가 되고 싶습니다.
- B : 저는 이러한 교육관을 바탕으로, '성장 동반자형 교사'가 되고자 합니다. 학생 한 명 한 명의 가능성을 믿고, 그들의 속도와 방식에 맞춰 배움의 길을 함께 걸어가는 교사입니다. 또한 학생의 실제 행동과 사고를 근거로 한 구체적인 격려를 통해 자존감을 회복시킬 수 있는 교사가 되고 싶습니다.

[교육에 대한 태도와 다짐으로 자연스럽게 마무리]
- A : 모든 학생이 "나는 가능성이 있는 사람이다."라고 말할 수 있도록, 관계 중심, 실천 중심, 책임 중심의 교사상을 지켜나가겠습니다.
- B : 저는 자기주도적 성장을 돕는 조력자로서, 전문성과 진심을 갖춘 교사가 되어 학생의 가능성을 함께 실현하고 싶습니다.

1 교사상 학습재료

❶ 교사상이란?

교사상	• 내가 되고자 하는 교사의 모습(방향성과 정체성) • 어떤 신념을 가지고, 어떤 방식으로 학생과 관계를 맺으며, 어떤 교육활동을 실천할 것인가에 대한 교사로서의 철학, 태도, 실천적 이상을 포괄하는 개념
교육관과 교사상의 차이점	• 교육관은 '왜 교육을 하는가'에 대한 철학이 주된 물음이라면, 교사상은 '나는 어떤 교사가 되어야 하는가'에 대한 자기 고찰이 주된 물음
교사상이 중요한 이유	• 교사의 언행 판단 기준 : 교사상이 분명한 사람은 다양한 상황 속에서도 일관성 있는 판단과 행동을 할 수 있음. • 학생의 모델링 대상 : 교사상이 뚜렷한 교사는 학생들에게 배움의 대상이자 신뢰와 존경을 받는 모델링의 대상이 될 수 있음.

❷ 교사상 유형 예시

교사상 유형	교사상 설명	대표 키워드	교육관 연계
성장 동반자형 교사	학생과 함께 배우고 성장하는 교사. 질문과 성찰을 통해 공동 성장 지향	경청, 공감, 존중, 자율성	진보주의, 구성주의
전문가형 교사	수업·평가·교육과정에 전문성과 분석력을 갖춘 교사	분석력, 피드백, 수업 설계, 평가 전문성	실재론, 본질주의
삶의 조력자형 교사	학습뿐 아니라 정서·인성·삶 전반을 지원하는 교사. 돌봄과 관계 중심	따뜻함, 배려, 돌봄, 관계 맺기	실용주의, 실존주의
민주시민 양성형 교사	학생들이 공동체 의식을 갖고 사회에 참여할 수 있도록 돕는 교사	참여, 평등, 책임, 공동체	재건주의, 진보주의
디지털 역량 중심형 교사	디지털 환경에 능숙하고, AI·매체 활용에 유연한 교사	AI 리터러시, 스마트교육, 비판적 사고, 융합	실용주의, 구성주의
가치 중심형 교사	도덕·인성·철학적 가치를 중심에 두고 지도하는 교사	진정성, 인격, 정의, 책임	관념론, 실존주의

2 교사상 답변 연습

Q 자신이 되고 싶은 교사상을 설명하시오.

❶ 나의 교사상 찾기

STEP 1 교사상 키워드 찾기	교사의 모습과 관련하여 나에게 중요한 키워드를 작성해 보세요. → 예 공감 : 학생의 이야기를 잘 들어주는 교사가 되고 싶어서
STEP 2 경험 연결하기	위 키워드와 연결하여 학창 시절, 교육 실습생 시절, 인상 깊었던 선생님의 모습 중 하나의 경험을 떠올려 보세요. → 예 고등학교 1학년 때 수학을 너무 어려워했지만, 선생님께서 매일 10분씩 질문을 받아주신 경험
STEP 3 나의 교사상 말하기	지금까지의 키워드와 경험을 토대로, 아래 형식에 따라 나만의 교사상 말하기를 완성해 보세요. → 예 저는 학생의 감정을 잘 이해하고 기다려주는 교사가 되고 싶습니다. 고등학교 시절 학습에 어려움을 겪던 제게 공감해주시고 매일 짧은 상담을 해주셨던 수학 선생님 덕분입니다. 그 경험은 제가 학생의 내면을 살피는 교사의 역할을 중요하게 여기게 된 계기였습니다. 앞으로도 저는 공감과 배려의 태도로 학생과 함께 성장하는 교사가 되겠습니다.

01 step

❷ 교육관 답변 기본 구조

서론	저는 학생에게 신뢰를 주고, 정확하고 체계적인 배움을 설계하는 전문가형 교사가 되고 싶습니다.
본론	교육실습 중 수학 수업에서 학생들이 공식만 외우고 문제 해결에는 어려움을 겪는 것을 보았습니다. 이를 개선하기 위해 문제 해결 전략과 과정 설명 중심의 수업을 설계했고, 학생들이 스스로 문제를 분석하고 말할 수 있게 되었습니다. 이 경험을 통해 교사가 단순히 정답을 전달하는 사람이 아닌, 학생의 사고를 유도하는 설계자이자 전문적인 안내자가 되어야 함을 느꼈습니다.
결론	앞으로 저는 깊이 있는 수업 설계와 정확한 피드백을 통해 학생의 학습을 믿고 이끄는 전문가형 교사가 되고 싶습니다. 이를 위해 원격연수, 전문적 학습 공동체, 수업나눔 등을 통해 끊임없이 연구하고 준비하는 교사가 되겠습니다.

'교사상' 이런 방식도 좋아요!

"나는 ○○한 교사가 되고 싶다."는 표현을 할 때, 교사 유형 중 1~2가지를 자기만의 언어로 풀어내면 훨씬 설득력 있게 들립니다. 직접 외운 듯한 말보다는 평소 교직에 대해 고민해온 흔적이 드러나는 문장이 훨씬 진정성 있게 느껴집니다. 예를 들어,
"저는 학생들과 함께 배우고 성장하는 성장 동반자형 교사를 지향합니다."
"또한, 교육과정과 평가에도 전문성을 갖춘 전문가형 교사로서 신뢰받고 싶습니다."
이처럼 교사상을 표현할 땐 딱딱한 유형 명칭보다, 나만의 언어로 녹여내는 방식이 훨씬 좋습니다.

3 교사상 레시피 연습 문제

Q 향후 학생들이 본인을 교사로서 어떻게 기억하기를 바라는지 그 이유와 함께 말하시오. 또한, 그렇게 되기 위해 향후 본인이 기울일 노력을 구체적으로 제시하시오.

01 step

예시답변

답변드리겠습니다.
저는 학생들에게 배움이 오래도록 기억에 남는 수업을 했던 교사로 기억되고 싶습니다. 깊이 있는 배움은 학생의 마음에 오래 남고, 그 경험이 생각과 창의성의 씨앗이 된다고 생각하기 때문입니다.
그러한 교사가 되기 위해, 저는 **학생 중심의 수업 재구성을 통해 교사로서의 전문성을** 키우겠습니다. 예를 들어 '수송기술과 에너지' 단원에서는 전기차를 직접 설계하고 제작해보는 프로젝트 수업을 운영하고 싶습니다. 학생들은 팀을 이루어 동력 구조나 배터리 효율, 디자인을 계획하고, 전선을 연결하고 모터를 장착하면서 실패와 시도를 반복하는 과정에서 창의력과 문제 해결력을 기를 수 있을 것입니다. 단순히 외워서 아는 것이 아니라, 경험을 통한 체득은 학생들에게 보다 실질적인 지식으로 남게 된다고 생각합니다.
저는 이러한 방식의 수업을 통해 학생이 주도적으로 참여하고 배움의 기쁨을 느낄 수 있는 수업을 만들어나가고 싶습니다. 이상입니다.

4 교사상 레시피 워크북

● 아래 유형별 질문에 자신만의 답변을 준비하고, 스터디를 통해 답변을 공유해 보세요!

(1) 자기 탐색 : 내가 중요하게 생각하는 가치와 교사상이 무엇인지 스스로 돌아보기

> Q 나에게 인상 깊었던 교사는 누구인가요? 그 선생님의 어떤 점이 기억에 남나요?
> Q 내가 교사가 되고 싶다고 느낀 계기 또는 순간은 언제였나요?
> Q 학생이 나를 어떤 교사로 기억해줬으면 하나요?
> Q 교사로서 가장 중요하다고 생각하는 가치는 무엇인가요? (예 공감, 책임, 유머, 전문성 등)
> Q 내가 교실에서 가장 소중히 지키고 싶은 원칙은 무엇인가요?

(2) 교사상 정립 : 스스로의 가치관과 경험을 바탕으로 구체적인 교사상을 정의해보기

> Q 나는 어떤 유형의 교사상을 추구하나요?
> Q 그 교사상을 추구하게 된 이유나 개인적인 경험이 있나요?
> Q 내가 가장 잘 할 수 있을 것 같은 교사의 역할은 무엇인가요? (수업 설계, 상담, 생활 지도 등)

(3) 교사상 적용 : 면접 답변에 적용해보기

> Q 저는 ○○한 교사가 되고 싶습니다. 그 이유는 △△하기 때문이며, 앞으로 ◇◇한 방식으로 실천하고 싶습니다.
> Q 지금까지의 경험 중, 내가 추구하는 교사상과 연결할 수 있는 장면을 한 가지 떠올려 적어보세요. 당시 상황, 느낀 점, 배운 점은 무엇이었나요?
> Q 나의 교사상을 한 문장 또는 한 그림(상징, 메타포)으로 표현해보세요.
> 예 "저는 어둠 속에서 방향을 밝혀주는 등대 같은 교사가 되고 싶습니다."

CHAPTER 3. 학생관

기출 문제

학생관	
	[초등] 21년 즉답1 → 학생들은 능력이 있다 vs 미성숙한 존재다 　　　　　　가까운 입장을 선택하고 나의 학생관에 비추어 설명?
	[중등] 18년 구상3 → 자신이 생각하는 학습자(학생관)에 대해 설명?

기출 유형

직접 질문형	• 학생에 대한 인식을 직설적으로 묻는 가장 기본적인 유형 　– 학생을 어떤 존재로 바라보는가
상황 반응형	• 실제 교육 상황 속에서 학생을 어떻게 바라보는지 간접적으로 평가하는 유형 　– 수업에 적극적으로 참여하지 않는 학생에게 어떻게 접근하겠는가
철학 가치형	• 학생에 대한 기본 관점(신념/철학/교육관)과 연결해 사고를 묻는 질문 　– 교사는 학생의 '성장 가능성'을 믿어야 한다는 말에 동의하는가
비교 선택형	• 두 가지 상반된 관점을 제시하고, 자신의 입장을 선택하게 하는 유형 　– 학생은 지도받아야 할 존재인가, 스스로 배우는 존재인가
경험 기반 자기 성찰형	• 본인의 경험을 바탕으로 학생에 대한 인식을 묻게 하는 유형 　– 교육 실습 중 기억에 남는 학생이 있다면 그 이유는 무엇인가
정책 연계형	• 학생에 대한 관점이 교육 정책, 수업 구조와 어떻게 연결되는지를 묻는 유형 　최근 교육은 왜 '학생 주도 수업'을 강조한다고 생각하는가

대표 기출문제 살펴보기

2021년도 초등 평가원 즉답형 1번 문제

Q 다음 두 교사의 입장 중에서 자신의 학생관에 더 가까운 입장을 선택하고 그 이유를 말하시오. 또한 선택한 교사의 입장에서 학생들이 학급 규칙을 만드는 방법을 3가지 제시하시오.

> A : 학급 자치는 학생들에 의해서 이루어져야 합니다. 학생들은 교사 도움 없이도 스스로 규칙을 만들 수 있는 능력을 갖추고 있습니다. 교사가 중간에 끼어드는 상황 없이 학생들끼리 학급 규칙을 만들게 해야 합니다.
>
> B : 학생들은 아직 미성숙한 존재입니다. 학급 규칙을 처음부터 학생들이 만들게 하면 어려움을 겪게 될 것입니다. 교사가 학급 규칙에 대한 지침을 어느 정도 만들어서 제시하는 형태로 학급 규칙을 정해야 합니다.

🎓 답변 포인트 정리

[입장 선택을 명확히 밝히고, 자신의 학생관과 연결]

-A : 저는 A 교사 입장에 가깝습니다. 그 이유는 저의 학생관은 학생이란 자신의 삶과 교실 문화를 능동적으로 만들어갈 수 있는 주체적인 존재로 바라보고 있기 때문입니다.

-B : 저는 B 교사 입장에 가깝습니다. 그 이유는 저의 학생관은 학생이란 관계 속에서 성장하고 경험을 통해 자율성을 키워가는 존재로 바라보고 있기 때문입니다.

[선택한 입장에서 규칙을 만드는 방법(3가지)을 제시할 것(첫째, 둘째, 셋째)]

-A : **첫째,** 학급 회의를 통해 규칙 제안부터 결정까지 모든 과정을 학생 스스로 운영하도록 맡깁니다. **둘째,** 교사는 회의에 직접 개입하지 않고, 단지 물리적 시간과 공간만 확보해주는 조력자의 역할에 그칩니다. **셋째,** 완성된 규칙은 학생들이 직접 게시물로 제작하고 설명회를 진행하게 하여 규칙에 대한 책임감을 높이고 실천력을 강화합니다.

-B : **첫째,** 교사가 주요 생활 주제(예 복장, 언어 사용, 역할 분담 등)를 제시하고 이에 대해 학생들이 구체적 규칙을 제안하고 조율하는 방식을 사용할 수 있습니다. **둘째,** 학생들이 만든 규칙 초안을 발표하고 전 학급이 함께 피드백한 후 수정·보완하는 공개 워크숍을 통해 규칙을 공동 소유화할 수 있습니다. **셋째,** 교사는 규칙의 형식, 수칙 개수, 실행 가능성 등에 대한 최소한의 기준을 제시함으로써 학생들의 자율성을 무너뜨리지 않으면서도 질서 있는 결과물이 나오도록 안내할 수 있습니다.

학생관 학습재료

❶ 학생관이란?

학생관	'학생을 어떻게 바라보는가'에 대한 교사의 철학적·인간적 태도

"학생을 어떻게 보느냐에 따라 수업이 달라지고 관계가 달라지고 교사의 역할도 달라진다."

❷ 학생관 유형 예시

학생관 유형	핵심 관점	대표 키워드
수동적 존재관	지식 전달의 수용자, 교사의 지시를 따르는 대상	순응, 규율, 교사 중심
능동적 학습자관	주체적·경험 중심으로 배우는 존재 (구성주의적 교육관과 연결)	탐구, 자율, 구성
성장 가능성 중심관	현재보다 미래 가능성을 중심으로 보는 관점 (진보주의적 교육관과 연결)	잠재력, 격려, 도전
관계적 존재관	학생은 관계 속에서 자라고 변하는 존재	소통, 공감, 상호작용
삶의 주체관	학생은 자신의 삶을 선택하고 책임지는 존재 (실존주의적 교육관과 연결)	자아실현, 진로, 선택

 학생관, 말보다 행동에서 드러납니다.
면접에서는 "저는 학생을 믿습니다."라는 말보다, 그 신념을 수업이나 생활지도에서 어떻게 구현할지 전달하는 것이 더 중요합니다. 예를 들어, 학생을 신뢰하는 교사는 질문이 끝날 때까지 기다려주고, 실수를 배움의 일부로 받아들입니다. 반대로, 학생을 수동적으로 바라보는 교사는 정답 위주의 수업을 고집하거나 학생 참여를 통제하려고 합니다. 따라서 자신의 학생관이 어떤 교사의 행동으로 이어지는지 답변에 자연스럽게 담아내는 것이 효과적입니다.

2　학생관 답변 연습

> **Q** 내가 생각하는 학생관을 설명하시오.

❶ 나의 학생관 찾기

STEP 1 학생다움 되돌아보기	• 내가 기억하는 나의 '학생다운 모습'은? → • 내가 실습 중 또는 과거에 만났던 인상 깊었던 학생은? → • 그때 나는 그 학생을 어떤 감정과 생각으로 바라보았나? →
STEP 2 학생을 바라보는 나의 시선 정리하기	• 나는 학생을 어떤 존재라고 생각하나? → • 나는 학생의 실수나 문제 행동을 어떤 시선으로 바라보고 싶은가? → • 학생이 배운다는 것은 어떤 과정이라고 생각하나? →
STEP 3 나의 학생관 실천 다짐하기	• 내 학생관 입장에서 수업을 어떤 방식으로 실천하고 싶은가? → • 내 학생관 입장에서 생활지도나 상담 상황에서는 어떻게 하고 싶은가? → • 학생의 성장을 돕기 위해 내가 가장 신경 쓰고 싶은 부분은? →

❷ 학생관 답변 기본 구조

서론	저의 학생관은 학생을 스스로 배움을 이끌어갈 수 있는 '주체적인 존재'로 바라보는 것입니다. 학생은 단순히 교사의 설명을 따라가는 존재가 아니라, 스스로 탐구하고 문제를 해결하며 성장해 나가는 능동적인 학습의 주인공이라고 생각합니다.
본론	교육 실습을 통해 저는 교사가 정답을 주기보다 배움의 흐름을 설계해주는 촉진자가 되어야 한다는 것을 실감했습니다. 앞으로 저는 학생을 능동적 존재로 바라보는 시선을 바탕으로 문제 해결 중심의 수업을 하고 시도와 실패를 존중하는 교실 문화를 만들 수 있도록 실천할 것입니다.
결론	학생이 할 수 있다는 자신감을 수업 속에서 느낄 수 있도록 학습의 주체성을 지지하는 교사가 되고 싶습니다.

3 학생관 레시피 연습 문제

Q 다음 제시문을 읽고, 본인의 학생관을 바탕으로 김 교사가 학생 A를 대할 때 갖춰야 하는 자세와 해당 상황에서의 지도 방안을 설명하시오.

> 김 교사는 수업 시간에 학생 A가 수업 내내 말을 하지 않고, 조별 활동에도 거의 참여하지 않는 것을 발견하였다. 같은 조의 일부 학생들은 A는 아무 도움이 되지 않는다고 말하며 A에게 불만을 갖고 있다.

예시답변

답변드리겠습니다.

저는 학생은 관계 속에서 성장하는 존재라고 생각합니다. 따라서 **교사는 현재의 모습을 넘어, 학생의 가능성을 파악할 수 있는 혜안을 갖춰야 한다고 생각합니다.**

A 학생처럼 조용하고 반응이 적은 학생은 표현 방식이 다르거나 아직 표현에 안전함을 느끼지 못하는 환경에 있을 수 있습니다. 저 역시 중학교 시절 조별 활동에서 말이 적은 편이었지만, 한 선생님께서 조용히 제 이야기를 들어주시고 의미 있는 역할을 제안해주신 덕분에 점차 활동에 적극적으로 참여할 수 있었습니다. 그 경험을 통해 '이해받는 감정'이 학생에게 큰 변화를 이끌어낼 수 있음을 배웠습니다.

이를 바탕으로, **저는 A 학생에게도 먼저 다가가 이야기를 듣고, 부담 없는 방식으로 참여할 수 있는 역할을 제안하겠습니다.** 예를 들어 조별 활동에서 정리, 자료 조사, 시각 자료 제작과 같이 묵묵히 활동에 기여할 수 있는 역할을 권하겠습니다. 또한 관찰, 쓰기, 제작 등 다양한 표현 방식을 수업에 반영하여 A 학생이 점진적으로 수업에 참여할 수 있도록 지도하겠습니다.

앞서 언급한 노력들을 통해 A 학생이 스스로의 속도에 맞춰 성장할 수 있도록 신뢰와 여유를 주는 교사가 되고 싶습니다. 이상입니다.

4 학생관 레시피 워크북

● 아래 유형별 질문에 자신만의 답변을 준비하고, 스터디를 통해 답변을 공유해 보세요!

(1) 직접 질문형 : 자신의 학생관을 명확하게 한 문장으로 정의할 수 있어야 함.

> **Q** 학생을 어떤 존재로 바라보십니까?
> **Q** 학생이란 누구이며, 교사에게 어떤 의미를 가진다고 생각하십니까?

(2) 상황 반응형 : 학생의 문제행동을 '지도 대상'으로만 보는지, 관계와 맥락 속에서 성장 가능성 있는 요소로 보는지가 드러남.

> **Q** 수업에 적극적으로 참여하지 않는 학생이 있다면, 어떻게 접근하시겠습니까?
> **Q** 학습에 지속적인 실패를 경험한 학생이 '저는 못해요'라고 말할 때, 어떻게 대응하시겠습니까?

(3) 철학 가치형 : 학생관 + 수업/지도/관계로의 적용을 논리적으로 말할 수 있어야 함.

> **Q** 교사는 학생의 '성장 가능성'을 믿어야 한다는 말에 동의하시나요?
> **Q** 학생을 존중한다는 것은 교실에서 어떻게 실현될 수 있다고 생각하십니까?

(4) 비교 선택형 : 정답은 없지만, 선택한 입장을 학생에 대한 관점과 교육방법으로 연결.

> **Q** 학생은 지도받아야 할 존재인가요, 아니면 스스로 배우는 존재인가요?
> **Q** 학생 중심 수업과 교사 중심 수업 중, 어느 쪽이 학생의 성장을 더 잘 도울 수 있다고 생각하십니까?

(5) 자기 성찰형 : 경험이 내 학생관 형성에 어떤 영향을 주었는지를 말할 것.

> **Q** 교육 실습 중 기억에 남는 학생이 있다면 그 이유는 무엇인가요?
> **Q** 학생이 교사인 나에게 영향을 준 적이 있다면 어떤 상황이었나요?

(6) 정책 연계형 : 학생관을 교육현장(수업, 평가 등)과 연결시킬 수 있는지를 평가함.

> **Q** 왜 최근 교육은 '학생 주도 수업'을 강조한다고 생각하시나요?
> **Q** 기초학력 보장을 위한 맞춤형 지도에서 교사는 학생을 어떻게 바라봐야 할까요?

교사의 자질

기출 문제

자질	
	[초등] 25년 즉답2 → 협조가 원활하지 않은 상황에서 교사에게 필요한 인성적 자질은? 24년 즉답2 → 학부모와 소통이 잘 안되는 상황에서 교사에게 필요한 인성적 자질은? 23년 즉답2 → 어쩔 수 없이 맡게 된 업무 상황에서 교사에게 필요한 인성적 자질은? 22년 즉답2 → 학생 지도에 대한 고민 상황에서 교사에게 필요한 인성적 자질은? 21년 즉답2 → 평가계획 협의 상황에서 신규교사에게 필요한 인성적 자질은? 20년 즉답2 → 아동학대 신고 이후 상황에서 교사에게 필요한 인성적 자질은? 19년 즉답2 → 동료 교사의 간섭 상황에서 교사에게 필요한 인성적 자질은? 18년 즉답2 → 학생이 걱정되는 상태를 무시한 교사에게 부족한 인성적 자질은? 17년 즉답2 → 저녁 약속 vs 교직원 배구 연습 상황에서 인성적 자질과 연계하여 답변?
	[중등] 22년 구상2 → 기초학력이 부족한 학생을 지도할 때 필요한 인성적·전문적 자질은? 21년 구상2 → 소극적인 학생 지도 상황에서 교사가 가진 자질과 함양 방안을 제시? 20년 구상2 → 지각 학생 지도 상황에서 교사에게 필요한 자질과 노력 방안을 제시? 18년 구상2 → 학생의 의견을 보고, 교사에게 필요한 자질과 노력 방안을 제시?
	[비교과] 23년 구상2 → 자신이 갖고 있는 인성적·전문적 자질? 노력한 점은? 22년 구상2 → 인성교육 시 필요한 자질? 노력방안은? 21년 구상2 → 제시문의 교사가 갖고 있는 자질은? 갖춰야 할 자질은? 노력해온 점은? 18년 구상2 → 학생들 간의 갈등 상황 발견 시 교사에게 필요한 자질은? 17년 구상1 → 연구대회 참가 요구 상황에서 교사에게 부족한 자질과 보완계획은?

기출 유형

갈등상황에서 필요한 자질 문제	Q. 학교에서 전혀 의논 없이 중요한 사안이 결정된 상황이다. 이때 교사가 가져야 할 인성적 자질과 그 자질을 발휘할 수 있는 실천 방법은 무엇인가 → 갈등을 감정적으로 해석하기보다 '책임감', '협업', '긍정적 수용' 같은 자질을 중심으로 대응 답변을 제시
민감한 상황에서 필요한 자질 문제	Q. 학부모가 수업 방식에 대해 지속적으로 불만을 제기하는 상황이다. 이때 교사로서 필요한 인성적 자질과 이를 기르기 위한 노력 방안은 무엇인가 → 감정적 대응이 아닌 '경청', '소통', '신뢰 형성'을 중심으로 교사로서의 내적 균형 강조하며 답변을 제시

학생과의 상황에서 필요한 자질 문제	Q. 자신의 의견을 말하지 못하고 수업에 참여하지 않는 학생을 지도할 때 교사에게 필요한 자질은 무엇이며, 그런 상황에서 어떤 노력을 할 것인지 말하시오. → 이해, 공감, 기다림, 세심한 관찰과 지지 교사의 역할 자각과 실천을 제시
자질 비교	Q. 책임감과 유연함 중, 교사에게 더 중요한 자질은 무엇이라고 생각하는지 그 이유와 함께 말하시오. → 단일 자질이 아닌 균형 잡힌 관점이 필요. 비교형 사고 + 나의 판단 근거 제시
수업 설계와 자질 연결	Q. 수준별 맞춤형 수업을 구성할 때 교사에게 요구되는 전문적 자질은 무엇이며, 이를 어떻게 실천해왔는지 말하시오. → 단순히 전문성을 말하는 게 아니라, 학생 이해, 수업 설계, 평가 연계 흐름까지 갖춘 설득력 있는 구성 필요
자질 부족을 보완하는 계획	Q. 교육실습 중 자신에게 부족하다고 느꼈던 자질은 무엇인지 그 이유와 함께 말하고, 앞으로의 보완 계획을 말하시오. → 자기성찰 능력 + 개선 의지 강조. 솔직함과 책임감 있는 태도가 포인트

대표 기출문제 살펴보기

2022년도 초등 평가원 즉답형 2번 문제

Q 다음 상황에서 이 교사에게 필요한 인성적 자질 3가지를 이유와 함께 말하시오.

> 이 교사는 학기 초 학생들이 잘못된 말과 행동을 하는 것을 자주 목격하였고 이를 바로잡을 필요가 있다고 판단했다. 그래서 수업 시간, 쉬는 시간 등 학생들이 잘못된 말과 행동을 할 때마다 바로 지적을 했다. 지도했을 때는 학생들이 잘 따르는 것 같다가도 시간이 조금 지나면 다시 원래대로 돌아와 별로 효과를 보지 못했다. 이 교사는 어떻게 해야 할지 고민에 빠졌다.

답변 포인트 정리

- 상황 파악하기 : 단순한 지적 중심 지도 → 반복되는 행동 변화 실패 → 관계 중심 지도 필요

[필요한 자질 제시]
- 교사에게 필요한 인성적 자질은 공감능력, 인내심, 성찰이라고 생각합니다.

[본문과의 내용 연결하여 이유 제시]
- 첫째, 공감능력입니다. 문제 속 교사는 "학생들이 잘못된 말과 행동을 할 때마다 바로 지적을 했다."고 나와 있습니다. 학생들은 통제보다는 이해받는 경험을 통해 자발적으로 변화하려는 동기를 갖게 됩니다. 따라서 이 교사에게는 학생의 감정과 상황을 먼저 읽고 반응할 수 있는 공감능력이 필요합니다.
- 둘째, 인내심입니다. 교사는 "지도했을 때는 잘 따르는 것 같다가도 시간이 지나면 다시 원래대로 돌아와 별로 효과를 보지 못했다."고 말하고 있습니다. 학생의 성장은 반복과 실수를 동반하기 때문에, 단기적인 효과에 일희일비하지 않고 꾸준히 기다리고 지지하는 인내심이 반드시 필요합니다.

– 셋째, 성찰입니다. 교사는 "효과를 보지 못해 어떻게 해야 할지 고민에 빠졌다."고 표현되어 있습니다. 이 상황에서 필요한 것은 단지 더 강한 지도가 아니라, 자신의 지도 방식과 학생 반응을 객관적으로 돌아보고 조정할 수 있는 성찰력입니다. 성찰을 통해 지도 방식을 유연하게 바꾸고, 더 관계 중심적이고 학생 맞춤형의 접근으로 전환할 수 있어야 합니다.

1 교사의 자질 학습재료

❶ 교사의 자질이란?

교사의 자질	• 교사가 교육활동을 효과적으로 수행하기 위해 갖추어야 할 지식, 태도, 역량, 인성 등 전반적인 품성과 전문성을 아우르는 말. • 수업 능력만이 아니라 학생 이해, 관계 형성, 지속적인 자기 성장까지 포함하는 복합적이고 통합적인 개념.
교사의 자질이 중요한 이유	• 학생의 삶에 직접적인 영향을 주는 존재이기 때문 　→ 교사는 학생의 정서, 자존감, 학습동기, 인생 가치관에 영향을 줌. 　→ 교사의 태도나 반응 하나가 학생의 평생 기억이 될 수 있음. • 교육의 질은 교사의 자질에 달려 있기 때문 　→ 아무리 좋은 교과서와 커리큘럼이 있어도 교사의 자질이 부족하면 교육 효과가 반감됨. • 교사도 변화하는 교육환경 속에서 지속적으로 성장해야 하기 때문 　→ 다문화, 기초학력, 디지털 리터러시 등 새로운 과제에 적응하려면 고정된 기술이 아니라 유연한 태도와 전문성이 필요함.

교사의 자질은 어떻게 갖춰질까요?

교사의 자질은 타고나는 것이 아니라 길러지는 것입니다. 자질은 훈련과 성찰을 통해 발달이 가능한 영역입니다. 교사는 수업과 생활지도 속에서 실패도 경험하며 점점 성숙해지는 존재입니다. 면접 답변을 하실 때에도 '완벽한 자질을 이미 갖췄다' 보다 자질을 성찰하고 키워가려는 태도를 보여주시는 것이 좋습니다.

❷ 교사에게 필요한 자질

[1] 인성적 자질 → 교사의 사람됨과 태도를 보여줌.

책임감	맡은 바 업무와 학생에 대해 끝까지 책임지는 자세
공감능력	학생의 입장에서 생각하고 이해하려는 태도
정직성과 신뢰감	학생, 학부모, 동료 교사와 신뢰를 쌓는 태도
성실성과 인내력	꾸준함과 학생을 기다리는 자세

tip

교사의 자질, 어떻게 준비하면 좋을까요?

교사의 자질을 묻는 문제는 면접에서 자주 출제됩니다.
그중에서도 특히 '인성적 자질'을 중심으로 한 문항이 많이 나오는 편이에요.
단순히 추상적인 단어를 나열하기보다는, 그 자질이 어떤 행동이나 사례로 드러나는지를 말할 수 있도록 준비해 두면 좋습니다.
아래는 자주 언급되는 인성적 자질의 유형이에요.
답변 구성 시 참고하시면 도움이 됩니다.
- 도덕적 인성 자질 : 예, 효, 정직, 감사, 정의, 지혜
- 공동체적 인성 자질 : 존중, 배려, 협력, 책임, 공정, 공동체 의식, 소통능력, 갈등해결 능력
- 수행적 인성 자질 : 자기규제, 낙관주의, 회복탄력성, 인내(끈기), 용기
- 지적 인성 자질 : 자기인식, 메타인지, 창의성, 신중함, 비판적 사고, 성취동기

[2] 전문적 자질 → 수업과 평가 능력을 보여줌.

교수·학습 설계력	학생 발달 단계와 흥미를 반영한 수업 설계 능력
수업 전달력	학습 목표를 효과적으로 전달하고 참여를 유도하는 능력
평가 전문성	과정 중심, 수행 중심 평가를 적절하게 활용하는 역량
교육과정 이해와 재구성 능력	정해진 교육과정을 창의적으로 재구성하는 능력

[3] 관계적 자질 → 소통과 협력 능력을 보여줌.

학생과의 관계 형성 능력	신뢰와 존중을 바탕으로 안정된 학급 분위기 조성
학부모 소통 역량	열린 자세로 소통하고 의견을 조율하는 능력
동료 교사와의 협력 태도	교육 공동체의 일원으로서 협업하고 성장하는 자세
상황 조율력	갈등이나 문제 상황을 조정하고 중재하는 능력

[4] 자기성찰 자질 → 전문적 성찰과 배움의 지속성을 보여줌.	
성찰력	자신의 수업과 관계를 점검하고 개선하려는 자세
전문성 개발 노력	연수, 독서, 연구 활동 등을 통한 지속적 성장
변화 수용력	새로운 교육 환경에 유연하게 대응하는 자세
삶과 교육의 일치	자신의 삶 자체를 교육적으로 살아가려는 태도

2 교사의 자질 답변 연습

> **Q** 교사에게 가장 필요한 자질이 무엇이라 생각하는가? 해당 자질을 갖추기 위해 해왔던 노력이나 해당 자질을 갖추기 위한 방안을 제시하시오.

❶ 교사의 자질 답변 기본 구조

서론	저는 교사에게 가장 필요한 자질은 공감능력이라고 생각합니다. 교사는 학생의 말뿐 아니라 행동 너머의 마음까지 이해하고 공감할 수 있어야 한다고 생각하기 때문입니다.
본론	해당 자질을 갖추기 위한 방안으로는 첫째, 매일 수업을 마친 뒤 학생들의 반응을 돌아보는 성찰 일지를 작성하겠습니다. 둘째, 교육심리학이나 상담 관련 도서를 꾸준히 읽고 학생 발달에 대한 이해를 넓히겠습니다. 셋째, 실습 중이나 근무 후에도 다양한 성격과 배경의 학생들과 직접 소통하고 그들의 목소리에 귀를 기울이겠습니다.
결론	앞으로도 학생 개개인의 감정과 상황을 있는 그대로 존중하며 따뜻하게 공감할 수 있는 교사가 되도록 노력하겠습니다.

3 교사의 자질 레시피 연습 문제

> **Q** 다음 상황에서 문제 해결을 위해 최 교사가 가져야 할 인성적 자질 2가지를 제시하시오. 또한, 교사로서 해당 자질을 어떻게 향상할 수 있을지 말하시오.
>
>> 최 교사는 초임 교사로 담임을 처음 맡게 되었다. 얼마 전, 학급 분위기가 산만하여 수업을 할 때 집중이 잘 되지 않는다는 학급 학생들의 불만을 듣게 되었다.

01 step

예시답변

답변드리겠습니다. 제시문의 상황에서 문제를 해결하기 위해 최 교사가 갖추어야 할 인성적 자질 두 가지를 말씀드리겠습니다.
첫째, 인내심을 갖추어야 합니다. 학급 분위기가 무질서할수록 즉각적인 반응보다는 지속적이고 일관된 생활지도를 꾸준히 실천하는 것이 중요하다고 생각합니다. 저는 학생의 행동을 주 단위로 관찰하며 작은 변화에 집중하고 생활지도 중 감정이 격해질 경우에는 스스로 감정을 조절할 수 있도록 지도하겠습니다.
둘째, 관계 조정 능력을 갖추어야 합니다. 교실 분위기가 산만해지는 것의 원인은 단순히 규칙 부재가 아니라, 학생들 간의 관계, 또는 교사와 학생 사이의 거리가 원인일 수 있습니다. 이러한 문제를 해결하기 위해 학급회의를 통해 학생들과 함께 규칙을 설정하고, 역할을 고르게 나누어 학생 스스로 책임감을 느낄 수 있는 구조를 만들겠습니다.
앞으로 교사로서 이 두 가지 자질을 키우기 위해, **매일의 수업과 생활지도 과정을 기록하고 성찰하며, 동료 교사와의 수업 나눔이나 학급 운영 피드백을 정기적으로 받아들이는 태도를 유지하겠습니다.** 이상입니다.

4 교사의 자질 레시피 워크북

● 아래 유형별 질문에 자신만의 답변을 준비하고, 스터디를 통해 답변을 공유해 보세요!

(1) 갈등상황에서 필요한 자질을 묻는 문제

> **Q** 동료 교사와 수업자료 공유 방식에 대해 의견 차이가 생겼습니다. 이 상황에서 교사가 갖추어야 할 인성적 자질은 무엇이며 어떻게 하겠습니까?
>
> **Q** 업무 분담 과정에서 특정 교사가 업무를 맡지 않으려는 태도를 보이고 있습니다. 이 상황에서 교사가 갖추어야 할 인성적 자질은 무엇이며 어떻게 해결하겠습니까?

(2) 민감한 상황에서 필요한 자질을 묻는 문제

> **Q** 학부모가 수업 방식에 대해 지속적인 불만을 제기하고 있습니다. 교사에게 필요한 인성적 자질과 실천 방안을 말해보세요.
>
> **Q** 학부모 상담 중 학부모가 다른 교사와의 비교를 언급하며 감정을 드러냅니다. 이 상황에서 필요한 자질과 대응 방안을 말해보세요.

(3) 학생과의 상황에서 필요한 자질을 묻는 문제

> **Q** 학생들 간의 갈등이 반복되어 교실 분위기가 지속적으로 무거워지고 있습니다. 이 상황에서 교사가 갖추어야 할 자질은 무엇이며 어떻게 지도하겠습니까?
>
> **Q** 수업에 지속적으로 집중하지 못하고 수시로 돌아다니는 학생이 있습니다. 이 상황에서 교사가 가져야 할 자질과 지도 방안을 말해보세요.

(4) 자질을 비교하는 문제

> **Q** 교사에게 책임감과 유연성 중 더 중요한 자질은 무엇이라고 생각합니까? 그 이유와 본인의 생각을 말해보세요.
>
> **Q** 교사에게 공정성과 융통성 중 어떤 자질이 더 중요하다고 생각합니까? 자신의 관점과 이유를 말해보세요.

(5) 수업설계와 자질을 연결하는 문제

> **Q** 수업 중 예상하지 못한 돌발 상황이 발생했을 때 교사가 보여야 할 자질과 그 자질을 기르기 위한 방법을 말해보세요.

(6) 자질 부족을 보완하는 계획을 묻는 문제

> **Q** 자신에게 부족하다고 느꼈던 자질은 무엇이 있나요? 앞으로의 보완 계획도 말해보세요.
>
> **Q** 실습이나 봉사 경험 중 학생과의 관계에서 아쉬웠던 점이 있다면 설명하고, 이를 통해 보완하고 싶은 자질과 실천 방안을 말해보세요.

CHAPTER 5. 교사의 역량

기출 문제

역량

[중등]
24년 구상2 → 테크놀로지를 활용하는 수업과 관련된 전문성을 신장시키기 위한 계획은?
23년 구상2 → 교사로서 학생을 칭찬하기 위한 노력 방안은?
17년 구상2 → 일방적인 수업을 하는 교사에게 부족한 역량은? 나의 노력과 계획은?

[비교과]
24년 구상2 → 스마트폰 과의존 학생에 대한 지도 방안 전문성 향상 계획은?
19년 구상2 → 의사소통 역량을 기르기 위해 한 노력은? 그 노력으로 배운 점은?

기출 유형

유형	내용
상황 대처형	• 스마트폰 과의존 학생 지도 시, 교사에게 필요한 전문성과 향상 방안은 무엇인가
역량 진단형	• 일방적 수업을 하는 교사에게 부족한 역량과 해당 역량 향상을 위해 본인의 향후 노력은 무엇인가
역량 강화·노력형	• 학생을 칭찬하기 위한 역량을 기르기 위해 본인이 기울인 노력은 무엇인가
역량 비교·우선순위형	• 초임 교사에게 가장 중요한 역량과 그 이유는 무엇인가
교사상 연계형	• 좋은 교사가 갖추어야 할 역량은 무엇인가
교육과정 연계형	• 학생 맞춤형 수업을 실현하기 위해 필요한 교사 역량은 무엇인가
미래역량 확장형	• AI 기반 학습 환경에서 교사가 강화해야 할 역량은 무엇인가

대표 기출문제 살펴보기

2019년도 비교과 평가원 구상형 2번 문제(일부)

Q '의사소통 역량'을 기르기 위해 본인이 지금까지 노력한 것과 그 노력으로 배운 점을 1가지 말하시오.

> 📋 **답변 포인트 정리**

[의사소통 역량을 기르기 위한 구체적인 노력 제시]
- 저는 의사소통 역량을 기르기 위해 실습 기간 동안 학부모 상담 시뮬레이션 활동과 동료 예비교사 간 협력 수업 기획에 적극적으로 참여했던 경험이 있습니다. 교육실습 당시 지도 선생님께서 학부모 역할을 맡아 상담 대화를 직접 시뮬레이션해 주셨습니다.
- 또한 수업을 함께 설계한 동료와의 협의 과정에서는 의견 충돌이 있었지만 적극적으로 상대의 입장을 경청하고 내 의견을 조율하고자 노력하였습니다.

[노력으로 배운 점 제시]
- 저는 이 경험을 통해 학부모의 시각에서 학생을 바라보는 태도, 비판보다는 공감과 명확한 정보 전달이 중요한 점, 그리고 대화 전에는 반드시 '핵심 메시지를 정리해둘 필요가 있다'는 것을 배웠습니다. 더 나아가, 의사소통은 단순한 말하기가 아니라 듣는 기술임을 배울 수 있었습니다.

1 교사의 역량 학습재료

❶ 교사의 역량이란?

교사의 역량	• 특정 상황에서 요구되는 지식, 기능, 태도를 통합적으로 발휘하여 문제를 효과적으로 해결하는 능력. • 알고 있는 것(지식), 할 수 있는 것(기능), 행하는 태도가 교육현장에서 실제 발휘되는 능력을 말함.
교사의 역량이 중요한 이유	• 실천 중심 교육 전환 : 이제 교사는 단순히 지식을 전달하는 역할에서 벗어나 학생 중심의 수업을 설계하고 실행하고 적절한 피드백을 주도해야 함. • 현장 적응력 요구 : 교육현장은 변화가 많고 예측이 어렵기 때문에 교사가 갖춰야 할 역량은 융통성과 문제해결력 중심으로 변화 중임. • 전문성 평가 기준 변화 : 이제 단순히 자격이나 이론 지식보다, 실제 수업 운영 능력과 소통력이 더 중요하게 평가되고 있음.

❷ 교사의 자질과 역량 비교

항목	교사의 자질	교사의 역량
개념	교사로서 가져야 할 성품, 인격적 태도에 중점	교사로서 실제 수업, 생활지도, 학생과의 소통 등에서 발휘되는 실행력에 중점
예시	책임감, 공감능력, 성실성 등	수업설계 능력, 교육과정 재구성 능력, 평가 피드백 능력 등
성격	인성 중심	실행 중심

❸ 교사에게 필요한 역량

[1] 수업 실행 역량 → 학생 수준을 고려한 수업을 설계·진행하고 반응에 따라 수업을 조정하는 능력

키워드 : 수업 설계력, 학습자 반응 읽기, 수업 흐름 조절, 수업 몰입도 유도, 수업 피드백 반영 등

[2] 교육과정 재구성 역량 → 교육과정을 학생 수준과 학교 상황에 맞게 조정하여 실천하는 능력

키워드 : 성취기준 해석, 주제 통합, 학습자 맞춤 구성, 차시 분해, 교과 간 융합 등

[3] 학생 이해 및 상담 역량 → 학생을 이해하고 지도에 반영하고 정서적 지지를 제공하는 능력

키워드 : 발달 이해, 관찰력, 정서 민감성, 경청, 상담 기술, 학습 부진 요인 분석 등

[4] 평가 설계 및 피드백 역량 → 성취기준에 기반한 평가를 계획하고 적절한 피드백으로 학습을 촉진하는 능력

키워드 : 평가도구 개발, 루브릭 활용, 형성평가, 과정 중심 평가, 피드백 제공 등

[5] 의사소통 및 협력 역량 → 동료 교사, 학부모, 학생과의 관계를 원활히 조율하며 협력하는 능력

키워드 : 경청, 비폭력 대화, 협의 조정, 집단 의사결정, 학부모 응대, 동료 협력 등

[6] 문제 해결 및 위기 대응 역량 → 예상치 못한 상황에서도 침착하게 대처하며 교육적 해결을 도출하는 능력

키워드 : 상황 분석, 신속한 판단, 유연한 대응, 매뉴얼 숙지, 학생 안전 확보, 감정 조절 등

[7] 전문성 신장 역량 → 스스로 교직 전문성을 발전시키기 위해 지속적으로 학습하고 실천하는 능력

키워드 : 성찰 일지, 수업 공개, 교사 학습공동체, 연수 참여, 교육 트렌드 이해, 테크놀로지 수용력 등

④ 2022 개정 교육과정

개정 주요 배경	교육과정 구성 중점
인공지능 기술 발전에 따른 디지털 전환, 감염병 대유행 및 기후·생태환경 변화, 인구 구조 변화 등에 의해 사회의 불확실성이 증가함.	미래사회의 불확실성에 능동적으로 대응할 수 있는 능력과 자신의 삶과 학습을 스스로 이끌어가는 주도성을 함양함. 다양한 학생 참여형 수업을 활성화하고, 문제 해결 및 사고의 과정을 중시하는 평가를 통해 학습의 질을 개선함. 교과 교육에서 깊이 있는 학습을 통해 역량을 함양할 수 있도록 교과 간 연계와 통합, 학생의 삶과 연계된 학습, 학습에 대한 성찰 등을 강화함.
사회의 복잡성과 다양성이 확대되고 사회적 문제를 해결하기 위한 협력의 필요성이 증가함에 따라 상호 존중과 공동체 의식을 함양하는 것이 더욱 중요해짐.	행복을 위해 서로 존중하고 배려하며 협력하는 공동체 의식을 함양함.
학생 개개인의 특성과 진로에 맞는 학습을 지원해 주는 맞춤형 교육에 대한 요구가 증가함.	모든 학생이 학습의 기초인 언어·수리·디지털 기초소양을 갖출 수 있도록 하여 학교교육과 평생 학습을 지속할 수 있게 함. 학생들이 자신의 진로와 학습을 주도적으로 설계하고, 적절한 시기에 학습할 수 있도록 학습자 맞춤형 교육과정 체제를 구축함.
교육과정 의사 결정 과정에 다양한 교육 주체들의 참여를 확대하고 교육과정 자율화 및 분권화를 활성화해야 한다는 요구가 높아지고 있음.	교육과정 자율화·분권화를 기반으로 학교, 교사, 학부모, 시·도교육청, 교육부 등 교육주체들 간의 협조 체제를 구축하여 학습자의 특성과 학교 여건에 적합한 학습이 이루어질 수 있도록 함.

⑤ 2022 개정 교육과정의 인간상

자기주도적인 사람	전인적 성장을 바탕으로 자아정체성을 확립하고 자신의 진로와 삶을 스스로 개척하는 사람
창의적인 사람	폭넓은 기초 능력을 바탕으로 진취적 발상과 도전을 통해 새로운 가치를 창출하는 사람
교양있는 사람	문화적 소양과 다원적 가치에 대한 이해를 바탕으로 인류 문화를 향유하고 발전시키는 사람
더불어 사는 사람	공동체 의식을 바탕으로 다양성을 이해하고 서로 존중하며 세계와 소통하는 민주시민으로서 배려와 나눔, 협력을 실천하는 사람

❻ 2022 개정 교육과정의 핵심 역량

자기관리 역량	자아정체성과 자신감을 가지고 자신의 삶과 진로를 스스로 설계하며, 이에 필요한 기초 능력과 자질을 갖추어 자기주도적으로 살아갈 수 있는 역량
지식정보처리 역량	문제를 합리적으로 해결하기 위하여 다양한 영역의 지식과 정보를 깊이 있게 이해하고 비판적으로 탐구하며 활용할 수 있는 역량
창의적 사고 역량	폭넓은 기초 지식을 바탕으로 다양한 전문 분야의 지식, 기술, 경험을 융합적으로 활용하여 새로운 것을 창출하는 역량
심미적 감성 역량	인간에 대한 공감적 이해와 문화적 감수성을 바탕으로 삶의 의미와 가치를 성찰하고 향유하는 역량
협력적 소통 역량	다른 사람의 관점을 존중하고 경청하는 가운데 자신의 생각과 감정을 효과적으로 표현하며 상호협력적인 관계에서 공동의 목적을 구현하는 역량
공동체 역량	지역·국가·세계 공동체의 구성원에게 요구되는 개방적·포용적 가치와 태도로 지속 가능한 인류 공동체 발전에 적극적이고 책임감 있게 참여하는 역량

면접, 어떤 문제가 많이 나오나요?

최근 면접 문제는 단순한 가치나 자질을 묻기보다는 구체적인 상황을 제시한 후 교사의 전문성과 대응 역량을 파악하려는 형태로 출제되고 있습니다. 예를 들어, 학급 갈등, 수업 중 돌발 상황, AI 기반 수업 환경 등 현장감 있는 사례가 문항으로 자주 등장해요.
또한, 2022 개정 교육과정이 적용되면서 '학생 중심 수업', '자기주도 학습', '미래 사회 대응' 같은 방향성과 맞닿은 교육과정 연계형·미래역량형 문항이 함께 출제될 가능성도 높아졌습니다.
따라서 내가 어떤 교사로서 교육 현장에 임할 것인지 머릿속에 그려보는 것이 도움이 됩니다.

2 교사의 역량 답변 연습

> **Q** 수업 중 학생들의 반응이 예상과 달라 수업 흐름이 끊겼을 때 교사에게 필요한 역량은 무엇이라고 생각하며, 해당 역량을 기르기 위한 노력을 말해보세요.

❶ 교사의 역량 답변 기본 구조

서론	수업 중 학생들의 반응이 예상과 달라 수업 흐름이 끊기는 상황은 실제 교실에서 발생할 수 있는 문제입니다. 이럴 때 교사가 갖추어야 할 가장 중요한 역량은 수업 실행 역량이라고 생각합니다.
본론	수업 실행 역량이 부족하면 학생의 몰입도는 떨어지고 수업의 흐름이 무너질 수 있으며 교사도 점점 수업에 대한 자신감을 잃게 됩니다. 수업 실행 역량을 기르기 위한 노력은 다음과 같습니다. 첫째, 수업 리허설과 시나리오 분기점 설정 연습입니다. 이를 통해 단일한 수업 흐름이 아니라 다양한 경우에 대비할 수 있는 준비력을 기를 수 있습니다. 둘째, 학생의 반응을 관찰하고 기록하는 것입니다. 기록 데이터를 바탕으로 활동형 과제나 짧은 짝 토의 등 집중 회복 장치를 적극적으로 설계할 수 있습니다. 셋째, '빈틈 보완 카드'를 수업마다 준비하는 것입니다. 예를 들어 예상보다 활동이 빨리 끝났을 때 사용할 수 있는 보충 질문, 짝과 나누기, 즉흥 퀴즈 카드 등을 만들어두어 수업 공백을 최소화할 수 있습니다.
결론	저는 이러한 수업 실행 역량을 바탕으로 변화무쌍한 교실 속에서도 학생의 흐름을 읽고 수업을 유연하게 설계할 수 있는 '살아 있는 수업을 하는 교사'가 되고 싶습니다.

 면접에서는 단순히 '나는 수업을 잘하고 싶다'가 아니라 '수업 실행력을 강화하기 위해 어떤 노력과 경험을 했는가'를 묻습니다. 따라서 문제상황에 따라 적절한 경험과 방안을 연결하여 답변을 해야 합니다.

3 교사의 역량 레시피 연습 문제

Q AI 기반 학습 환경이 확대되고 있는 상황에서 교사에게 요구되는 역량을 1가지 제시하고, 해당 역량을 기르기 위해 본인이 기울인 노력을 2가지 말하시오.

01
step

예시답변

답변드리겠습니다.
현 교육 상황에서 **교사에게 가장 요구되는 역량은 지식정보처리 역량**이라고 생각합니다.
지식정보처리 역량은 다양한 정보를 비판적으로 탐색하고 교육적으로 재구성하여 학생들이 학습에 효과적으로 접근할 수 있도록 돕는 능력입니다. AI의 발달은 방대한 정보에 대한 접근성을 높여주었지만, 오히려 학생들은 그 안에서 정보의 중요성과 신뢰성을 판단하는 데 어려움을 겪게 되었습니다. 따라서 교사는 단순히 기술 활용법을 알려주는 것이 아니라, 학생이 '무엇을, 어떻게' 배울 것인지 스스로 설계할 수 있도록 안내하는 역할을 수행해야 한다고 생각합니다.
이러한 역량을 기르기 위해 저는 두 가지 노력을 해왔습니다.
첫째, AI 수업 도구를 직접 사용하며 기능과 한계를 체험해보고 있습니다. 예를 들어 '구글 클래스룸', '패들렛', 'ChatGPT' 등을 활용해 과제를 설계해보고, 학생 입장에서 얼마나 자기주도적 학습이 가능한지, 교사로서 어떤 피드백이 적절한지 고민해왔습니다.
둘째, 디지털 정보 판별과 윤리 교육을 반영한 수업 설계에 매진했습니다. 교육실습 중 'AI가 만든 글과 사람이 쓴 글을 비교하고 분석하는 수업'을 운영하였으며, 이 과정에서 학생들이 AI를 무비판적으로 수용하지 않고 비판적으로 활용하는 능력을 기를 수 있도록 수업을 설계했습니다. 이상입니다.

4 교사의 역량 레시피 워크북

● 아래 유형별 질문에 자신만의 답변을 준비하고, 스터디를 통해 답변을 공유해 보세요!

(1) 상황 대처형 : 수업/학생/학교 상황 속에서 필요한 교사 역량을 진단하고 해결책을 제시

> **Q** 수업 중 학생들의 참여가 떨어졌을 때 교사가 발휘해야 할 역량은 무엇입니까?
> **Q** 학부모와의 갈등 상황이 발생했을 때 필요한 역량과 해결 방안을 말해보세요.
> **Q** 학생 간 갈등이 격화된 상황에서 교사가 발휘해야 할 역량은 무엇이며 어떻게 실천?

(2) 역량 진단형 : 본인의 약점 혹은 실습 중 느낀 부족한 역량을 말하고 보완 방안을 서술

> **Q** 교육실습 과정에서 부족하다고 느꼈던 교사의 역량은 무엇이며, 어떻게 보완했나요?
> **Q** 팀 프로젝트 수업 중 협업에 어려움을 겪은 경험이 있다면, 부족했던 역량과 그 이유?
> **Q** 수업 중 긴장감 때문에 전달력이 떨어졌던 경험이 있다면 이를 개선하기 위한 노력방안은?

(3) 역량 강화 노력형 : 역량을 기르기 위해 했던 노력(학습, 연습, 실천 등)을 말하게 함.

> **Q** 수업 실행력을 기르기 위해 지금까지 어떤 노력을 해왔습니까?
> **Q** 교육과정 재구성 역량을 강화하기 위해 실천한 학습이나 활동이 있다면 말해보세요.
> **Q** 다양한 평가방법을 설계하고 실행해보기 위한 본인의 노력을 구체적으로 제시해 보세요.

(4) 역량 비교·우선순위형 : 다양한 교사 역량 중 우선되어야 할 역량을 선택하고 이유를 말하게 함.

> **Q** '수업 실행력'과 '학생 이해' 중 초임 교사에게 더 필요한 역량은? 그 이유는?
> **Q** 교육과정 재구성과 평가 설계 역량 중 하나를 선택하여 더 중요하다고 생각하는 이유를 제시

(5) 교사상 연계형 : 본인이 되고자 하는 교사상과 연결되는 핵심 역량을 설명하게 함.

> **Q** 본인의 교사상과 가장 밀접한 교사 역량은 무엇이며, 그 이유는 무엇입니까?
> **Q** '학생을 존중하는 교사'가 되기 위해 가장 필요하다고 생각하는 교사 역량은 무엇입니까?
> **Q** 당신이 되고 싶은 교사는 어떤 핵심 역량을 갖추고 있어야 한다고 생각하나요?

(6) 교육과정 연계형 : 개정 교육과정과 연계하여, 역량 중심 교육을 위한 교사 역량을 묻는 문제

> **Q** 학생 참여형 수업을 설계하고 실행하기 위해 교사가 갖추어야 할 역량은 무엇입니까?
> **Q** 교육과정 자율화 시대에 교사가 필수적으로 가져야 할 역량은 무엇이며, 이를 어떻게 기를 수 있습니까?
> **Q** 학생 맞춤형 학습을 위해 필요한 교사의 역량과 실천 방안을 말해보세요.

(7) 미래역량 확장형 : AI · 디지털 · 기후 위기 등 미래 사회 변화 속에서 강화해야 할 역량을 묻는 문제

> **Q** 디지털 전환 시대에서 학생들의 정보 판별 능력을 길러주기 위해 필요한 교사의 역량은?
> **Q** 학생들이 생성형 AI 도구를 수업에 활용하고자 할 때, 교사는 어떤 역량을 갖추고 어떤 방식으로 수업을 설계해야 하는지?
> **Q** 기후 위기나 사회적 재난과 같은 이슈를 수업에 반영할 때, 교사는 어떤 역량을 갖추어야 하며 이를 위해 어떤 준비가 필요한지?
> **Q** 디지털 리터러시 격차가 큰 학급 상황에서, 교사가 갖추어야 할 전문성과 실천 방안은?
> **Q** 다문화 가정 학생들과 함께하는 학급을 운영하게 된다면, 교사로서 어떤 역량을 특히 중시하고, 어떻게 실천할지?
> **Q** 학생 맞춤형 진로 설계를 지원하는 교사가 되기 위해 어떤 역량을 강화해야 한다고 생각하며, 그 이유는 무엇인지?

교사의 태도

기출 문제

태도	[초등] 25년 즉답1 → 교사 소진현상의 이유 2가지와 이때 교사에게 필요한 태도는? 24년 즉답1 → 공개 수업과 에듀테크에 대해 부정적인 교사가 가져야 할 태도는? 23년 즉답1 → 전문적학습공동체를 활성화하기 위해 교사가 가져야 할 태도는? 22년 즉답1 → 선호하는 학년 담임을 맡은 상황에서 교사에게 필요한 태도는? 20년 즉답1 → 디지털 교과서에 부정적인 교사의 잘못된 태도와 해결 방안은?

기출 유형

상황 비판형	디지털 기기 활용에 소극적인 교사의 문제점과 바람직한 태도
태도 제시형	전문적학습공동체에서 갈등이 발생했을 때 교사의 태도
비교 선택형	공개 수업 준비를 혼자 하는 교사 vs 함께 나누는 교사, 어떤 태도가 바람직한가
경험 연계형	새로운 평가 방식을 도입한 경험이 있다면, 당시 어떤 태도로 접근했는가
변화 대응형	AI 기반 수업 환경에서 교사가 가져야 할 태도는 무엇인가
협력·소통형	수업 방식을 두고 동료 교사와 의견이 다를 때 교사가 보여야 할 태도

대표 기출문제 살펴보기

2023년도 초등 평가원 즉답형 1번 문제

Q 4차 산업혁명과 관련된 교원학습공동체에 참여할 것을 권유받았을 때, 교원학습공동체 활성화를 위해 교사에게 필요한 태도 3가지를 이유와 함께 말하시오.

답변 포인트 정리

[필요한 태도 3가지 명확히 제시] – 각 태도에 대한 이유 포함
- 첫째, 변화 수용 태도입니다. 이러한 태도가 필요한 이유는 AI, 빅데이터, 디지털 전환 등으로 수업 방식과 교육 환경이 빠르게 변화하고 있습니다. 이때 변화에 유연하게 반응하기 위해서는 공동체 내 활발한 논의와 실험이 중요합니다.

- 둘째, 협력적 태도입니다. 이러한 태도가 필요한 이유는 전문적학습공동체는 '함께 배우는 교사 문화'를 실현하는 장입니다. 이 과정에서 동료의 수업 아이디어나 실패 사례도 존중하고, 서로 피드백하며 공동의 수업 목표를 만들어가는 협력이 중요합니다.
- 셋째, 전문성 성장 태도입니다. 이러한 태도가 필요한 이유는 교사는 더 이상 지식을 단순 전달하는 존재가 아니라, 지속적으로 배우는 존재로 자리매김하고 있습니다. 교원학습공동체는 연수 그 이상의 가치, 즉 교사 스스로 학습의 주체가 되는 경험을 제공합니다. 따라서 스스로 배우고 실천하려는 의지를 가지고 참여해야 진정한 성장이 이루어질 수 있습니다.

[마무리에서 교사 역할의 중요성을 언급]
- 교사의 태도는 교원학습공동체가 단순한 모임을 넘어서 살아 있는 성장의 장이 되도록 만드는 핵심입니다. 변화를 두려워하지 않고, 함께 나누고, 스스로 배우려는 교사가 되겠습니다.

1 교사의 태도 학습재료

❶ 교사의 태도란?

교사의 태도	• 교사가 지속적으로 나타내는 가치 지향적 행동 경향성을 뜻함.
태도가 중요한 이유	• 학생에게 영향력 있는 모델 : 학생은 교사의 말보다 태도에서 교육적 메시지를 더 강하게 받아들임. • 교육 변화의 현장 실천자 : 교육과정, 기술, 정책의 변화 속에서 교사의 태도는 변화를 수용하고 실현하는 핵심 요소임. • 교육 공동체 일원으로서의 역할 : 교사는 혼자 일하지 않고 협업과 소통이 필요함. 이때 교사의 태도는 신뢰와 갈등의 균형점이 됨.

❷ 교사의 자질·역량과 태도 비교

항목	교사의 자질	교사의 역량	교사의 태도
개념	교사로서 가져야 할 성품, 인격적 태도에 중점	교사로서 실제 수업, 생활지도, 학생과의 소통 등에서 발휘되는 실행력에 중점	선택과 판단의 기준이 되는 내면의 가치에 중점
예시	책임감, 공감능력, 성실성 등	수업설계 능력, 교육과정 재구성 능력, 평가 피드백 능력 등	변화 수용, 성장 지향, 회복 탄력성, 성찰, 책임감, 협력적 태도 등
성격	인성 중심	실행 중심	복합적 가치 중심

❸ 교사에게 필요한 태도

[1] 변화를 수용하는 태도 → 기술, 정책, 환경 변화에 대해 유연하게 수용하고 긍정적으로 반응하는 태도

필요한 이유	교사는 교육과정과 정책 변화의 최전선에서 실천하는 주체이기 때문
관련 키워드	에듀테크, 디지털 전환, 교육과정 변화
태도 적용 예시	디지털 교과서 도입 시 '적극적으로 배우려는 자세'

[2] 전문성 성장 → 자기 주도적으로 배우고, 끊임없이 성장하려는 태도

필요한 이유	교사에게는 평생학습자로서의 자세가 요구됨
관련 키워드	전문적 학습공동체, 공개수업, 수업 나눔, 연수 참여
태도 적용 예시	전문적학습공동체 참여, 동료와 수업 피드백 교환

[3] 책임감 있는 태도 → 맡은 역할과 학생 교육에 대해 책임감을 가지고 임하는 태도

필요한 이유	학생 성장과 학급 운영의 중심은 교사이기 때문
관련 키워드	담임업무, 수업준비, 학습지원
태도 적용 예시	선호하지 않는 수업에도 최선을 다해 수업 준비

[4] 협력적 태도 → 동료 교사 및 교육 주체들과 소통하고 협업하려는 태도

필요한 이유	학교는 공동체이며, 협력이 곧 교육의 질로 이어지기 때문
관련 키워드	동료 간 불화, 협력 수업, 공동체 문화, 학부모 소통
태도 적용 예시	동료 교사와 프로젝트 수업 공동 기획

[5] 성찰과 회복적 탄력성 → 실패나 실수를 성장의 계기로 보고 스스로를 성찰하고 회복하는 태도

필요한 이유	교사도 실수할 수 있으며, 소진 없이 지속가능하게 일하기 위해 필요
관련 키워드	감정노동, 교사 소진, 회복, 감정노동
태도 적용 예시	학생 지도가 잘 되지 않았을 때 자책보다 성찰 후 전략 조정

[6] 학생을 존중하는 태도 → 학생을 독립된 인격체로 대하며, 그 다양성과 가능성을 신뢰하는 태도

필요한 이유	교사의 말과 태도가 학생의 자존감과 학습 태도에 결정적 영향
관련 키워드	경청, 공감, 개별화
태도 적용 예시	질문이 서툰 학생에게도 끝까지 경청해주는 자세

tip **교사에게 필요한 태도를 묻는 문제가 어려워요.**
면접에서는 '교사에게 필요한 태도'에 대한 질문이 자주 등장하지만, 이 문제들에 정해진 정답은 없습니다. 상황에 따라 요구되는 태도는 얼마든지 달라질 수 있기 때문입니다.
예를 들어, 갈등 조정이 필요한 상황에서는 '공감과 경청'이 중요하고, 학부모와의 소통 상황에서는 '신뢰와 존중'이 더 필요할 수 있어요. 따라서 문제 상황을 먼저 잘 읽고, 그 안에서 어떤 태도가 교사에게 요구되는지를 진단한 뒤 그에 맞는 태도와 이유를 설명하는 방식이 가장 효과적입니다.

2 교사의 태도 답변 연습

Q 공개 수업을 앞두고 전문적학습공동체에서 수업에 대해 함께 의논하는 중에 A 교사의 수업에서 활용하는 수업 도구에 대해 부정적인 태도를 보이는 동료 교사 B가 있다. 이 상황에서 B 교사가 가져야 할 바람직한 태도는 무엇이며 그러한 태도를 함양하기 위한 방안을 제시하시오.

❶ 교사의 태도 답변 기본 구조

서론	전문적학습공동체 활동은 교사들이 함께 성장하기 위한 중요한 협력 공동체 모임입니다.
본론	이러한 상황에서 B교사에게는 변화 수용 태도가 필요하다고 생각합니다. 변화 수용 태도는 급변하는 교육 환경에서 새로운 수업 방식이나 도구에 대해 유연하게 반응하고 학습하려는 자세를 말합니다. 특히 디지털 기술, AI 활용, 학생 중심 활동 등은 2022 개정 교육과정에서 강조되는 방향으로 교사 역시 지속적으로 변화에 적응해야 합니다. 이러한 태도를 함양하기 위해서는 첫째, 공동 수업 시연이나 수업 나눔을 통해 직접적인 체험과 성찰의 기회를 마련하는 것이 중요합니다. 둘째, 수업 도구에 대한 의견을 단순한 평가가 아닌 '피드백' 중심의 대화로 전환하는 노력이 필요합니다. 셋째, 교사 간 신뢰를 바탕으로 서로 다른 수업 방식의 취지와 효과를 탐색해보는 소그룹 연구나 사례 나눔도 효과적일 것입니다.
결론	교사의 태도는 공동체의 분위기와 수업 문화에 직접적인 영향을 미칩니다. 공동체 안에서 서로를 존중하고, 새로운 시도를 함께 탐색하는 문화 속에서 교사도 배우는 존재임을 인식하는 태도가 중요하다고 생각합니다.

tip **답변, 어떻게 시작하고 마무리할까요?**
문제 상황에 대한 답변을 할 때는 우선 상황의 맥락을 정확히 파악하고, 문제에서 묻는 핵심이 무엇인지 분명히 제시하는 것이 중요합니다. 특히, 태도나 관계와 관련된 문제의 경우, 누군가를 직접적으로 비판하기보다는 함께 성장하고자 하는 협력적인 태도를 강조하는 방향이 좋습니다. 그 태도가 교사로서의 성숙함을 보여줄 수 있어요.
또한 방안을 제시할 때는 막연한 다짐보다는 구체적인 행동 계획으로 마무리해보세요.
예를 들어, "○○한 활동을 운영하며, ○○한 방식으로 실천해가고자 합니다."라는 실천 중심의 마무리를 통해 진정성과 실행력을 동시에 보여줄 수 있음을 잊지 마세요.

3 교사의 태도 레시피 연습 문제

Q 다음 상황에서 김 교사와 동료 교사들이 가져야 할 바람직한 태도를 각각 1가지씩 제시하고, 향후 교사로서 이러한 태도를 실천하기 위한 방안을 각각 1가지씩 말하시오.

> 김 교사는 신규 교사로서 열정을 가지고 다양한 시도를 하고자 한다. 하지만 동료 교사들은 변화에 소극적이며 전자칠판, 디지털 교과서, 태블릿을 활용한 교육 등 새로운 방식에 대해 회의적인 반응을 보인다.

예시답변

답변드리겠습니다.
이 상황에서 김 교사가 가져야 할 바람직한 태도는 끈기 있게 실천하는 태도입니다.
새로운 방식에는 시행착오가 따르기 마련이기 때문에 학생에게 즉각적인 변화가 나타나지 않는다고 해서 포기하기보다 이를 꾸준히 이어가는 자세가 중요하다고 생각합니다.
저는 향후 교사로서 이러한 태도를 실천하기 위해 수업 성찰일지를 꾸준히 작성하겠습니다. 새로운 수업을 시도한 뒤, 학생 반응과 어려움, 개선점을 기록하고 그 내용을 바탕으로 수업을 조정해 나가며 지속적인 성장을 도모하겠습니다.
다음으로 제시문의 동료 교사들이 가져야 할 바람직한 태도는 개방적 수용 태도입니다.
교사에게는 새로운 시도를 개방적 태도로 수용하는 자세가 필요하다고 생각합니다.
이를 실천하기 위해 저는 전문적학습공동체 활동에 적극 참여하고 싶습니다. 수업 자료를 공유하고 동료 교사들과 새로운 시도를 논하는 자리에서 학생의 반응과 성장을 중심으로 생각을 나누겠습니다.
저는 이러한 노력을 통해 교사 간에 서로 배우고 함께 성장하는 교학상장의 문화 형성에 기여하고 싶습니다.

4 교사의 태도 레시피 워크북

● 아래 유형별 질문에 자신만의 답변을 준비하고, 스터디를 통해 답변을 공유해 보세요!

(1) 상황 비판형 : 특정 교사의 부적절한 태도를 지적하고, 올바른 태도와 개선방안을 요구

> **Q** 동료 교사가 공개 수업에서 학생 중심 수업을 시도하는 동료를 비효율적이라고 비판합니다. 이 교사가 가져야 할 바람직한 태도는 무엇이며, 그 이유는 무엇입니까?
>
> **Q** 교사가 학생들의 의견 수렴 없이 일방적으로 학급 규칙을 정했습니다. 이 상황에서 교사에게 부족한 태도와 보완 방안을 말하시오.
>
> **Q** 디지털 교과서 도입을 앞두고 교사가 반복적으로 부정적인 언행을 하며 도입을 방해합니다. 이 교사에게 부족한 태도는 무엇이며 어떻게 개선할 수 있을까요?

(2) 태도 제시형 : 특정 상황에서 교사가 가져야 할 바람직한 태도를 직접 묻는 유형

> **Q** 교원학습공동체에서 수업 나눔에 참여할 때 교사가 가져야 할 태도는 무엇입니까?
>
> **Q** 처음 맡은 학년에서 학부모 민원이 예상되는 상황입니다. 교사가 가져야 할 태도와 이유는 무엇입니까?
>
> **Q** 교직 생활 중 어려운 업무를 맡게 되었을 때 교사가 가져야 할 태도 2가지를 말하고 그 실천 방안을 제시하시오.

(3) 비교 선택형 : A와 B의 태도를 비교하고 자신의 입장과 이유, 태도를 설명

> **Q** 본인의 입장에 가까운 교사를 선택하고 이유를 말하시오.
> A : 평가방식 개선을 위해 새로운 방식을 시도해보는 교사
> B : 검증된 방식만 반복하며 안정적으로 수업하는 교사
>
> **Q** 당신의 태도는 어떤 입장에 가까우며 이유는 무엇입니까?
> A : 학생에게 실수를 지적할 때 단호하게 표현하는 교사
> B : 학생의 입장을 우선 고려하며 조심스럽게 조언하는 교사
>
> **Q** 본인의 교육철학에 가까운 교사를 고르고 이유를 설명하시오.
> A : 동료와 협업보다는 혼자 책임지고 수업을 운영하려는 교사
> B : 수업 아이디어나 자료를 서로 나누며 협력하려는 교사

(4) 경험 연계형 : 본인의 경험 또는 실천 계획과 연결지어 태도를 서술

> **Q** 최근 타인과 협력하며 수업을 기획하거나 운영했던 경험을 바탕으로, 그 과정에서 중요했던 교사의 태도는 무엇이었습니까?
>
> **Q** 디지털 도구를 처음 활용해본 경험이 있다면, 그 과정에서 본인이 보여준 태도와 얻은 교훈은 무엇이었습니까?
>
> **Q** 교직 실습 또는 봉사활동에서 어려움을 겪었던 상황을 떠올리고, 그 상황에서 필요한 교사의 태도와 당신의 대응을 말하시오.

(5) 변화 대응형 : 교육환경 변화에 대한 교사의 태도와 실천을 묻는 유형

> **Q** AI와 디지털 도구의 발전으로 수업 방식이 빠르게 변화하는 상황에서 교사가 가져야 할 태도는 무엇입니까?
>
> **Q** 미래 사회의 불확실성에 대응하여 학생 중심 수업이 강조되는 상황입니다. 교사는 어떤 태도를 가져야 할까요?
>
> **Q** 다양한 학습자 맞춤형 교육이 강조되고 있는 오늘날, 교사가 갖춰야 할 태도와 실천 방안을 제시하시오.

(6) 협력·소통형 : 동료, 학부모, 학생과의 갈등이나 협업 상황에서 태도를 묻는 문제

> **Q** 학생의 학업 문제로 학부모와 상담을 앞두고 있는 상황입니다. 교사가 가져야 할 태도는 무엇이며, 실천 방안은 무엇입니까?
>
> **Q** 수업에 대한 피드백을 두고 동료 교사와 의견이 갈립니다. 이 상황에서 교사가 보여야 할 태도와 실천 방안을 말하시오.
>
> **Q** 학년 회의 중 다른 교사의 수업 운영 방식과 갈등이 발생했습니다. 교사가 가져야 할 태도와 그 이유를 말하시오.

CHAPTER 7. 선택 답변

기출 문제

선택 답변	**[초등]** 21년 즉답1 → 학급 규칙은 학생들이 만들어야 함 vs 교사가 어느 정도 만들어야 함 19년 즉답1 → 배우고 싶은 연수 선택(스팀교육), (코딩교육), (책 읽기 프로그램) 17년 즉답2 → 저녁 중요한 약속 vs 교직원 배구 연습 참가 **[중등]** 25년 구상3 → 학교 중심 교육과정 VS 지역 중심 교육과정 선택하고 이유와 사례 제시 24년 구상3 → 변화에 대응하는 교육 vs 변하지 않는 보편적인 가치를 교육해야 함 23년 구상3 → 학생의 성취는 '배경'에 따라 결정 vs '재능'과 '노력'에 따라 결정 22년 구상3 → 교사의 SNS활동은 개인의 자유 vs 지나친 활동은 통제해야 함 21년 구상3 → 기초학력 함양이 중요 vs 자신감 함양이 중요 vs 교우관계가 중요 20년 구상3 → 교육은 학생 스스로 하도록 해야 함 vs 학생이 억지로라도 하게 해야 함 19년 구상2 → 통일 후에 함경도에 교사가 부족하다면 전보 신청을 함 vs 안함 19년 구상3 → 인간이 수업을 해야 함 vs 로봇이 수업을 해야 함 18년 구상3 → 교원평가에 학생의 성적 향상도를 반영해야 함 vs 반영하지 말아야 함 17년 구상3 → 학생들과 의사소통하는 교사 vs 항상 수업 전문성을 신장시키는 교사

기출 유형

가치관 대립형	• 변화에 대응하는 교육 vs 보편적 가치 중심 교육 (선택)
행동 판단형	• 저녁 약속 가기 vs 교직원 행사 참가 (선택)
우선순위 선택형	• 기초학력 vs 자신감 vs 교우관계 (선택)
정책제도 입장형	• 교원의 SNS 자유 보장 vs 통제 필요 (선택)
기술·미래교육형	• 로봇이 수업해야 vs 인간이 수업해야 (선택)
교육 방법 선택형	• 학생 주도 학급 규칙 vs 교사 가이드 중심 학급 규칙 (선택)

대표 기출문제 살펴보기

2022년도 중등 평가원 구상형 3번 문제

Q 다음을 읽고, 자신의 가치관에 비추어 선호하는 교사의 입장을 선택하고, 그 이유를 말하시오. 또한 선택한 입장에서 '학교 조직문화' 측면에 끼칠 영향을 고려하여 유의할 점을 말하시오.

> A : 법이 허용하는 범위 내에서 교사가 SNS를 하는 것은 개인의 자유라고 생각합니다. 교사의 SNS 활동에 대해서 제약이 있어서는 안 됩니다.
> B : 교육활동과 관계없는 지나친 SNS 활동은 제한되어야 합니다. 교사의 품위 유지 차원에서 지나친 SNS 활동은 바람직하지 않다고 생각합니다.

답변 포인트 정리

[입장은 명확하게 밝히고 선택 이유는 가치관에 비추어 제시]

- A : 저는 A 교사의 법이 허용하는 범위 내에서 교사의 SNS 활동은 개인의 자유로 보장되어야 한다는 입장을 선택하겠습니다. A 입장을 선택한 이유는 첫째, 교사도 사회의 일원으로서 표현의 자유와 사생활의 자유를 보장받아야 하기 때문입니다. 둘째, 최근 많은 교사들이 디지털 교과서 활용 사례, 프로젝트 수업 결과, 학생 활동 등을 SNS에 공유함으로써 동료 교사 간 협력 문화와 자발적인 성장의 장을 만들어가고 있습니다. 이처럼 SNS는 교육적 변화의 시작점이 될 수도 있기 때문입니다.

- B : 저는 B 교사의 SNS 활동은 일정 부분 제한되어야 한다는 입장에 동의합니다. B 입장을 선택한 이유는 첫째, 교사는 학생과 학부모, 지역사회로부터 높은 윤리적 기준과 신뢰를 요구받는 존재이기 때문입니다. 둘째, SNS 활동이 과도하거나 비전문적인 방향으로 활용될 경우 학교 내 동료 교사와의 관계나 교육활동의 신뢰 기반을 훼손할 수 있기 때문입니다.

[학교 조직문화에 끼칠 영향에 대한 유의점을 제시]

- A : 학교 조직문화에 끼칠 영향에 대한 유의점은 다음과 같습니다. 첫째, 교사는 SNS를 운영할 때 학생과 학교에 대한 비방이나 사적 정보 노출을 철저히 경계해야 합니다. 둘째, 개인 의견과 교사로서의 입장을 명확히 구분하고 오해의 소지가 없도록 공적 정체성을 명확히 표현해야 합니다. 셋째, SNS 활동이 과도한 비교나 경쟁으로 이어지지 않도록, 공유의 목적이 '관계 확장'이 아닌 '전문성 확장'임을 자각하는 태도가 필요합니다.

- B : 학교 조직문화에 끼칠 영향에 대한 유의점은 다음과 같습니다. 첫째, 교육활동 중심의 콘텐츠를 위주로 올리고, 공적·사적 경계를 분명히 구분해야 합니다. 둘째, 학교 내 민감한 이슈나 타인을 겨냥한 언급은 자제하고, 학생과의 SNS 소통은 반드시 교육적 가이드라인 안에서 이루어져야 합니다. 셋째, SNS 활동이 학교 내 협력 분위기를 해치지 않도록 전문성과 품위 유지를 항상 우선시해야 합니다.

선택 답변 학습재료

❶ 선택 답변이란?

선택 답변	두 가지 이상의 상반된 입장, 가치, 행동 중 하나를 선택하고 그 이유를 논리적으로 설명하여 교사로서의 철학과 실천 의지를 보여주는 문항 유형

❷ 선택 답변의 핵심 구성 요소

선택 명확화	어떤 입장을 택했는지를 분명히 밝힘. "저는 ○○의 입장을 선택하였습니다."
선택 이유 제시	왜 그렇게 생각하는지 논리적 근거를 제시 "그 이유는 첫째~, 둘째~, ~ 때문입니다."
교육적 맥락 연결	선택이 교육현장에 어떤 의미가 있는지 서술 "이러한 태도는 학생 주도 수업에서 중요한 기반이 됩니다."
실천 의지 표현	선택한 가치가 실제 수업이나 생활지도에 어떻게 반영될지 설명 "앞으로 수업 재구성을 통해 학생 주도 학습을 실천하고자 합니다."
반대 입장 고려 (선택)	반대 입장에 대해 언급하고 내 입장 강화 "물론 ○○ 입장도 일리 있으나, 저는 ~이 더 교육적으로 타당하다고 생각합니다."

2 선택 답변 연습

> **Q** 수업 중 한 학생이 친구와 계속 이야기를 나누며 산만한 태도를 보이고 있다. 이 상황에서 교사의 대응으로 더 바람직하다고 생각하는 입장을 선택하고, 그 이유와 교사로서의 실천 방향을 설명하시오.
>
> A : 즉각적인 제지를 통해 수업 흐름을 유지하고 학생의 행동을 교정한다.
> B : 수업이 끝난 후 따로 불러 상황을 이해하고 조용히 대화를 나눈다.

❶ 선택 답변 기본 구조

서론	저는 A. 즉각적인 제지를 통해 수업 흐름을 유지하는 것이 더 바람직한 대응이라고 생각합니다.
본론	그 이유는 첫째, 교사는 수업 중 전체 학생의 학습권을 보호할 책임이 있습니다. 둘째, 즉시 제지를 통해 학생에게 명확한 기준과 경계를 제시할 수 있습니다. 앞으로 교사로서 저는 수업 중에는 즉각적이고 일관된 태도로 수업 분위기를 안정적으로 유지하고, 사후에 학생과의 관계를 세심하게 회복할 수 있는 균형 잡힌 생활지도를 실천할 계획입니다. 이를 위해 수업 규칙에 대해 학생들과 함께 이야기를 나누고 규칙을 함께 설계함으로써 즉각적인 제지에 대한 정당성을 확보할 수 있습니다.
결론	교사는 단순한 지식 전달자가 아니라 학급의 흐름을 조율하는 리더입니다. 즉각적인 제지를 통해 학습 분위기를 보호하는 것 또한 학생을 위한 교육적 배려라고 생각합니다.

선택은 분명하게, 태도는 유연하게
선택은 명확하고 망설임 없이 하는 것이 좋습니다. 또한 선택을 했더라도 반대 입장도 한 줄 정도 인정하면 좀 더 유연한 모습을 보여줄 수 있습니다. 예를 들어, "교사가 기준을 제시해줄 필요도 있겠지만, 저는 자율성 중심이 더 중요하다고 생각합니다." 라고 간단히 언급하는 것입니다. 논리와 유연함을 함께 갖춘 태도, 면접에서 좋은 인상을 남기는 핵심입니다.

3 선택 답변 레시피 연습 문제

> **Q** 교사로서 학생을 지도할 때 다음 3가지 중 가장 우선적으로 고려해야 할 태도를 선택하고, 그 이유를 설명하시오.
>
> A : 공정함 — 학생들에게 일관되고 형평성 있는 기준을 적용하는 태도
> B : 따뜻함 — 학생의 감정과 상황을 공감하고 배려하는 태도
> C : 단호함 — 학급 질서와 기준을 지키기 위해 단호하게 지도하는 태도

예시답변

A 선택

답변드리겠습니다. **저는 공정함이 교사에게 가장 우선적으로 필요한 태도**라고 생각합니다.
공정한 태도는 학생들의 기본적인 신뢰와 정서적 안정을 이끌어내며, 예측 가능한 학급 질서를 형성하는 데 중요한 역할을 합니다. 반면, 교사가 명확한 기준 없이 상황에 따라 다르게 지도하면, 학생들은 쉽게 차별이나 불신을 느끼게 될 것입니다.
실습 중 한 학생이 수업 중 장난을 반복했지만, 평소 성실했던 학생이라는 이유로 담임 선생님께서 따로 혼내지 않으시는 것을 보았습니다. 그때, '얘는 봐주네.'라는 말을 들으며, 학생들은 교사의 작은 판단에도 민감하게 반응한다는 것을 느꼈습니다.
공정함은 단호함이나 따뜻함보다 앞서는 교사의 기본 태도라고 생각합니다. 모두가 존중받는 학급을 만들기 위해서는 공정한 시선과 일관된 지도 기준에서 출발해야 한다고 믿습니다. 이상입니다.

B 선택

답변드리겠습니다. **저는 따뜻함이 교사에게 가장 우선적으로 필요한 태도**라고 생각합니다.
학생들은 감정에 큰 영향을 받기 때문에, 어떤 지도보다도 공감받고 이해받는 경험을 통해 마음을 열고 변화할 수 있습니다.
학창 시절, 저는 수학 성적이 낮아 수업에 흥미를 잃고 있었습니다. 그런데 어느 날 수업 후, 선생님께서 계산은 서툴지만 개념은 정확히 알고 있다는 말씀을 해주셨습니다. 그 한 마디는 제가 수학을 포기하지 않게 만든 결정적인 계기가 되었고, 이를 통해 교사의 따뜻한 공감이 학생에게 얼마나 큰 힘이 되는지를 직접 느낄 수 있었습니다.
저는 학생이 감정을 헤아리고 따뜻하게 대할 때, 비로소 학생은 교사를 신뢰하고 스스로 성장할 수 있다고 믿습니다. 그래서 교사로서의 모든 지도와 질서도 공감에서 출발하는 관계 위에 세워져야 한다고 생각합니다. 이상입니다.

C 선택

답변드리겠습니다. **저는 단호함이 교사에게 가장 우선적으로 필요한 태도**라고 생각합니다.
교사는 학급의 흐름을 이끄는 역할을 하기 때문에, 명확한 기준을 세우고 이를 일관되게 지키는 자세가 꼭 필요하다고 봅니다.
교생 시절, 수업 시간에 친구를 괴롭히는 학생이 있었지만 담임 선생님께서 "하지 마."라고 가볍게 넘기시는 바람에 상황이 반복되는 것을 보았습니다. 반면, 저는 같은 상황에서 즉각적으로 단호하게 제지한 뒤, 쉬는 시간에 따로 대화를 나누며 행동의 문제점을 설명했습니다. 이후 같은 행동은 다시 일어나지 않았고, 학생도 제가 지키는 기준을 받아들였습니다.
저는 단호함이 단지 규칙을 강조하기 위한 것이 아니라, 모두의 권리를 보호하고 안전한 교실을 만들기 위한 교육적 선택이라고 생각합니다. 단호함을 바탕으로 신뢰받는 교사, 안정적인 학급 분위기를 이끄는 교사가 되겠습니다. 이상입니다.

4 선택 답변 레시피 워크북

● 아래 유형별 질문에 자신만의 답변을 준비하고, 스터디를 통해 답변을 공유해 보세요!

(1) 가치관 대립형 : 두 입장 중 하나를 선택하고 이유를 설명

> **Q** 학생의 성취는 배경에 따라 결정된다 vs 노력과 재능에 따라 결정된다
>   어느 쪽 입장이 더 타당한가?
> **Q** 교육은 변화를 이끄는 힘이 되어야 한다 vs 변하지 않는 가치를 지켜야 한다
>   어떤 입장에 동의하는가?
> **Q** 학생의 규칙 위반은 엄격히 바로잡아야 한다 vs 먼저 배경과 맥락을 이해해야 한다
>   당신의 입장은?

(2) 행동 판단형 : 특정 상황 속 교사의 행동을 선택

> **Q** 학생이 수업 중 계속 질문할 때, 질문을 제한한다 vs 끝까지 수용한다
>   당신의 판단은?
> **Q** 동료 교사의 잘못된 지도를 보았을 때, 직접 말한다 vs 우회적으로 전달한다
>   어떤 행동이 더 바람직한가?
> **Q** 학부모가 무리한 요구를 할 때, 학교 방침을 우선한다 vs 유연하게 조율한다
>   당신은 어떻게 할 것인가?

(3) 우선순위 선택형 : 여러 개 중 하나를 선택하고 선택 이유를 설명

> **Q** 학생 지도의 핵심 태도는?
>   A : 공정함   B : 따뜻함   C : 단호함
> **Q** 미래 교사에게 가장 중요한 역량은?
>   A : 디지털 활용력   B : 의사소통력   C : 문제해결력
> **Q** 신규 교사로 가장 먼저 길러야 할 자세는?
>   A : 책임감   B : 자기성찰   C : 협력태도

(4) 정책·제도 입장형 : 교육제도에 대한 찬반 또는 선호 입장을 선택

> **Q** 학교자율교육과정 확대는 바람직하다 vs 신중해야 한다
> 당신의 입장은?
> **Q** 학생 성장을 위한 교원평가에 학생 의견을 반영해야 한다 vs 반영하지 않아야 한다
> 당신의 입장은?
> **Q** 지역 교사 배치를 위해 타지역 전보를 의무화해야 한다 vs 자율에 맡겨야 한다
> 어느 입장이 더 적절한가?

(5) 기술·미래교육형 : 미래 교육환경과 교사의 대응을 선택

> **Q** 로봇이 수업하는 시대, 교사는 여전히 중심이 되어야 한다 vs 보조자로 바뀌어야 한다
> **Q** AI 기반 진단 시스템은 학생평가에 필수다 vs 참고도구로만 써야 한다
> **Q** 디지털 교과서의 확대는 학습 격차를 줄일 것이다 vs 오히려 격차를 심화시킨다

(6) 교육 방법 선택형 : 수업 또는 지도 방식을 선택

> **Q** 기초학력 지도를 위해 선택할 방법은? 그 이유는?
> A : 반복학습 B : 개별 맞춤 수업 C : 협력 학습
> **Q** 학생 주도 수업에서 가장 효과적인 활동은? 그 이유는?
> A : 토의 B : 프로젝트 C : 문제해결 수업
> **Q** 진로 교육을 위한 수업 방식으로 선택할 것은? 그 이유는?
> A : 체험 중심 B : 정보 중심 C : 자기 탐색 중심

경험·생각·이유

기출 문제

경험·생각·이유	[초등] 18년 즉답1 → 내가 꿈꾸는 바람직한 학교의 모습은? [중등] 24년 구상2 → 테크놀로지를 수업에 활용할 때 교사가 유의해야 할 점은? 23년 구상2 → 교사가 가능한 모든 학생을 칭찬해야 하는 이유는? 19년 구상2 → 통일이 된다면 어떤 마음가짐으로 교육에 임할 것인지? 18년 구상2 → 교사로서 자질을 갖추기 위해 지금까지 해 온 노력은? 17년 구상2 → 부족한 역량을 향상시키기 위해 해 온 노력은? [비교과] 23년 구상2 → 자신이 갖고 있는 인성적·전문적 자질을 위해 한 노력은? 21년 구상2 → 자질을 갖추기 위해 노력해 온 것은? 20년 구상2 → 교사가 되기 위해 노력해 온 점은? 19년 구상2 → 의사소통 역량을 기르기 위해 본인이 지금까지 한 노력은?

기출 유형

노력·준비형	• 교사가 되기 위해 어떤 노력을 해 왔는가 • 부족한 역량을 향상시키기 위해 해 온 노력은 무엇인가
가치·신념형	• 통일이 된다면 어떤 마음가짐으로 교육에 임할 것인지 말하시오. • 가능한 모든 학생을 칭찬해야 하는 이유는 무엇인가
성찰·변화형	• 의사소통 역량을 기르기 위해 노력한 점과 그로 인한 변화는 무엇인가 • 교사로서 자질을 갖추기 위해 지금까지 해 온 노력은 무엇인가

대표 기출문제 살펴보기

2023년도 중등 평가원 구상형 2번 문제

Q 교사가 가능한 모든 학생을 칭찬해야 하는 이유를 교사의 사명과 관련지어 2가지 말하시오. 또한 제시문을 읽고 A 학생을 칭찬하기 위한 교사의 노력 방안을 구체적으로 2가지 말하시오.

> 교사는 잘하는 학생뿐만 아니라 모든 학생에게 칭찬을 해야 한다고 배웠지만, 모든 학생을 칭찬하는 것이 현실적으로 쉽지 않다. 이번에 A 학생이 전학왔는데, 특별히 잘하는 것이 없어 보인다. 그렇다고 해서 A가 규칙을 어기거나 문제 행동을 일으키는 것은 아니다. 아무래도 A가 시간이 지나도 점점 발전하거나 성장하는 느낌도 없다 보니 어떤 칭찬을 해야 할지 모르겠다.

답변 포인트 정리

[칭찬과 관련된 교사의 사명을 제시]
- 첫째, 모든 학생의 가능성과 가치를 발견하는 것이 교사의 사명이기 때문입니다. 학생은 단기간에 눈에 띄는 성취를 보이지 않더라도 고유한 성장의 속도와 방향을 지닌 존재입니다. 교사는 그 미세한 움직임을 먼저 발견하고 말로 긍정해주는 사람이어야 합니다.
- 둘째, 칭찬은 관계 형성과 자기 효능감 향상의 시작점이 되기 때문입니다. 특히 잘 드러나지 않는 아이일수록, 교사의 관심은 학생이 자기 자신을 긍정적으로 인식하고 학교생활에 안정적으로 적응하게 만드는 중요한 기반이 됩니다.

[칭찬하기 위한 구체적인 실천방안을 설명]
- 첫째, 과정 중심의 관찰 칭찬을 실천하겠습니다. A 학생이 수업 준비를 성실히 하거나, 친구의 말을 끝까지 들어주는 등의 사소한 행동을 세심하게 관찰하고 자체를 인정하는 방식으로 칭찬하겠습니다.
- 둘째, A 학생만의 고유한 특성과 감정을 존중해주는 언어를 사용하겠습니다. 존재 그 자체를 칭찬하는 언어를 반복함으로써 '내가 여기 있어도 괜찮은 사람'이라는 소속감과 자존감을 키워주고 싶습니다.

1 경험·생각·이유 학습재료

❶ 경험·생각·이유?

경험	• 교사로서의 준비 과정 중 본인이 주도적으로 수행한 　📌 봉사활동, 멘토링, 실습, 프로젝트 수업, 교내 활동, 극복 경험 • 내가 실천한 구체적 활동, 계기, 행동을 말하기 • 단순히 경험을 나열하는 것이 아니라 행동 + 맥락 + 의도까지 제시 • 단발성보다 지속성, 결과보다 과정 중심으로 말하기
생각	• 경험을 통해 드러나는 개인의 교육 철학 또는 가치관 　📌 "학생 중심 교육이 중요하다고 생각습니다.", "문제해결보다 감정이해가 선행되어야 한다고 느꼈습니다." • 그 행동을 하게 된 가치관, 교육관을 말하기 • 경험을 단순 서술하지 말고, 그 안에서 나의 생각을 명확히 서술 • 교육관, 학생관, 교사상과 연결 가능성을 고려하여 정리
이유	• 생각의 타당성과 교육적 근거를 설명하는 과정을 설명 • 그렇게 행동한 이유 + 배운 점을 말하기 • 단순한 감정 서술이 아니라 논리적 연결이 되어야 함 • 교육적 의의, 학생 성장의 가능성, 미래 지향성 등 고려
변화	• 그 경험·생각·이유 이후의 성장, 실천 변화를 말하기 • 성장 포인트가 드러나야 함. 　무엇을 배웠는가 → 어떻게 변화했는가 → 어떻게 적용할 것인가로 답변

❷ 경험·생각·이유 답변의 핵심

경험	무엇을 했는지 구체적이고 사실적으로 언급
생각	왜 그렇게 했는지 교육관, 학생관, 교사상 등과 연결
이유	왜 교육적으로 의미가 있는지 논리적 타당성을 확보하며 설명
변화	무엇을 배웠고 어떻게 달라졌는지 성장과 실천을 강조

2 경험 · 생각 · 이유 답변 연습

> **Q** 교사가 되기 위해 어떤 노력을 해 왔는지 구체적인 경험을 중심으로 말하고, 그 경험이 왜 의미 있었는지 자신의 생각과 이유를 설명하시오. 또한 그 경험을 통해 자신에게 생긴 변화나 앞으로 실천하고 싶은 점이 있다면 함께 말하시오.

❶ 경험 · 생각 · 이유 답변 기본 구조

서론	저는 교사가 되기 위해 지역아동센터에서 1년간 초등학생 대상 학습 멘토링 봉사활동을 해왔습니다.
본론	처음에는 단순히 학습을 도와주는 활동이라 생각했지만, 시간이 지날수록 학생들의 감정 변화나 자존감이 학습에 큰 영향을 미친다는 것을 느끼게 되었습니다. 이 경험을 통해 저는 단순히 지식을 전달하는 교사가 아니라 학생을 이해하고 자존감을 높일 수 있게 도와주는 교사가 되고 싶다는 생각을 갖게 되었습니다.
결론	앞으로도 학생의 학습뿐 아니라 정서적 안정까지 도울 수 있는 교사가 되기 위해 노력하겠습니다.

> **tip 경험이 떠오르지 않을 때는 '성찰'부터 시작하세요.**
> 경험과 관련된 문제를 답변할 때 생각이 잘 나지 않는다면, 그동안의 경험부터 정리할 필요가 있습니다. 교육 실습, 교육봉사, 멘토링, 학창시절 경험, 또래 상담 경험, 동아리 경험, 공부 경험, 협업 프로젝트 경험 등 살면서 했었던 활동들을 뒤돌아 보고 정리해 보세요. 이런 경험들을 '상황–느낌–행동–배움' 순서로 정리해 두면 면접에서 묻는 다양한 상황에 맞게 자연스럽게 꺼내 쓸 수 있습니다. 답변은 준비된 사람의 경험에서 나옵니다.

3 경험·생각·이유 레시피 연습 문제

Q 정답이 없는 문제를 해결하는 역량이 점점 더 중요해지는 시대이다. 이러한 시대에 교사가 어떤 역할을 해야 한다고 생각하는지 말하고, 그 생각에 영향을 준 본인의 경험을 함께 제시하시오.

예시답변

답변드리겠습니다.
정답이 없는 시대에 교사는 학생이 스스로 생각하고 탐색할 수 있도록 돕는 사고 촉진자가 되어야 한다고 생각합니다. 정보는 쉽게 얻을 수 있지만, 그 정보를 해석하고 활용하는 힘은 깊이 있는 사고에서 비롯되며, 교사는 바로 그 출발점을 열어주는 존재라고 생각하기 때문입니다.
고등학교 시절, 윤리 수업 시간에 "기술이 발전하면 인간의 역할은 무엇이 되어야 할까?"라는 논제에 관해 조별 토론을 진행한 적이 있습니다. 한 번도 생각해 보지 않은 주제의 논거를 마련하는 것이 막막하게 느껴졌지만, 모둠원들과 의견을 나누며 생각을 구체화해갔습니다. 활동을 마무리하며 '기술이 대신할 수 없는 인간 고유의 가치'에 대해 발표하는 과정에서 질문을 매개로 사고를 확장하는 힘을 기를 수 있었습니다.
저도 앞으로 다양한 질문을 제시하며 생각을 확장시켜주는 수업을 만들어 나가고 싶습니다. 학생들이 '정답을 잘 찾는 사람'이 아니라, '스스로 질문할 줄 아는 사람'으로 성장할 수 있도록 돕는 것이 제가 지향하는 교사의 역할입니다. 이상입니다.

4 경험·생각·이유 레시피 워크북

● 아래 유형별 질문에 자신만의 답변을 준비하고, 스터디를 통해 답변을 공유해 보세요!

(1) 노력·준비형 : 교사가 되기 위해 해 온 노력 또는 부족한 점을 보완하는 과정을 물음

> Q 디지털 수업 역량을 강화하기 위해 해 온 노력은?
> Q 학습자 이해를 높이기 위한 나의 활동 경험은?

(2) 가치·신념형 : 교직관, 교육철학, 교사로서의 가치관을 경험과 연결하여 설명

> Q 실패 경험을 겪고 있는 학생을 지도할 때 중요하게 여기는 교사의 태도는?
> Q 학생들과 함께 동행을 하다가 불의를 마주한 상황, 교사로서 대처 방안은?

(3) 성찰·변화형 : 경험을 통해 배운 점, 느낀 점, 변화한 점을 중심으로 설명

> Q 갈등 상황에서 실패했던 경험이 있다면 그 후 달라진 점은?
> Q 수업 중 실수했던 경험을 말하고 그 이후 어떻게 변화했는가?

(4) 미래 대응형 : 미래 환경에 대비하거나, 현장 문제에 대응하기 위한 경험·생각을 물음

> Q 인공지능 기반 수업에 대비해 어떤 경험을 해 왔고 준비를 할 것인가?
> Q 기후위기나 기초학력 문제 등 사회 변화에 대응하기 위한 나의 준비는?

5. 경험·생각·이유 내 답변 정리하기

1. 학교생활 중에서 기억나는 교육 관련 경험은?

나의 답변

참고예시

- **독서 감상 나누기 활동** : 고등학교 국어 시간에 진행했던 독서 수업이 기억에 남습니다. 책을 읽은 뒤 느낀 점이나 궁금한 점을 짧게 적어 친구들과 나누는 활동이 있었는데, 같은 책도 서로 다른 시선으로 바라볼 수 있다는 점이 흥미롭게 다가왔습니다. 특히 선생님께서 "좋은 질문이 좋은 생각을 만든다."라는 말씀을 해주셨는데, 그 말이 아직도 제게 깊이 남았습니다. 활동을 통해 질문하는 태도와 생각 나누기의 중요성을 깨달았고 교사가 된다면 학생들이 서로의 생각을 듣고 자신의 생각을 확장해가는 수업을 만들어보고 싶다는 꿈을 갖게 되었습니다.

- **프로젝트 수업** : 프로젝트 수업 경험도 깊이 기억에 남습니다. 과학 수행평가로, 제가 당시 관심을 가졌던 영화 '아이언맨'에 나오는 핵융합 에너지를 주제로 프로젝트를 진행했습니다. 흥미로운 주제였던 만큼 수업에서 배운 내용을 넘어 스스로 자료를 찾고 정리하며 몰입감 있게 학습했던 기억이 생생합니다. 이 경험을 통해 학생의 흥미와 관심을 수업 속에 녹여내는 것의 중요성을 느꼈고, 앞으로 저도 학생 개개인의 관심사를 존중하는 수업을 해보고 싶다는 생각을 하게 되었습니다.

2. 학교생활 중에서 기억에 남는 선생님의 모습은?

나의 답변

참고예시

- **열정적인 수업 준비 태도** : 고등학교 시절, 교무실에 들어갈 때마다 책상 위에 참고서를 펼쳐놓고 연구하시던 선생님의 모습이 인상 깊었습니다. 이미 잘 알고 계신 내용임에도 불구하고, 학생들에게 더 효과적으로 설명하고자 끊임없이 고민하시던 모습에서 교육에 대한 진정성을 느낄 수 있었습니다. 저도 교사가 된다면 배움을 멈추지 않고, 더 나은 수업을 위해 꾸준히 공부하며 성장하는 교사가 되고 싶습니다.

- **곁을 지켜 주던 모습** : 방과 후 공부방에서 늘 함께해 주셨던 역사 선생님이 기억에 남습니다. 참여하는 학생이 많지 않아도 항상 자리를 지키며 조용히 곁을 내어주셨고, 질문이 없을 때도 기다려 주셨습니다. 때로는 공부 외의 이야기까지 따뜻하게 나누어 주시던 모습은 학생들에게 큰 위로와 힘이 되었습니다. 저도 교사가 된다면 늘 학생 곁에서 묵묵히 지지해 주는 존재가 되고 싶습니다.

3. 학교생활 중에서 기억나는 협동·소통의 경험은?

나의 답변

참고예시

- **축제준비** : 중학교 재학 당시, '추억의 교복 사진관'이라는 콘셉트로 학급 축제 부스를 운영한 경험이 있습니다. 초반에는 부스 주제를 두고 의견이 엇갈려 어려움이 있었지만, 토론을 통해 방향을 정한 후 촬영 담당, 소품 제작, 홍보 등으로 역할을 나누어 준비했습니다. 친구들과 협력하며 점점 하나로 모아졌고, 많은 학생들의 참여와 호응을 끌어내어 최우수 부스로 선정되었습니다. 함께 만든 성과를 통해 협력의 가치를 깊이 느낄 수 있었습니다.

- **장기 자랑** : 중학교 장기자랑 행사에서 연극을 준비하던 중, 주요 배우가 다리를 다치는 돌발 상황이 있었습니다. 배우팀과 연출팀이 함께 대사를 조정하고 동작을 수정하며 적극적으로 협력했고, 친구는 무사히 무대에 설 수 있었습니다. 당장은 막막했지만, 함께 지혜를 모은다면 어떤 문제도 해결할 수 있다는 것을 배운 경험이었습니다.

4. 학교생활 중에서 기억나는 갈등 해결 경험은?

나의 답변

참고예시

- **조별과제 갈등** : 고등학교 시절, 조별 영상 과제를 진행하던 중 역할 분담을 두고 조원 간 갈등이 생긴 적이 있습니다. 한 친구가 본인의 분량이 과하다고 느끼며 불만을 표현했고, 이에 반응한 다른 친구와 언쟁이 벌어졌습니다. 저는 조장으로서 양측의 입장을 차분히 듣고 역할을 재조정하여 부담을 나누었습니다. 대화를 통해 갈등이 해소되었고, 과제도 끝까지 협력하여 마무리할 수 있었습니다.

- **동아리 갈등 해결** : 동아리 총무로 활동하던 중, 부원들 사이에서 회장단이 의견을 독단적으로 결정하고 소통이 부족하다는 불만이 제기되었습니다. 저는 중립적인 입장에서 부원들의 의견을 정리하고, 스스로 생각을 가다듬을 수 있도록 도왔습니다. 이후 회의 시간에 정제된 의견을 안건으로 제시했고, 회장단도 이를 수용하고 사과하면서 갈등이 원만하게 해결되었습니다. 다양한 입장을 조율하고 소통하는 경험이 되었습니다.

5. 가장 기억나는 성공 경험은? 교사로서 활용 방안은?

나의 답변

참고예시

- **발표 대회 입상** : 친구들과 함께 발표대회에 참가해 입상했던 경험이 가장 기억에 남습니다. 처음에는 모두가 발표에 자신 없어 했지만, 주제를 정하고 역할을 나누며 함께 준비해 나갔습니다. 특히 발표 주제를 조사하면서 지역사회 문제에 대해 깊이 고민하게 되었고, 그 과정을 통해 성장도 느낄 수 있었습니다. 교사가 된다면 학생들에게 많은 대외 활동의 기회를 부여하여 학교 밖 세상과 연결된 배움을 경험하게 해주고 싶습니다.
- **동아리 부스 운영** : 학교 축제 때, 동아리에서 환경을 주제로 한 에코백 꾸미기 체험 부스를 운영한 경험이 있습니다. 친구들과 함께 직접 디자인하고 준비한 가방을 모두 완판했을 때 정말 뿌듯했고, 사람들이 환경 메시지에 공감해주는 걸 보며 보람도 느꼈습니다. 교사가 된다면 학생들과 함께 사회적 의미를 담은 프로젝트를 기획하고, 그 속에서 스스로 의미를 찾아가도록 도와주고 싶습니다.

6. 가장 기억나는 실패 경험은? 교사로서 활용 방안은?

나의 답변

참고예시

- **발표 실패** : 자율동아리에서 지역 사회봉사 활동을 발표하는 시간이 있었습니다. 하지만 충분한 준비 없이 무대에 올랐고, 발표 내용이 정리되지 않아 청중의 반응도 기대에 미치지 못했습니다. 그 실패를 통해 사전 준비와 점검의 중요성을 절실히 느낄 수 있었습니다. 교사가 된다면, 학생들이 도전 속에서 실수하더라도 그것을 성장의 디딤돌로 삼을 수 있도록 지도하고 싶습니다.
- **교우관계** : 중학교 시절, 가장 가까웠던 친구에게 상처를 받았던 일이 있습니다. 당시에는 세상이 무너진 것처럼 힘들었지만, 곁에 남아준 친구들의 따뜻한 위로 덕분에 마음을 회복할 수 있었습니다. 이 경험은 청소년기에 친구 관계가 얼마나 큰 영향을 미치는지를 직접 느끼게 해주었습니다. 교사가 된다면 학생들이 서로 신뢰하고 존중하는 관계를 형성할 수 있도록 적극적으로 개입하며, 관계에서의 상처도 잘 이겨낼 수 있도록 정서적으로 지지해주는 교사가 되고 싶습니다

7. 가장 기억나는 교육활동은? 교사가 된다면 꼭 해보고 싶은 교육활동은?

나의 답변

참고예시

- **연극활동** : 고등학교 시절, 친구들과 함께 연극을 준비했던 활동이 가장 기억에 남습니다. 모둠별로 직접 대본을 쓰고, 폐품을 활용해 소품과 무대를 만드는 등 창의력을 발휘하며 하나의 공연을 완성해 갔습니다. 연습 과정에서는 역할 갈등도 있었지만, 서로의 장점을 인정하며 조율하는 법을 배웠고, 무대 위에서 함께 인사하던 순간의 뿌듯함은 아직도 생생합니다. 교사가 된다면 학생들이 표현과 협력을 통해 자신감을 키울 수 있도록 연극 활동을 꼭 해보고 싶습니다.
- **마니또** : 중학교 시절, 학급에서 진행한 마니또 활동이 따뜻한 기억으로 남아 있습니다. 상대방 몰래 편지를 쓰고 작은 간식을 책상 서랍에 넣어두는 방식으로 서로를 응원했고, 마지막 날 정체를 밝히며 모두가 웃고 감동했던 순간이 기억에 남습니다. 활동을 통해 베푸는 마음과 기다림의 즐거움을 느낄 수 있었습니다. 제가 교사가 된다면, 학생들이 일상 속에서 마음을 나누는 활동을 통해 배려의 감정을 자연스럽게 기를 수 있도록 돕는 활동을 기획하고 싶습니다.

8. 새로운 환경에 적응하면서 겪었던 어려움과 극복 방안은?

나의 답변

참고예시

- **복수전공 적응 경험** : 대학에서 복수전공 과목을 수강하며 새로운 학과에 적응하는 데 어려움을 겪었습니다. 수업 방식과 분위기에 익숙하지 않았지만, 조별 과제에서 조장을 맡아 책임감을 갖고 자료를 정리하고 조원들과 소통하는 역할을 수행하였습니다. 주제 관련 자료를 미리 공부해 공유하고, 발표 준비를 주도함으로써 학과 사람들과 자연스럽게 친밀해졌고 이후 수업 참여에도 자신감을 얻을 수 있었습니다.
- **전학 후 친구 관계 형성** : 초등학교 3학년 때 전학을 가게 되면서 친구를 사귀는 것이 가장 큰 고민이었습니다. 모두 낯선 얼굴들 사이에서 위축되곤 했지만, 아침마다 먼저 인사하고 다가가는 것을 실천하며 점차 주변 친구들과 가까워질 수 있었습니다. 이 경험을 통해 작은 용기와 꾸준한 태도가 관계 형성에 큰 힘이 된다는 것을 배울 수 있었습니다.

9. 교사가 되고 싶어 하는 학생에게 한 가지 조언을 한다면?

> **나의 답변**

> **참고예시**

- **적성과 자질 진단** : 교사가 되기 위해서는 자신이 이 직업에 적합한지를 먼저 고민해야 한다고 조언하고 싶습니다. 교사에게는 학생 지도뿐 아니라 학부모와의 소통, 동료 교사와의 협업 등 다양한 역할을 수행해야 하며, 감정 노동과 꾸준한 인내도 요구됩니다. 이런 과정을 미리 상상해보고, 교사로서의 자질이 자신에게 있는지 점검해 보는 것이 중요하다고 생각합니다.
- **교사로서의 태도 강조** : 교사는 끊임없이 배워야 하는 직업이라는 점을 꼭 알려주고 싶습니다. 교육과정 변화, 학생 문화의 변화, 사회적 흐름에 대한 이해까지 모두 수업과 생활지도에 영향을 미치기 때문에 늘 학습하는 자세가 필요합니다. 교육 서적이나 관련 매체를 통해 시사와 교육을 연결하며 꾸준히 공부하는 습관을 기르도록 조언하겠습니다.

10. 첫 방학 기간에 가장 해보고 싶은 것은?

> **나의 답변**

> **참고예시**

- **전공 연수 참여** : 첫 방학 기간에 가장 해보고 싶은 일은 전공 교과 관련 연수에 참여하는 것입니다. 교육은 끊임없이 변화하고 있기 때문에, 최신 교수 방법과 이론을 익히는 일은 교사에게 꼭 필요하다고 생각합니다. 특히 전공 연수를 통해 전문적인 지식을 더욱 체계적으로 정리하고, 이를 바탕으로 학생들에게 보다 깊이 있는 수업을 제공하고 싶습니다. 또 다양한 지역의 교사들과 연수를 통해 교류하며 수업 아이디어를 나누는 경험도 얻고 싶습니다.
- **전문적학습공동체 활동** : 교사로서의 성장을 위해 방학 중 학교 밖 전문적학습공동체에 참여하고 싶습니다. 임용 면접을 준비할 때 스터디원들과 교육 이슈에 관해 토론하던 경험을 통해, 동료들과 함께 고민하고 소통하는 과정 자체가 교사로서의 정체성을 다지는 데 큰 도움이 됨을 느꼈습니다. 방학 동안 선배 교사와 신규 교사들이 함께 모여 수업 고민을 나누고, 학생 지도의 실제적인 사례를 공유하며 서로 배우는 시간을 갖고 싶습니다.

11. 진로특강을 1시간 진행한다면 어떤 주제와 내용으로 하고 싶은지?

나의 답변

참고예시

- **자기주도적인 삶의 설계** : 진로특강의 주제를 '자기주도적인 삶'으로 정하고 싶습니다. 남이 정해준 길이 아니라 스스로 삶의 방향을 고민하고 결정하는 과정이 진로 선택의 핵심이라는 점을 강조하고 싶습니다. 강의에서는 흥미, 적성, 미래 전망 등을 토대로 자신만의 진로를 탐색하는 방법을 소개하고, 자기주도성을 기반으로 진로를 개척해 나갈 수 있는 실천적 태도를 기르도록 돕겠습니다.

- **실패를 두려워하지 않는 도전 정신** : '도전'이라는 주제로 진로특강을 구성하고 싶습니다. 진로를 준비하는 과정에서 실패를 경험하는 것은 자연스러운 일이며, 도전 없는 삶에는 진정한 성장이 없다는 점을 학생들에게 전하고 싶습니다. 강의에서는 실패 사례와 성공으로 이어진 경험을 나누고, 원하는 목표를 향해 주저하지 않고 나아가는 용기의 중요성을 강조하겠습니다.

12. 3월 신학기 개학을 대비하여 2월에 준비하고 싶은 것은?

나의 답변

참고예시

- **교실 환경 정비를 통한 학습 분위기 조성** : 방학 기간 중에는 교실 청소를 하며 개학을 준비하고 싶습니다. 청결한 교실은 단순한 공간 정비를 넘어 학생들의 집중력을 높이고 정서적 안정을 돕는 교육적 환경이 됩니다. 깨끗한 교실에서 수업을 시작하면 학생들에게도 긍정적인 첫인상을 줄 수 있고, 이후 교실 환경 유지에 대한 책임감과 공동체 의식도 자연스럽게 길러질 수 있다고 생각합니다.

- **수업자료 업데이트 및 동료 교사와의 공유** : 교육자료를 업데이트하겠습니다. 교과서와 인터넷, 관련 서적 등 여러 가지 참고 자료를 확인하여 최신 정보를 반영하여 학습 내용을 보강하고, 수업자료를 정리하겠습니다. 또 이러한 자료들을 동료 교사들과 공유하여 함께 성장할 수 있도록 노력하겠습니다. 최신화된 교육자료는 학생들의 학습경험을 더욱 풍부하고 흥미롭게 만들 수 있을 것입니다.

13. 자기자신을 사랑하는 것이 중요한 이유와 그 방안은?

나의 답변

참고예시

- **자존감** : 자기 자신을 사랑하는 것은 자존감을 키우는 데 결정적인 역할을 하기 때문에 중요합니다. 자존감이 높으면 스스로를 긍정적으로 바라보고 실패 앞에서도 쉽게 무너지지 않으며, 삶의 주체로서 당당하게 나아갈 수 있습니다. 세계적인 가수 BTS 역시 "You've shown me I have reasons I should love myself."라는 노랫말을 통해 자기 사랑의 중요성을 전한 바 있습니다. 저 역시 학생들이 자신의 가치를 알아가고, 스스로를 칭찬하고 응원할 수 있도록 '자기 긍정'을 길러주는 교육을 실천하고 싶습니다.

- **긍정적 영향** : 자기 자신을 사랑하는 것은 신체적·정신적·사회적 건강에 긍정적인 영향을 주기 때문에 중요합니다. 자신을 소중히 여기는 사람은 삶의 질을 높이기 위한 노력을 기울이며, 자연스럽게 자기 계발과 성장으로 이어집니다. 이를 위해 자기 수용의 태도를 갖고, 자신의 장점과 성취를 인식하며 스스로를 자주 칭찬하고 격려하는 것이 필요합니다. 이러한 습관은 자신감 있는 태도와 따뜻한 인간관계를 만드는 데도 큰 도움이 됩니다.

14. 나의 학급운영 철학은?

나의 답변

참고예시

- **상호존중** : 저의 학급운영 철학은 '상호존중'을 바탕으로 합니다. 학생 한 명, 한 명이 각자의 배경과 경험, 관점을 지닌 존재임을 인정하고, 이를 존중하는 분위기를 조성하는 것이 기본이라고 생각합니다. 서로 다른 생각을 경청하고 받아들이는 경험은 감수성과 공감 능력을 기르는 데 중요한 밑바탕이 됩니다. 학급 안에서 상호존중이 실현될 때 학생들은 자신의 의견을 당당히 표현하고, 친구의 의견도 열린 마음으로 들을 수 있을 것입니다.

- **예의와 책임** : 학급 내에서 '예의와 책임'을 강조하겠습니다. 예의는 서로를 존중하는 기본 태도이며, 책임은 자신이 한 말과 행동에 대한 태도라고 생각합니다. 학생들이 서로에게 예의를 갖추며 소통하고, 자신의 행동에 책임지는 습관을 기를 수 있도록 지도하겠습니다. 특히 문제 상황에서는 회피보다 해결의 방향을 택하도록 이끌어 자율성과 문제해결력을 함께 키우겠습니다.

15. 교사의 권위는 어디에서 나온다고 생각하는가?

나의 답변

참고예시

- **공정** : 교사의 권위는 '공정한 태도'에서 나온다고 생각합니다. 학생들은 교사가 공정하게 대할 때 비로소 신뢰를 갖고 교사를 따르기 때문에, 편견 없이 원칙에 따라 지도하는 자세가 매우 중요합니다. 감정에 치우치지 않고 객관적으로 상황을 판단하며, 모두에게 같은 기회를 제공하는 교사의 태도는 학급 내 신뢰의 바탕이 됩니다. 공정함은 단순히 규칙을 지키는 데에 그치지 않고, 학생들과의 관계 속에서 일관된 기준과 정의로운 판단을 지속적으로 실천해 나갈 때 교사의 권위로 자연스럽게 이어진다고 생각합니다.
- **전문성** : 교사의 권위는 '전문성'에서 나온다고 생각합니다. 교사가 교과 지식과 수업 역량, 생활지도 능력을 두루 갖추고 있다면 학생들은 자연스럽게 교사를 존경하게 됩니다. 전문성은 단지 학문적 지식에 머무르지 않고, 학생의 성장 단계에 맞는 수업 구성과 상담, 평가까지 아우르는 통합적 역량입니다. 전문성 있는 교사는 학생, 학부모, 동료에게도 신뢰를 받으며, 이러한 신뢰는 교사의 권위를 공고히 하는 핵심 기반이 된다고 생각합니다.

16. 학교 교육의 공공성에 대해서 어떻게 생각하는가?

나의 답변

참고예시

- **공공성의 상징** : 학교는 학생들이 처음으로 공공성을 경험하는 상징적인 공간이라고 생각합니다. 학교는 다양한 배경과 가치관을 지닌 학생들이 함께 어우러지는 공공의 공간이며, 이곳에서 학생들은 '존엄성'이라는 공공성의 핵심 가치를 체험하게 됩니다. 존엄성이란 모든 인간이 그 자체로 고유한 가치를 지닌 존재임을 인정하는 것으로, 학교 교육은 이를 기반으로 모든 학생에게 동등한 교육 기회를 보장해야 합니다. 학생의 배경, 성별, 능력, 소득 수준과 관계없이 잠재력을 실현할 수 있도록 돕는 학교의 역할은 곧 공공성 실현의 본질이라 생각합니다.
- **사회적 기여** : 학교 교육의 공공성은 개인의 성장을 넘어 사회 전체의 발전에 기여해야 한다고 생각합니다. 교육은 개인의 성취만을 위한 것이 아니라, 사회 구성원으로서 책임 있는 시민을 길러내는 데 목적이 있습니다. 이를 위해 학교는 인종, 성별, 경제력, 장애 등의 차이로 인해 교육받을 기회가 제한되지 않도록 해야 합니다. 나아가 다양한 문화와 배경을 존중하고, 서로의 차이를 이해하며 협력하는 태도를 기를 수 있는 환경을 제공해야 합니다. 공공성을 갖춘 학교 교육은 모두가 평등하게 성장하고, 함께 살아갈 수 있는 사회를 만드는 데 중요한 기반이 된다고 믿습니다.

17. 미래사회에서 공교육이 나아가야 할 방향은?

나의 답변

참고예시

- **보편적 교육** : 미래사회에서 공교육은 '보편적 교육 실현'을 지향해야 한다고 생각합니다. 보편적 교육은 모든 학생이 차별 없이 교육받을 권리를 전제로 하며, '다양성의 인정'을 핵심 가치로 삼아야 합니다. 학생들은 서로 다른 배경과 능력을 지니고 있으며, 이 차이를 존중하고 개별화된 학습 기회를 제공해야 합니다. 예를 들어, 학습 속도가 느린 학생에게는 반복적이고 체계적인 보조가, 창의적 사고를 지닌 학생에게는 도전적인 과제가 주어질 수 있습니다. 이러한 교육은 학생이 각자의 방식으로 배움에 몰입하고, 잠재력을 실현하도록 돕는 길이라고 생각합니다.

- **공공성과 수월성** : 미래 공교육은 '공공성'과 '수월성'을 균형 있게 실현해야 한다고 생각합니다. 공공성은 모든 학생이 기본 학력을 갖추도록 보장하는 것이며, 수월성은 뛰어난 잠재력을 가진 학생이 능력을 최대한 발휘하도록 돕는 것입니다. 이는 상반된 가치가 아니라 함께 구현되어야 할 방향입니다. 공공성을 위해 기초학습 지원과 학습권 보장이, 수월성을 위해선 심화 수업과 영재 교육이 활성화될 때, 교육은 비로소 학생의 가능성을 고르게 확장시킬 수 있을 것입니다.

18. 자신이 생각하는 미래교육의 방향과 미래교실의 모습은?

나의 답변

참고예시

- **맞춤형 학습** : 제가 생각하는 미래교육의 방향은 'AI 기반 맞춤형 학습'입니다. AI는 학생 개개인의 학습 수준과 속도, 선호도에 맞춰 학습 경로를 조정하고 피드백을 제공함으로써 개별화된 교육을 실현할 수 있습니다. 이에 따라 교사는 지식 전달자가 아니라 학습을 안내하고 정서·사회적 성장을 지원하는 '가이드'의 역할로 변화하게 될 것입니다. AI가 학생의 학습 데이터를 분석해 어려운 개념을 진단하고 적절한 콘텐츠를 추천하면, 학생은 효율적이고 자기 주도적인 학습을 경험하게 됩니다. 이는 교육의 질을 높이고, 교사는 학생의 전인적 성장을 돕는 데 집중할 수 있는 환경을 조성해 줄 것입니다.

- **시·공간적 제약 극복** : 미래교육은 '시·공간적 제약을 극복하는 방향'으로 나아가야 한다고 생각합니다. 기술 발달은 언제 어디서든 학습할 수 있는 환경을 가능하게 하며, 이는 교육의 유연성과 자율성을 높입니다. 예를 들어, 가상현실과 증강현실을 활용해 학생이 역사적 사건을 체험하거나 과학 개념을 시뮬레이션으로 학습할 수 있습니다. 또한, 미래 교실은 양방향 디지털 디스플레이와 온라인 플랫폼을 갖추어야 하며, 실시간 협업과 자료 공유가 자유롭게 이루어지는 구조여야 합니다. 이러한 변화는 학생의 몰입도와 학습 지속력을 높이는 데 기여할 것이라 생각합니다.

19. 인공지능을 교육적으로 활용할 수 있는 방안은?

나의 답변

참고예시

- **교사의 수업 설계 보조** : 인공지능은 교사의 수업 준비와 평가 업무를 보조하는 방식으로 활용될 수 있습니다. 교사는 인공지능을 활용하여 다양한 주제에 대한 자료를 빠르게 수집하고, 학생 수준에 적합한 학습 콘텐츠와 평가 문항을 생성할 수 있습니다. 또한 인공지능은 학습자의 성취 수준을 분석해 맞춤형 학습자료를 제안함으로써 교사의 수업 설계를 더욱 정교하게 만들 수 있습니다. 이처럼 인공지능은 '보조 교사'로서 교사의 업무 부담을 줄이고, 학생 개별화 교육을 실현하는 데 기여할 수 있을 것입니다.

- **창작 활동 지원** : 생성형 인공지능은 창작 활동을 보조하는 도구로 효과적으로 이용할 수 있습니다. 특히 글쓰기, 이야기 구성, 영상 기획 등 다양한 창작 활동에서 인공지능은 아이디어 제시, 전개 방식 추천 등을 통해 학생이 보다 완성도 높은 결과물을 만들 수 있도록 지원할 수 있습니다. 예를 들어, 창의적 글쓰기 수업에서 아이디어가 막혔을 때 AI의 제안을 참고하거나 초안 문장을 함께 다듬어보는 방식으로 수업을 진행한다면, 학생들은 창의성과 표현력을 두루 증진시킬 수 있을 것입니다.

20. 인공지능을 교육적으로 활용할 때 유의할 점은?

나의 답변

참고예시

- **오류와 편향성에 대한 비판적 수용 태도 필요** : 인공지능을 교육적으로 활용할 때는 데이터 오류와 편향성에 유의해야 한다고 생각합니다. 인공지능은 학습된 데이터를 바탕으로 정보를 제공하기 때문에, 그 기초가 되는 데이터가 부정확하거나 편향되어 있다면 학생에게 잘못된 정보를 전달할 수 있습니다. 예를 들어, 역사적 사건에 대해 왜곡된 관점을 담은 자료를 기반으로 학습한 AI가 편향된 설명을 할 경우, 학생은 오개념을 습득할 위험이 있습니다. 따라서 교사는 AI의 정보에 대해 항상 최종 검토자로서의 책임감을 가져야 하며, 학생들에게도 AI 정보를 무비판적으로 수용하기보다는 비판적 사고를 통해 판단하는 태도를 기를 수 있도록 지도해야 합니다.

- **윤리적 활용과 개인정보 보호에 대한 지도 필요** : 인공지능 활용 시 학생들의 윤리의식과 개인정보 보호에 대한 교육이 반드시 병행되어야 한다고 생각합니다. 과거 인공지능 챗봇 '이루다' 사례처럼, AI가 사용자로부터 부적절한 언어를 학습해 차별과 혐오 표현을 생성한 일이 있었습니다. 이처럼 AI는 사람의 언어를 모방하는 특성상, 사용자의 태도와 언행에 민감하게 반응합니다. 따라서 교사는 AI 활용 수업을 운영할 때, 학생들에게 타인을 존중하는 언어 사용과 온라인 윤리의식을 강조해야 합니다. 아울러, AI가 학생의 질문이나 대화 내용을 학습할 가능성이 있는 만큼, 개인정보 유출을 방지하기 위한 안내와 교육도 철저히 이루어져야 합니다.

21. 전자칠판, 스마트기기, 에듀테크 등을 교육적으로 활용할 수 있는 방안은?

나의 답변

참고예시

- **실시간 상호작용 수업으로 학생 참여 유도** : 에듀테크는 학생 참여를 자연스럽게 끌어내는 상호작용 중심 수업에 효과적으로 활용될 수 있다고 생각합니다. 예를 들어, 전자칠판과 스마트 기기를 연동하여 학생이 태블릿에 작성한 생각을 전자칠판에 실시간으로 공유하게 하면, 학생 스스로 자신의 생각을 표현하고 또래와 비교하며 사고를 확장할 수 있습니다. 또한 협업 플랫폼을 활용하여 모둠별 토의 내용을 실시간으로 공유하거나, 공동 문서에 의견을 추가하면서 학생 간 소통과 협력도 강화할 수 있습니다

- **개별 맞춤형 피드백 제공** : 에듀테크는 학습자 개개인의 수준과 특성을 반영한 맞춤형 피드백을 제공하는 데 효과적이라고 생각합니다. 예를 들어, 스마트 학습 플랫폼의 자동 분석 기능을 통해 학생의 이해 부족 영역을 진단하고, 그에 맞는 보충 자료를 자동 추천하거나 학습 흐름을 조정할 수 있습니다. 또 전자 칠판의 녹화 기능을 활용하여 수업 내용을 영상으로 제공하면, 학생들은 자기 속도에 맞게 복습할 수 있고, 결석이나 집중 어려움이 있는 학생에게도 학습 기회를 균등하게 보장할 수 있습니다.

6 경험·생각·이유 관련 참고 학습자료

1) 학급경영

❶ 학급 규칙 설정하기

수업 시간 문제 행동 시	해당 선생님께 사과문을 작성하고 부모님 사인 받아와서 제출하기
싸웠을 때	서로 사과편지 쓰고 1주일 동안 쉬는 시간에 싸운 친구랑 같이 교실 청소하기
욕했을 때	욕설 금지 캠페인 포스터를 1주일 동안 아침시간마다 들고 있기
청소 규칙	청소에 참여하지 않으면 1주일 동안 아침 자습시간에 혼자 청소하기
지각했을 때	시 낭송하기, 재미있는 이야기, 오늘의 아침 명언 준비해오기
자리 정하기	학급 상점제도를 만들어서 2주마다 상점으로 원하는 자리를 선정하기

❷ 1인 1역 설정하기

회장/부회장	학급 공지, 분위기 관리, 학급 내 갈등 조율, 학급 행사 주관 등
출석부 지기	출석부를 갖고 다니며 담당 선생님의 사인 받기, 지각/조퇴/결석 알리기 등
휴대폰 지기	아침에 휴대폰을 걷어서 선생님 자리에 갖다 두고 종례시간에 가져오기
정보 지기	TV, 전자칠판, 노트북 인터넷 선, 스마트기기 충전함 등 관리하기
에너지 지기	문단속, 선풍기·에어컨·온열기 끄고 다니기
게시물 지기	학급 알림판에 새로운 게시물, 공지사항을 관리하기
응원 지기	매일 칠판에 친구들을 응원하는 긍정의 메시지, 명언 적기
학습 지기	수행평가 일정 공지하기, 시험범위 알리기, 교과 과제 알리미 활동하기

❸ 급훈 만들기

- 오늘 흘린 침은 내일 흘릴 눈물
- 늦었다고 생각할 때면 너무 늦은 거다. 지금 당장 해라.
- 알.잘.딱.깔.센(알아서 잘하고 딱 깔끔하고 센스 있게 살자.)
- 다 가질 수는 없다. 선택을 하자.
- 그럴 수도 있지. 틀린 것이 아니고 다른 거다.
- 남에게 피해주지 말고 나에게도 피해주지 말자.

❹ 학급 특색활동

학급 멘토-멘티	성향과 친밀도를 고려하여 2~3인의 소그룹 집단을 구성하여 서로 함께 지속적으로 연결되어 정서적·학습적으로 성장할 수 있도록 함.
학급 마니또 활동	학급 내에서 무작위로 마니또를 선정하여 몰래몰래 매일 인사하기, 매일 말 걸기, 도움주기, 쪽지 쓰기, 다른 친구에게 칭찬하기, 그림 그려주기 등의 미션활동을 함.
생일 축하 이벤트	생일 축하 롤링 페이퍼, 칠판 꾸밈 이벤트 등 생일을 축하해주는 활동을 함.
릴레이 칭찬	아침시간에 학급 친구를 구체적으로 칭찬하는 릴레이 활동을 함.
학습 플래너 그룹 활동	학습 플래너 작성 및 실천 활동을 하는 학급 내 소집단 그룹을 만들어 활동함.
책 추천하기	인상 깊게 읽은 책을 간략하게 정리하여 소개하는 활동을 함.(학급 문고 연계)
'그랬구나' 시간 운영	아침 자습시간에 마음을 터놓고 이야기를 하는 '그랬구나' 활동을 함.
아침 체육	아침 시간에 피구, 배구, 배드민턴 등 간단한 체육 활동을 함.
우리 함께 보드게임	학급 내에 보드게임을 준비하고 특정 요일의 아침시간, 점심시간을 이용하여 학생들이 소집단으로 함께 보드게임을 하는 활동을 함.
인생 명언 발표하기	한 명씩 돌아가면서 가장 감명 받은 명언을 발표하는 활동을 함.
학급 스쿨핑	학급 단위로 학교에서 진행하는 캠핑(스쿨 캠핑 '스쿨핑')을 기획하여 진행함.
학급 단합활동	학급회의를 통해 학급 단위로 체육활동, 영화보기, 게임하기 등의 단합활동을 함.

2) 신학년 집중준비기간

신학년에 앞서 2월 중에 미리 수업연구를 하고, 학급 경영의 비전과 방법을 모색하고, 자율연수를 통해 부족한 전문성을 신장시키고, 교육과정을 설계하고 준비하는 기간.

준비 항목	내용
수업연구	수업 나눔과 공유를 통해 수업을 성찰하고, 교육과정 재구성을 통해 만드는 새로운 수업, 학교와 지역을 고려한 수업주제 연구 등을 실시함.
학급경영	'학생은? 교사는? 학부모는? 우리 학급은?'이라는 질문을 던져 나오는 답을 학급철학과 비전으로 삼고 그 실현 방법을 모색함.
자율연수	부족한 전문성을 키우기 위해 신학년에 활용할 배움 중심 수업, 온라인 학습도구, 과정중심평가 등에 대해 자율연수를 실시함.
교육과정	교과협의회와 학년협의회를 거치며 교육과정-수업-평가-기록 설계를 완성하고 평가계획을 구체적으로 수립하여 신학년 수업을 준비함.

3) 미래교육

❶ 미래사회의 변화와 미래교육의 지향점

미래사회의 변화	미래교육의 지향점
1. 4차 산업혁명으로 인한 변화 　1) 산업구조의 급격한 변화 　2) 지능정보사회로의 변화	① 창의적인 가치를 창출하고, 나의 가치를 찾는 교육 ② 학생 중심의 문제해결/프로젝트/협력적 교육 ③ 학교/마을/온라인 언제 어디서나 배움이 가능한 교육
2. 인구구조 변화 　1) 저출산으로 인한 학령인구 감소 　2) 다문화 사회 가속화	① 한 명 한 명이 소중한 교육(기초학력 보장/개별화 교육) ② 학생 수준에 맞는 다양한 교육 콘텐츠 개발 ③ 지역적 특성을 고려한 다양한 교육과정을 운영
3. 생태·환경 변화 　1) 기후변화와 위기대응 　2) 세계적 감염병의 일상화	① 기후위기 대응 등 지속가능한 발전에 대한 교육 ② 감염병 일상화에 따른 공존과 상생의 가치 교육 ③ 사회적 연대와 초국가적 협력의 필요성 교육

❷ 미래교육, 패러다임의 전환

행복한 학습자	학업 성적을 높이는 것뿐만 아니라, 학교생활을 즐기고 친구와 우정을 쌓으면서 학생들의 삶이 행복한 것이 중요해짐. 무엇보다 생애에 걸친 학습열정을 지속하기 위해서는 자기주도 학습, 호기심, 동기부여 등이 중요과제가 됨.

나의 교육과정	전인적 발달을 추구한다는 원칙 속에서 누구나 차별 없이 질 높은 보편적 교육과정을 제공받으면서도 모든 학생이 자신의 속도와 관심에 따라 '나의 교육과정'을 만들어가는 것이 중요함.
역량 기반 교육	역량 기반 교육은 교과의 고유한 지식, 정체성, 학습방법을 넘어서 하나의 문제, 하나의 현상, 하나의 주제와 연결된 다양한 지식을 융합하여 탐구하도록 하는 교수·학습, 평가의 전환을 가져옴.
학습하는 조직	교육기관 역시 집단지성을 발휘하는 학습 체계의 일부로서 스스로의 미래 창조 능력을 끊임없이 키우고 확장시키는 학습조직으로의 변화가 필요함. 디지털 기술을 활용하여 교육 시스템을 학습 및 학습자 중심으로 설계해야 함.

❸ **미래교육에서의 교육과정과 교육방향**

교육과정	교육방향
[개별화·맞춤형 교육과정] • 학생의 흥미와 적성, 장래희망, 학습 이력, 진로 등에 따라 배워야 할 교육과정을 '학생'이 교육 주체로서 선택하고 구성해야 함.	**[개별화·맞춤형 학습]** • 학생의 학습능력과 속도, 진도에 맞춰 '개인별 맞춤 학습'을 지원해야 함. (보편적 학습설계, 기초학력 신장, 인공지능 기반 학습 튜터링, 에듀테크 학습 환경 활용 등)

❹ **미래교육에서의 수업과 평가**

수업	평가
[배움 중심 수업] • 학생 스스로 생각하고 표현하고 말하는 수업 • 학생이 만들어가는 주제 중심 프로젝트 수업 • 에듀테크를 기반으로한 블렌디드 수업 • 학생의 삶과 연계한 협력적 융합수업	**[성장을 위한 평가]** • 지식 중심이 아닌 역량 중심 평가 • 성취기준 중심의 절대평가로의 전환 • 피드백 중심의 성장 중심 평가로의 전환 • 일회적인 평가가 아닌 성장을 위한 데이터 기반 포트폴리오 평가로의 전환

❺ **미래교육에서의 학교와 교사**

학교	교사
• 학생들이 시·공간을 초월하여 학습할 수 있도록 학교는 그 과정과 경로를 안내하고 지원하는 '학습센터'의 역할을 함. • 학생을 책임성, 윤리성, 공동체성을 갖춘 민주시민으로 길러내기 위한 요람 역할을 함. • 학교가 '만남과 관계의 장소'이기 때문에 이를 통해 인성의 배움터 역할을 강조함.	• 가르치기만 하는 사람이 아닌, 학생의 총체적 학습을 안내하고 관리하는 '학습 코치'로서의 역할을 함. • 다양한 교육 장소에서 교육활동이 이뤄질 수 있도록 '교수·학습 기획자'로서의 역할을 함. • 학생의 심리·정서적 지원자 및 상담자로서의 역할을 함.

CHAPTER 9. 학생 특성 기반 문제해결

기출 문제

학생 특성	**[초등]** 24년 구상1 → 학생 특성을 고려하여 학교에서 할 수 있는 지원 방안을 제시? 　　　　　　학생 특성을 고려하여 가정에서의 협조 요청사항을 이유랑 같이 제시? 23년 구상1 → 문제행동 학생의 유형, 지도방안, 예방 수업 방안을 제시? 20년 구상1 → 실패 회피 경향 학생의 학습지도 방안과 이유를 제시? 19년 구상1 → 문제행동 학생 지도 상황에서 교사의 문제점과 해결 방안을 제시? 18년 구상1 → 거짓말하는 학생을 지도할 때 고려해야 할 점? 17년 즉답1 → 힘들게 하는 학생 지도를 할 때 도움을 요청하기에 적절한 사람은? **[중등]** 22년 구상1 → 학생의 동기적 특성을 말하고 적절한 과제를 제시? 19년 구상1 → 문제행동 학생 지도 상황에서 문제점과 대처 방안을 제시? 18년 구상1 → 다문화 학생의 학교생활 문제에 대해 해결 방안을 제시? 17년 구상1 → 학생의 문제행동 원인과 담임교사로서의 해결 방안을 제시? **[비교과]** 24년 구상1 → 특강 상황에서 학생의 동기적 특성을 바탕으로 지도 방안을 제시? 24년 구상2 → 스마트폰 과의존 학생에 대한 지도방안과 전문성 향상 계획을 제시? 23년 구상1 → 학생이 겪고 있는 학업·교우관계 문제에 대해 해결 방안을 제시? 22년 구상1 → 학생이 겪고 있는 무기력 문제에 대해 해결(지도) 방안을 제시? 21년 구상1 → 정서·행동문제를 말하고, 문제에 대해 해결(지도) 방안을 제시?

기출 유형

원인 분석 및 지도방안 제시형	• 학생의 문제 행동 원인을 파악하고, 그에 맞는 지도 방안을 제시하는 문제 • 출제 포인트 : 학생 행동의 '겉모습'이 아닌 '원인' 중심 분석 → 맞춤형 지도
학생 정서·행동 특성 파악 및 대처형	• 우울, 무기력, ADHD, 폭력 등 정서·행동 문제에 대한 이해와 적절한 대처 요구 • 출제 포인트 : 심리적 특성 이해 → 공감적 대응 + 학부모·전문가 연계
학습 동기 및 태도 지도형	• 실패회피, 동기저하, 과잉경쟁 등 학습동기 문제 해결을 묻는 문제 • 출제 포인트 : 심리적 동기 이해 → 구체적인 '동기부여 전략' 제시
기초학력 부진 및 학습 지원 연계형	• 기초학력이 부족한 학생을 지원하기 위한 다양한 방안을 요구 • 출제 포인트 : 진단 → 맞춤형 수업 + 두드림학교 등 시스템 연계 제시

다문화 특성 통합형	• 다문화 학생의 적응 문제를 중심으로 정서·학습·관계 지도 방안을 묻는 유형 • 출제 포인트 : 다문화 감수성 + 관계 형성 + 언어·학습 지원의 통합적 사고
상담 및 연계 중심형	• 정서·행동·학습 문제 학생을 학교 안팎의 자원과 연계하는 역량 평가 • 출제 포인트 : 교사의 1차 대응 + 상담 연계 + 보호자 소통 능력

대표 기출문제 살펴보기

2023년도 초등 평가원 구상형 1번 문제(변형)

Q 다음 각 학생들의 문제 행동 유형을 말하고 개별적인 지도 방안을 1가지씩 제시하시오. 그리고 B 학생과 같은 문제 행동에 대한 예방 방안을 구체적으로 1가지 제시하시오.

> A : 수업 중에 본인이 할 수 있는 일임에도 모든 것을 교사에게 해달라고 하는 학생. 수업과 관계없는 질문을 해서 소란스럽게 하고 수업이 제대로 진행될 수 없게 함.
> B : 수업에 아예 참여하지 않음. 수업에 흥미를 못느끼고 엎드려서 잠을 잠.

답변 포인트 정리

[A 학생과 B 학생 각각의 문제행동 진단과 그에 따른 지도방안 제시]

- A : A 학생의 문제 행동 유형은 '관심끌기형' 수업 방해 행동으로 볼 수 있습니다. 제시문에서 A 학생은 수업 중에 본인이 충분히 할 수 있는 일임에도 반복적으로 교사의 도움을 요청하고, 수업과 무관한 질문을 하며 수업 흐름을 방해하고 있습니다.
  교사는 즉각적으로 반응하기보다 의도적 무시 전략을 통해 학생이 부적절한 방식으로 관심을 끌어도 효과가 없다는 것을 학습하게 해야 합니다. 동시에 근접간섭 기법을 활용하여 교실을 순회하며 학생 가까이에 다가가 조용히 눈빛이나 손짓으로 주의를 줌으로써 다른 학생들에게 방해받지 않도록 지도합니다.

- B : B 학생의 문제 행동 유형은 '학습 무기력형 수업 미참여' 행동으로 볼 수 있습니다. 이는 단순한 게으름이라기보다는 무기력, 우울, 가정 문제 등 심리적 요인이 내재된 행동이라 생각합니다.
  교사는 강압적으로 참여를 요구하기보다는, 먼저 조용히 다가가 아이의 상태를 살피고 수업 이후에 개별 면담을 통해 심리적 원인을 파악해야 합니다. 예를 들어 "요즘 많이 피곤해 보이던데, 무슨 일이 있었니?"처럼 개방적인 질문으로 학생과 라포르를 형성한 뒤 부담이 적은 소과제부터 제시하여 점차 학습 참여를 유도할 수 있습니다.

[B 학생에 대한 구체적인 문제행동 예방방안 제시]

- B 학생과 같은 문제 행동을 예방하기 위해서는 학기 초부터 학습 동기와 정서 상태를 꾸준히 관찰하고, 수업에 대한 감정을 나누는 활동을 정기적으로 운영하는 것이 효과적입니다. 예를 들어 '나의 수업 감정 날씨표' 쓰기를 통해 학생들이 스스로 학습 상태를 점검하고 교사는 그 변화를 민감하게 포착할 수 있습니다. 교사의 세심한 관찰과 정서적 공감, 그리고 전략적인 수업 설계가 학생의 변화를 이끌어 낼 수 있을 것입니다.

학생 특성 기반 문제해결 학습재료

1) 수업 상황에서 학생 특성 기반 지도 방안

❶ 수업방해 학생

구분	내용
수업방해에 대한 원인	(1) 주요 문제 행동의 원인 → 주로 '관심끌기'와 '힘의 과시' 형태로 많이 나타남. • 관계의 문제(교사, 부모, 친구와의 관계 문제) • 학생 본인의 기질문제(지나친 적극성, 나서기, 반항, 공격성 등) • 병적 질환(ADHD, 우울증 등) • 환경적 요인(가정사, 경제적 어려움 등) • 교사의 권위부재와 수업 분위기 주도권의 상실
수업방해 유형	(1) 수업 중에 하는 방해 유형 • 인기형(학생들에게 인기를 얻으려 하는 소영웅주의) • 방해형(선생님의 수업진행을 방해하려는 의도) • 관심형(선생님의 관심을 받고 싶어 하는 유형) • 불쑥형(자신의 질문을 참지 못하는 유형) (2) 학생들끼리 방해 • 방해형(그냥 다른 학생들의 수업듣기를 방해함) • 수업 무관심형(수업에 관심이 없어서 딴짓하거나 떠듦) • 자제곤란형(떠들기가 자제되지 않음)

초기 대처 방안	(1) 수업을 방해하는 행동을 멈추게 하기
	• 단순하고 가벼운 학생들 간의 장난인 경우에는 교사가 여유를 가지고 대응하되, 장난을 지속하지 않도록 주의를 줌.
	• '관심끌기'인 경우에는 [의도적 무시] 문제 행동 지도기법을 사용함.
	  ＊의도적 무시 : 반응을 얻고 싶으나 실패하면 그만두는 기법
	• 소리가 나는 곳 근처를 평소 수업 때처럼 순회하다가 학생과 눈이 마주치면 다른 학생들이 눈치채지 못하게 단호하게 고개를 가로저어 [근접간섭] 신호를 보냄.
	  ＊근접간섭 : 학생 근처에 머무르며 문제 행동을 제어하는 기법
	• '힘의 과시'인 경우 반항적 태도를 지닌 학생에게 차분하게 이성적으로 이야기하는 것이 중요함. 지속적으로 계속 수업 방해행위를 할 경우 다른 학생의 학습권 침해가 인권에 대한 문제이기 때문에 학교 규정에 따라 처리된다는 것을 명확하게 공지함.
	(2) 학급 분위기를 안정시키고 수업을 진행하기
	• 수업을 방해하는 학생의 잘못을 분명하게 설명하여 나머지 학생들의 동요를 차단함.
	• 학급 분위기가 안정되면 자연스럽게 수업을 진행함.

지속적인 대처 방안	(1) 교사의 수업 및 생활지도 역량 강화하기 • 교사가 수업 주도권을 확실하게 지니지 못하면 문제 행동 빈도가 증가함. 따라서 교사가 수업 분위기를 주도하여 올바른 교사의 권위를 세울 수 있는 방법을 찾아야 함. • 교재 연구, 수업방법 개선, 학생 참여·활동 중심 수업 등을 통해 학생들의 수업 참여도를 높일 수 있도록 교사의 수업 전문성을 높이기 위해 스스로 노력해야 함. • 생활지도 관련 연수, 회복적 생활교육 실천, 생활교육 관련 전문적학습공동체 활동 등을 통해 교사의 생활지도 역량을 기를 수 있도록 스스로 노력 (2) 학생 스스로 수업태도를 성찰하고 개선하는 기회를 제공하기 • 수업 방해, 떠드는 태도에 대한 학급 규칙을 정하는 활동 등을 통해 학생들이 스스로 규칙을 세워 서로의 책임을 강화하는 활동을 함. • 타임 아웃을 운영함. 학생들이 스스로 타임아웃 장소를 정하여 수업 방해 행동이 자제되지 않을 경우 타임아웃을 통해 문제 행동을 차단함. (3) 학급 전체 학생을 대상으로 학습 태도에 관한 지도하기 • 수업 방해가 여러 명에게 동시에 큰 피해를 주는 것임을 인식하도록 지도 • 학교 규정을 안내하여 올바른 수업 태도를 가질 수 있도록 지도 (4) 필요하다면 학생 상담과 학부모 상담을 통해 원인을 파악하고 그에 따른 지도 방안을 마련하기 (5) WEE 클래스와 연계하여 전문상담교사의 자문을 구하고 도움받기

❷ 수업 미참여 학생

구분	내용
수업 미참여에 대한 이해	• 가정 문제로 인한 심리적 요인, 무기력, 학습부진, 학습 장애, 우울증, 교우관계 문제 등 • 단순하거나 일시적인 문제는 '근접간섭' 기법만으로도 효과를 볼 수 있지만 그렇지 않다면 무조건적인 참여의 강요보다는 학생에 대한 이해가 선행되어야 함. 그에 따른 학습 방법 개선 및 상담치료, 가정과의 연계지도 등을 통해 차근차근 문제 행동을 개선시켜야 함.
수업 미참여 유형	(1) 수업 중 소설책을 읽는 등 수업과 무관한 행동을 하는 학생 (2) 수업 중 아무것도 안하고 반응도 없는 학생 (3) 조별 활동에 전혀 참여하지 않으려고 하는 학생
초기 대처 방안	(1) 해당 학생을 조금이라도 수업에 참여시키기 • 단순히 일시적으로 딴짓을 하거나 멍하니 수업에 집중을 하지 못하는 경우에는 '근접간섭'의 원리를 이용하여 학생 근처로 다가가기, 눈짓, 이름을 조용히 부르는 방법으로 주의를 주어 수업에 참여시킴. • 학생에게 신경·정신적, 심리적 문제 등이 느껴지는 경우에는 수업에 참여하지 않는 상황을 일정부분 수용하면서 다른 학생들로 하여금 해당 학생의 상황에 대한 이해를 구하고 수업을 진행함.(억지로 참여시키려하기보다는 그대로 두고 상태를 지켜봄)

구분	내용
초기 대처 방안	(2) 필요하다면 해당 학생의 수업환경을 바꿔주기 　• 교사의 판단하에 좌석을 바꾸거나 짝을 바꾸는 등 환경을 바꿔줌. 　• 심리적으로 불안정한 학생의 경우 적극적이고 친화력이 좋은 학생이나 친한 친구 옆자리로 자리를 옮겨서 자연스럽게 학습참여를 유도함. (3) 해당 학생에게 관심을 기울여 수업을 진행하기 　• 학생과 눈을 맞추고, 웃어주고, 관심 있게 물어봐주는 방법을 통해 주의를 이끌어줌. 　• 학생이 학습에 참여하지 않고 딴짓을 하고 있을 때에는 '의도적 무시' 기법을 사용했다가 조금이라도 학습에 참여하는 그 순간을 포착하여 충분한 칭찬을 함. 　• 학습전략이 부족한 경우 해당 학생에게 적절한 과제를 주고 수행 시간 등에 대해 배려함. (4) 면담을 통해 정확한 원인을 파악하고 원인에 따른 지도 방안 마련 　• 학습에 참여하지 않는 환경적 원인을 파악하기 위해 '밥은 먹고 다니는지', '집에서 가장 부담되는 일이 무엇인지', '하루 중 가장 행복하거나 힘든 시간은 언제인지' 질문하기
지속적인 대처 방안	(1) 전체 학생들에게 수업 중 지켜야 할 규칙 지도하기 (2) 학생–학생, 학생–교사 간 라포르 형성 및 친밀감 강화로 수업에서 소외되는 학생 없애기 (3) 학생/학부모 상담을 통한 원인파악 및 그에 따른 지도 방안 마련하기 (4) 학습법에 어려움을 겪는 학생은 자기주도적 학습 방법을 지도하기 (5) 학습된 무기력에 빠진 학생은 무기력을 극복할 수 있도록 적절한 과제를 제시하여 성공경험을 제공하여 '학습된 낙관성'을 기를 수 있도록 지도하기

❸ 잠자는 학생

구분	내용
잠자는 학생에 대한 이해	• 신체적 피로, 가정문제로 인한 심리적 불안, 학습동기 결여, 우울증 등 • 잠을 자거나 조는 학생은 수업 시간에 가장 흔히 볼 수 있는 모습, 수업 시간에 잠을 자거나 존다고 해서 지적하거나 처벌을 하는 것은 큰 효과가 없기에 학생들의 상황을 파악하고 개개인의 상황에 맞는 처방을 하는 것이 필요함.
잠자는 학생 유형	(1) 게임 때문에 밤을 새고 와서 잠을 자는 학생 (2) 아주 늦은 시간까지 학원을 다니다가 잠이 부족해서 자는 학생 (3) 늦은 시간까지 스마트폰을 하다 와서 잠을 자는 학생 (4) 가정문제를 잊으려 밤을 새우다 와서 잠을 자는 학생 (5) 심리·정서적인 문제로 잠만 자는 학생
초기 대처 방안	(1) 주변의 학생들로부터 잠자는 학생에 대한 정보를 수집하기 　• 주변 학생들을 통해 잠자는 학생이 오늘만 몸이나 머리가 아픈 것인지 평소에도 다른 시간에도 잠을 자는지 파악

초기 대처 방안	(2) 적절한 조치를 취하고 수업에 참여시키기 • 몸이 아픈 학생이라면 보건실로 가서 적절한 치료를 받도록 조치 • 그냥 평소에도 잠을 자주 자는 학생이라면 잠을 깨움.(책상 살짝 두드리기, 앞에서 가볍게 기침하기 등으로 학생이 무안하지 않게 잠을 깨움) • 평소에 문제 행동을 일으키지 않는 학생이라면 부드럽게 눈을 맞춰주기만 해도 수업에 참여하라는 메시지를 전달할 수 있지만 문제 행동을 자주 일으키는 학생이라면 교사가 '근접간섭'을 유지하면서 수업을 진행해야 함. (3) 수업 후 면담 실시하기 • 수업 후 면담을 통해 잠자는 원인을 파악 • 필요시 면담 이후 상담을 통해 기초자료를 확보
지속적인 대처 방안	(1) 학생/학부모 상담을 통해 원인을 파악하고 그에 따른 지도 방안을 마련하기 • 학생 면담, 다른 교사들, 다른 학생들로부터 학생에 대한 자료를 수집하고 문제 행동 원인을 분석하여 지도 방법을 수립함. • 학생이 느끼는 교사와의 심리적 거리를 파악하고 라포르를 형성하기 • 학생의 심리적, 행동적 문제에 대한 인식을 공유하고 해결 방안을 모색하기 (2) 체계적 개별학습 계획 수립하기 • 학생이 학습에 흥미를 느낄 수 있도록 교사가 함께 학생에게 맞는 공부목표, 학습일정, 학습 내용, 학습 방법 등 체계적인 개별학습 계획을 수립함. • 학부모와 협력하여 학생의 실천을 도움. • 필요하다면 학습동기 유발을 위해 진로상담 프로그램과 연계 (3) 교과 학습 내에서 1인 1역할을 통해 책임의식을 부여 (4) 칭찬 릴레이를 통해 친구들과의 관계를 긴밀하고 돈독하게 유지 (5) 전체 학생들에게 수업 중 지켜야 할 규칙 지도하기 (6) 학생 참여·활동 중심 수업하기

2) 정서·행동 특성 학생 지도 방안

❶ 우울하고 무기력한 학생

구분		내용
학생 특성		• 과민한 기분으로 인한 짜증과 반항 • 신체증상 호소(별 이유 없는 두통, 복통, 현기증, 어지러움 등) • 지속적으로 우울/무기력한 모습(엎드려서 잠, 점심을 안 먹음, 활동참여 안 함 등) • 학교 부적응과 등교거부
원인		• 생물학적 취약성(유전, 높은 불안 수준, 감정조절 능력, 호르몬 이상 등) • 부모–자녀 관계의 문제 또는 부모의 이혼, 별거, 사망 등으로 인한 문제 • 또래관계, 따돌림, 학교폭력 피해경험 등 • '나만 미워해', '그냥 죽을까' 등 비합리적인 사고방식을 갖고 있는 경우
지도 방안	관계 형성을 위한 접근	• 교사가 무조건적 경청, 수용 태도를 유지하여 학생이 감정을 털어놓을 수 있는 심리적 안전지대 제공함. • 학생의 사소한 말이나 행동에도 관심을 기울이고, 긍정적 피드백을 제공함. 　예 "오늘은 아침 인사를 해줘서 고마워.", "네가 꺼낸 말이 중요한 이야기 같아." • 게이트 키퍼 역할을 함. → 학생의 이상 신호나 위험 징후를 가장 먼저 알아차리고, 적절한 지원 체계(보호자, 상담기관, WEE센터 등)로 연결해주는 교사의 역할
	학교 일상에 참여를 유도	• 급격한 변화보다는 학생의 관심사 기반 활동부터 점진적으로 참여 유도함. 　예 "수업 참여는 힘들더라도 오늘은 미술 재료만 준비해볼래?", "이번에 포스터 디자인이 필요한데 네가 하면 좋겠어." • 작은 역할을 부여하여 소소한 성취 제공함. → 자기효능감 회복 유도
	학급 내 또래 관계 중재	• 소외감 방지를 위해 비공식적 활동이나 조별 활동 시 자연스럽게 친근한 친구를 매칭하여 소통 기회 제공함. 또래 친구를 통한 정서적 지지 형성(관찰을 통해 적절한 조합을 조심스럽게 선택)
	교내 지원	• 담임-전문가 긴 협력 체계 구축 　예 "정서행동특성검사 결과를 WEE센터에 공유하고, 상담 주기를 조정함." • 위기 상황 시 매뉴얼 기반 대응 체계 숙지 　예 자해 언급 또는 자살 암시 발언이 있는 경우 → 위기학생 관리 지침에 따라 즉시 보호자 연락 및 WEE센터 연계 등
	가정과 협력	• 비판/지적 중심이 아닌 정보공유와 공동대응의 자세로 접근 　예 "최근 ○○가 힘들어하는 모습이 보여 걱정이 되어 연락드렸습니다. 혹시 ○○가 가정에서도 많이 지쳐 보인 적 있었나요?" • 보호자 회피 시, 학부모 상담 요청 및 교육청 연계 상담 자원 안내를 통해 설득

❷ ADHD, 산만하고 부주의한 학생

구분	내용
학생 특성	• 부주의 및 주의력 결핍으로 인해 집중을 못함. • 과잉행동 및 충동성으로 인해 가만히 있지 못함. • 지능수준에 비해 학업성취도가 매우 저조할 수 있음. • 사회성이 부족하거나 또래 친구들로부터 거부당하거나 소외될 수 있음. • 적대적 반항장애, 불안장애, 학습장애를 동반할 수 있음.
원인	• ADHD의 원인은 신경발달학적 요인과 유전적 영향을 많이 받음.
지도 방안	• 주의력이 분산될 수 있는 창가, 문옆, 게시판 근처를 피해서 차분한 자리로 위치를 변경함. • 흥미를 가진 과목에서 성공경험을 얻게 하여 유능감을 느낄 수 있도록 함. • 움직여도 되는 시간과 장소를 대안행동으로 제시함. • 심부름/수업 중 유인물 배부 등 수업 중 움직여서 돕는 행위활동에 참여시킴. • 짧은 시간부터 시작해서 점진적으로 가만히 앉아 있을 수 있도록 지도함. • 부모님과의 연계를 통해 전문적인 치료를 받고 있는지 확인하고, 약물치료를 하고 있는 학생이라면 복용을 잘 하고 있는지 체크하고 증상이 호전되는지 지속적으로 모니터링함.

❸ 교우관계가 어려운 학생

구분	내용
학생 특성	• 교우관계 형성에 어려움을 느낌. • 빈번하게 다툼과 갈등을 겪음. • 관계에 지나치게 집착하고 몰두하여 성적이 떨어지거나 이러한 행동이 비행으로 연결됨. • 모둠 구성 시, 같이 할 친구가 없어 난처해함. • 체육대회, 교육여행 등 학교 행사 참여를 거부함. • 쉬는 시간이나 점심시간에 혼자 지냄.
원인	• 친구에게 관심이 별로 없고 혼자 있는 시간을 즐기는 무관심형 • 열등감으로 인해 부끄러움이 많고 소심하여 말을 잘 하지 않는 위축형 • 함께 어울려 노는 것을 어려워하여 소외되는 미숙형 • 의견 차이가 있을 때 타협하지 않고 자기중심적 언행과 충동적·공격적 행동을 하는 다툼·갈등형
지도 방안	• 친구를 존중하도록 하는 구체적인 학급 규칙을 함께 제정하고 공표함. • 학급 단위로 교우관계 개선 및 학교폭력 예방 교육을 실시(어울림 프로그램 등) • 함께 협동 작업을 진행할 수 있는 환경을 제공함.(팀 체육/문화예술 활동 등) • 모둠을 편성할 때 교우관계 조사나 사회적 관계망 지도를 활용함. • 충동적이고 공격적인 행동은 스스로를 고립시키고 힘들게 한다는 점을 인식시켜 변화의 필요성을 느끼도록 하고, 스스로 감정을 조절할 수 있도록 함.

구분	내용
지도 방안	• 갈등해결 6단계를 통해 갈등을 해결하는 과정을 경험할 수 있도록 함. ▶갈등해결 6단계 : 갈등 확인 → 해결 방안 찾기 → 해결 방안 평가 → 최상의 해결 방안 결정 　　　　　　　→ 실천하기 → 확인 및 피드백 • 친구에 대해 나쁜 소문을 퍼뜨리는 학생에게 자신의 행동에 책임질 수 있도록 지도함.

❹ **폭력적인 학생**

구분	내용
학생 특성	• 신체, 언어적 공격행동(학생, 교사 포함) • 험담하기, 따돌리기 등 사회적 관계에 손상을 입힘.
원인	• 가정환경과 대중매체로부터 관찰과 모방을 통한 공격행동 학습 • 부모-자녀 관계의 문제 또는 부모의 이혼, 별거, 사망 등으로 인한 문제 • 생물학적, 환경적 요인에 의한 충동성과 공격성
지도 방안	• 위험한 상황에서는 도움을 요청할 수 있는 동료교사 및 학교폭력전담 경찰관에게 도움을 요청함. • 심각한 공격행동을 보이는 학생은 안정을 취할 수 있는 곳으로 분리시킴. • 아동학대/가정폭력이 발생하고 있는지 확인 후 필요하다면 전문기관과 연계함. • 교사가 대응하여 공격적으로 지도할 것이 아니라 먼저 마음의 평정을 찾고 부드럽지만 단호한 태도로 지도함. • 학생이 감정과 행동을 분리하여 받아들일 수 있도록 하고, 자신의 감정을 관찰할 수 있도록 이야기함. 　예 "아까 욕을 했을 때 화가 정말 많이 났구나? 화가 난 이유는 이해가 가지만 친구에게 그렇게 폭언을 퍼붓는 건 학교폭력이란다." • 면담을 통해 공격행동을 계속하게 되면 얻게 되는 불이익을 인식시켜 행동 조절의 동기를 높임.(인간관계 불이익, 학교생활 및 진로에서의 불이익, 경제적 불이익, 자존감 하락 등)

❺ 스마트폰 과의존 학생

구분	내용
학생 특성	• 과도한 스마트폰 이용으로 스마트폰에 대한 의존성이 증가함. • 스마트폰 이용에 대한 이용 통제력이 감소하여 문제적 결과를 경험함.
원인	• 자기조절능력 부족, 이용 중독현상, 부모의 방임으로 인한 '통제력 상실'이 주요한 원인
지도 방안	• 스마트폰 과의존 위험군 학생 발견, 파악하기 (매년 3~4월에 인터넷 스마트폰 이용습관 진단조사를 실시함.) • 스마트폰 과의존 행동을 조절할 필요가 있다는 점을 스스로 인식하도록 함. • 스마트폰에 대한 통제력을 기를 수 있도록 목표를 설정하고 실천을 도와줌. • 함께 실천 결과를 평가하고 필요할 경우 목표를 수정함. • 보호자와 긴밀히 협력함.(보호자의 도움과 관심이 필요함을 안내, 통제력을 기를 수 있도록 강조, 스마트폰 의존 이유와 대안을 함께 탐색, 자녀에게 긍정적인 피드백을 줄 수 있도록 부탁 등) • 스마트폰 과의존 예방 가이드를 활용함.

스마트폰 과의존 예방 가이드

(1) 스마트폰 과의존 문제 인식
   – 신체, 정신건강, 인간관계에서 좋지 않은 영향을 주는 것에 대한 문제를 인식

(2) 사용 상태 점검
   – '스마트폰 과의존 척도'를 통해 평소에 스마트폰을 어떻게 사용하고 있는지 스스로 점검
     (스마트쉼센터 홈페이지 활용 : www.iapc.or.kr)

(3) 바른 사용 실천 방안 및 대안 제시
   – 스마트폰을 이용하는 시간과 장소를 정하고, 자신만의 조절방법을 찾아서 실천
   – 스마트폰으로 안전하고 믿을 수 있는 콘텐츠만 이용
   – 스마트폰을 이용하지 않거나 이동할 때에는 보이지 않는 곳에 보관

(4) 주변 사람과의 관계 형성
   – 스마트폰을 내려놓고 가까운 사람들과 소통함.

❻ 자살 위험 학생

구분	내용
학생 특성	• 충동적이어서 순간적으로 발생함. • 예측이 불가능함. • 피암시성이 강함. • 동반 자살이나 모방 자살이 많음. • 사회문화적 영향을 많이 받음.
자살심리	• 입시부담, 학내 폭력, 부모처벌 공포 등의 어려운 상황을 피하기 위한 회피심리 • 부모, 선생님, 이성 친구에 대한 강한 분노 감정으로 인한 보복심리 • 못난 자기 자신에 대한 징벌성의 자기 처벌심리 • 욕구좌절 시 성질을 자제하지 못하고 흥분하는 충동적인 자해심리
징후	• 직접적 행동 단서(수면제, 진통제, 감기약, 끈, 칼, 의미 있는 개인물건을 태움, 죽음이나 자살사이트 검색, 메모장에 죽음을 표현, 주변에 죽음과 관련된 말을 흘림 등) • 직접적 언어 표현("죽고 싶어.", "사는 것에 의미가 없어.", "안녕…", "내가 없어져도 아무 일 없겠지." 등) • 간접적 행동, 단서(자살에 대한 로망, 심각한 성격 변화, 식사와 수면상태의 급격한 변화, 실연이나 상실감의 증폭 등)
지도 방안	• 감정표현을 격려함.(때로는 슬픔을 느끼고 우는 것이 창피하거나 부끄러운 것이 아니라 자연스러운 반응이라는 것을 받아들일 수 있도록 교육함) • 자신만의 탈출구를 만들 수 있도록 안내(모든 사람들은 스트레스를 받을 때 일시적으로 피할 수 있는 도피처, 스트레스 해소법이 필요함) • 나의 생각 점검 교육(어려운 상황에서 양자택일의 사고방식을 하고 있지는 않은지 내 생각을 바라보기 실천함) • 도움 요청하기 교육(나에게 도움을 줄 수 있는 사람이 누가 있을지 생각해 보고 먼저 도와달라고 손을 내미는 것이 필요함) • 자살 시도가 있었던 학생은 의학적 처치, 정신과 혹은 일반 병동 입원 여부의 결정, 위기 개입 치료, 자살 사고를 감소시키기 위한 장기적 전략이 필요함. • 가능한 한 빨리 가족에게 알려야 하며 전문가와의 연계를 통해 약물치료, 인지치료, 사회기술훈련, 문제해결 기술훈련, 감정조절 훈련, 가족치료 등을 받아야 함.

3) 학습 동기 특성

❶ 성공추구 경향과 실패회피 경향

구분		내용
학습 동기 특성	성공 추구 경향	성공하기 위한 동기 • 성공한 경험이 많은 사람의 경우 성공추구 동기가 높다. • 실패의 원인을 노력에서 찾고, 능력을 개선하려 함. • 현실적으로 성공의 가능성이 높거나 중간 난이도의 과업을 선택함.
	실패 회피 경향	실패를 회피하기 위한 동기 • 실패한 경험이 많은 사람의 경우 실패회피 동기가 높다. • 실패의 원인을 능력과 과업에서 찾고, 능력은 정해진 것으로 생각함. • 변명하기 좋은 어려운 과업 또는 실패를 피할 수 있는 쉬운 과업을 선택함.
성공추구 동기가 높은 학생이	성공할 경우	동기 하락 성공만 하니 노력하지 않아도 된다는 오만에 빠질 수 있음.
	실패할 경우	동기 상승 성공만 하다가 실패를 경험하면 당황과 함께 오기가 발동하여 더 노력함.
실패회피 동기가 높은 학생이	성공할 경우	동기 상승 실패만 하다가 성공할 경우 성취감을 바탕으로 더 강한 동기가 유발됨.
	실패할 경우	동기 하락 계속 실패를 할 경우 무기력에 빠지며 오히려 포기하게 될 수 있음.

❷ 내재적 동기와 외재적 동기

구분	내용
내재적 동기	• 과업 자체와 개인의 내적 요인이 곧 동기임. • 활동 그 자체가 보상이며 강한 지속력과 몰입을 유도함. → 지속적인 성공경험, 도전적 과제, 선택권, 호기심 등을 제공해야 함.
외재적 동기	• 외적 환경적 요인이 동기임. • 결과에만 관심이 있고, 과제는 목적을 위한 수단임.

4) 기초학력 부진 특성

❶ 기초학력이란?

구분	내용
기초학력	기초학습능력과 교과학습능력을 포함하는 개념 • 기초학습능력 : 모든 학습과 생활의 바탕이 되는 읽기, 쓰기, 셈하기의 학습능력(3R's) • 교과학습능력 : 교육과정에서 요구하는 최소 수준의 교과별 성취 수준의 학습능력
학습부진	여러 가지 요인으로 인해 기초학력에 도달하지 못한 상태
기초학력 지원의 필요성	• 학생 수가 급감하는 현실을 반영하여 국가 경쟁력을 확보하는 차원에서 개별 학생의 소질과 적성이 최대한 발현되어야 함. • 코로나 장기화 영향으로 인해 기초학력 미달(학습부진)학생 비율이 점점 늘어나고 있음. • 공교육의 책무성 측면에서 학생들에게 살아가는 데 꼭 필요한 기초학력 기반을 마련해줘야 함.
기초학력 진단 방안	• 교사의 집중관찰 및 상담, 과정 중심 평가 등 • 학교자체 평가계획에 의한 기초학력지원 대상 학생 선정 • 각 시·도교육청의 기초학력지원시스템 활용 예 s-basic.sen.go.kr • 기초학력향상 지원 사이트 '꾸꾸'의 학습준비도 검사 활용(basics.re.kr) • 배우고 이루는 스스로 캠프(베이스 캠프) 사이트의 진단검사 활용(plasedu.org)

❷ 기초학력 부진 특성 학생 지원 방안

구분	내용
교사 차원	• 기초학력 협력교사 제도를 활용한 교과시간 내 맞춤형 기초학력 지원 • 기초학력 지원 목적의 방과후 프로그램 개설·운영 • 기초학력 지원과 관련된 직무연수(두드림 학교, 문해력, 기초수학 등)를 통해 기초학력 지원 역량 향상 • 기초학력 지원 선분석학습공동체 활용(기초학력 지원 사례 나눔/연구 등)
학교 차원	• 단위학교 내 다중지원팀 두드림(Do-Dream)학교 운영 • 단위학교 내 기초학력 책임지도제 계획 수립 및 운영 • 교육청의 학습종합클리닉센터와 연계하여 기초학력 지원 프로그램 운영 • 기초학력과 연계되는 사업들과 연계하여 운영 예 교육복지지원 사업, 다문화지원 사업, 교육회복지원 사업 등 • 온라인/오프라인 튜터링 제도 활용 • 멘토링 프로그램(희망교실 등) 연계 운영

단계		1단계 → 교실 안	2단계 → 학교 안	3단계 → 학교 밖
3단계 학습안전망 구축	지원 주체	• 정규수업 　(교사/담임)	• 단위학교 내 　다중지원 팀 　(두드림 학교)	• 교육청 차원의 　종합적지원 　(학습종합클리닉센터)
	지원 방안	• 교과 내 맞춤형 지도 • 교사의 진단 및 지원	• 다중지원팀의 개별 　맞춤형 지원	• 복합적 요인에 의한 　학습부진에 대해 종합적·전 　문적인 지원

❸ **두드림 학교(기초학력 부진 특성 학생 지원 방안)**

구분	내용
의미	복합적 요인(학습장애, 정서행동 문제 등)으로 학습부진을 겪는 학생에 대해 맞춤형 지원을 제공하여 학습부진 학생들의 닫힌 마음을 두드려 활짝 열고자 하는 대표적인 단위학교의 기초학력 지원 프로그램
구성	교감, 담임교사, 교과교사, 특수교사, 보건교사, 전문상담교사, 교육복지사 등
지원	• 두드림 학교 TF팀을 구성하여 다중지원 방안 모색 • 학습부진 수준/원인 진단 • 맞춤형 학습지도 • 학습상담, 학습코칭, 학습치료 프로그램 • 학교 내/외 사업과 연계 　예 교육복지우선지원 사업, 사제 멘토링 사업, 기초학력 지원 사업 등 • 외부 전문기관과 연계
기대효과	• 복합적 요인에 의해 배움이 느린 학생들에 대한 책임교육 실현 • 공교육의 책무성 차원에서 단위학교 여건에 맞는 책임교육 체제 구축 • 학교 내/외, 전문기관 등이 협력하는 종합적 기초학력 지원체제 구축

5) 다문화 특성

❶ 다문화 교육

다문화 교육이란		문화적 차이에서 비롯된 무지, 편견, 인종차별을 극복하고 다양함과 다름을 존중하며 살아가기 위해 요구되는 지식, 태도 기능을 가르치는 교육
다문화 교육의 필요성	다문화에 대한 생소함	단일민족으로 구성된 우리나라 사람들에게는 다문화가 생소하여 오해가 생길 수 있기 때문에
	다문화의 확산	우리나라도 외국인 가정 비율이 점차 증가하고 있으며 국제사회는 여러 민족과 인종이 활발하게 교류하기 때문에
	다문화 감수성	다른 나라의 문화, 종교, 정치 등에 대해서도 알고 이해하고 문화적으로 공감할 수 있는 태도를 기르는 교육이 필요

❷ 학생 특성 문제에 따른 다문화 지원 방안

학생 특성 문제	지원 방안
학업부진 및 기초학력 문제	• 멘토링, 교과보조 교재 제공 등 교육복지 지원을 통해 기초학력 지원 • 학교 내 두드림학교 프로그램과 연계한 기초학력 지원 • 학급 내에서 또래학습 도우미를 선정하고 매칭하여 실제적인 학습 지원 • 사제동행 프로그램을 활용하여 정서지원과 학습 및 진로상담 지원
언어능력 부족 문제	• 다문화 학생들의 한국어 습득을 위한 한국어 교육과정을 운영하고 지원 (방과후 학교, 창의적 체험활동, 특별학급 등 운영) • 학부모 한국어교실 운영을 통해 가정 내 한국어 사용 역량 강화를 지원 • 다문화 언어강사를 활용하여 이중언어교육과 동시에 한국어 교육을 지원 • 다문화 학생 한국어 집중교육 및 한국문화 적응교육 지원 • 다문화 특별학급을 운영하여 다문화 학생들의 학교생활 적응 지원
정체성 혼란 문제	• 이중언어교육을 통해 다문화 언어 역량을 함양하고 이중언어 말하기대회 운영을 통해 학생의 강점과 자존감을 기를 수 있도록 함. • 문화적 혼란을 최소화할 수 있도록 다문화교육 정책학교 운영, 다문화 감수성 교육을 통해 학교 구성원 모두가 다문화를 이해하고 배려하는 분위기를 형성함. • 학부모 교육 프로그램 운영을 통해 교육상담 및 교육관련 정보 서비스를 제공함. 다문화 가정 학부모의 교육 역량을 강화하여 다문화 학생의 성장환경 조성을 종합적으로 지원

또래 관계 문제	• 또래 학생들의 다문화 인식개선 및 다문화 이해력 향상을 위해 다문화 감수성 교육과 상호문화교육 실시함. • 문화예술교육 프로그램을 통해 모두 함께 어울리는 교육활동을 실시함.(다문화 학생의 강점에 알맞은 역할을 찾아줌으로써 다문화 학생이 문화예술교육 프로그램의 중추적인 역할을 할 수 있도록 조력함.) • 학급단위로 또래 학생들이 함께 어울리고 활동할 수 있는 학급단합 활동들을 수시로 기획하고 운영함.(학급 마니또, 칭찬 편지 릴레이, 학급 장기자랑 등) • 창의적 체험활동, 체육활동, 모둠활동 등 교육과정 내에서 소규모 팀 활동을 활성화하여 또래가 함께 작은 성취를 이루고 추억을 나눌 수 있는 기회를 수시로 제공함.

2 학생 특성 기반 문제해결 답변 연습

Q ○○학교는 다양한 문화 배경을 가진 학생들이 함께 생활하는 학교이다. 이 학교에 한 다문화 학생이 전학을 온 뒤로 또래 친구들과 잘 어울리지 못하고 수업에도 집중하지 못하는 모습을 보이고 있다. 이 학생의 특성과 상황을 고려할 때 담임 교사로서 어떤 점을 우선해야 하고 어떻게 지도를 해야 할 지 제시하시오.

❶ 학생 특성 기반 문제해결 답변 기본 구조

서론	담임교사로서 가장 먼저 그 학생이 학교에 심리적으로 안전하게 소속될 수 있도록 돕는 것을 우선해야 한다고 생각합니다. 학생이 자신이 배척받거나 이해받지 못한다고 느끼는 순간 수업 참여나 관계 형성은 더디게 진행될 수 있기 때문입니다.
본론	지도 방안으로는 먼저, 또래 친구들과의 관계 형성을 위해서 의도적으로 협력 활동이 많은 모둠 과제를 설계하고 그 안에서 이 학생이 자신의 강점을 드러낼 수 있는 소소한 역할을 맡도록 유도하겠습니다. 다음으로, 학습 면에서는 수업 중 짧고 명확한 설명, 시각자료 활용, 적극적 칭찬을 통해 참여를 유도하고, 참여가 어려운 순간에도 학생이 위축되지 않도록 눈짓이나 미소로 지지해 줄 것입니다. 이 과정에서 마니또 활동이나 '함께 점심 먹기 미션'도 병행하여 정서적인 교류 기회를 늘리겠습니다.
결론	저는 교사로서 아이가 자신이 존중받고 있다는 것을 느낄 수 있도록 지속적으로 노력하겠습니다. 그렇게 함으로써 학생이 점차 교실과 친구들 속에서 자신의 자리를 찾고, 배움에 참여하는 기쁨을 느낄 수 있도록 돕고 싶습니다.

3 학생 특성 기반 문제해결 레시피 연습 문제

Q 수업 시간에 자주 친구들과 장난을 치며 분위기를 흐리는 학생이 있다. 지적을 해도 금방 반성하지 않고, 교사의 말에 반항적인 태도를 보이기도 한다. 이 학생에 대한 구체적 지도 방안을 1가지 제시하시오. 또한 이러한 유형의 문제 행동이 학급 전체에 미치는 영향을 고려할 때, 담임교사로서 취해야 할 예방 조치를 1가지 말하시오.

01 step

예시답변

답변드리겠습니다.
먼저, 학생에 대한 구체적인 지도 방안으로 '**근접간섭 기법**'을 활용하겠습니다.
수업 중 문제 행동이 발생했을 때 학생을 공개적으로 지적하기보다는 조용히 학생 근처로 다가가 시선을 맞추거나 어깨를 가볍게 건드리는 등의 비언어적 신호로 주의를 환기시키겠습니다. 이를 통해 수업 흐름을 유지하면서도 학생에게 교사의 관심과 경계가 전달되도록 하겠습니다. 수업 후에는 개별 면담을 통해 학생의 감정을 공감하고, 행동에 담긴 욕구를 함께 탐색하며 바람직한 표현 방식을 안내하겠습니다. 친구들 앞에서 인정받고 싶었던 학생의 마음을 이해하며, 자발적인 성찰을 유도하겠습니다.
또한, 담임교사로서의 예방적 조치로는 '**수업 규칙 공동 제정 및 점검**'을 실시하겠습니다.
학생들과 함께 수업 규칙을 만들고 정기적으로 점검하는 활동을 통해, 규칙의 주인이라는 인식을 심어주고 책임감을 기를 수 있도록 지도하겠습니다. 이러한 접근은 단순한 행동 통제를 넘어서 학생의 자기효능감과 자율성을 높이고, 학급의 안정적인 수업 분위기 형성에 기여할 수 있을 것이라 생각합니다. 이상입니다.

4 학생 특성 기반 문제해결 레시피 워크북

● 아래 유형별 질문에 자신만의 답변을 준비하고, 스터디를 통해 답변을 공유해 보세요!

(1) 원인 분석 및 지도방안 제시형

> Q 수업 시간에 반복적으로 방해 행동을 보이는 학생이 있다. 이 학생의 문제 행동 원인을 분석하고, 효과적인 지도 방안을 제시하시오.
> Q 아무 말 없이 수업에 불참하거나 멍하니 앉아 있는 학생이 있다. 이 학생의 수업 미참여 원인을 분석하고 지도 방법을 설명하시오.
> Q 수업 중 잠을 자는 학생을 목격했다. 행동의 원인을 파악하고 지속적인 지도 방안을 구체적으로 말하시오.

(2) 학생 정서 행동 특성 파악 및 대처형

> Q 무기력해 보이고 학교생활에 무관심한 학생을 어떻게 지도하겠습니까?
> Q ADHD 특성을 가진 학생이 수업에서 자주 산만한 행동을 보일 때, 담임교사로서 어떻게 지도하겠습니까?
> Q 친구에게 폭언을 하고 물건을 던진 학생이 있다. 해당 학생의 특성을 고려한 대응 방안을 제시하시오.

(3) 학습 동기 및 태도 지도형

> Q 실패를 반복한 뒤 과제를 포기하는 학생이 있다. 이 학생의 학습 동기를 높이기 위한 방안을 제시하시오.
> Q 외재적 동기에만 반응하는 학생이 있다. 내재적 동기를 기를 수 있는 수업 방안을 제시하시오.
> Q 학습에 흥미를 잃고 있는 학생에게 학습 동기를 부여하기 위한 전략을 말하시오.

(4) 기초학력 부진 및 학습지원 연계형

> Q 읽고 쓰고 셈하는 것을 힘들어하는 학생이 있다. 기초학력 지원을 위한 수업 내·외 지도 방안을 말하시오.
> Q 학습 부진 학생을 진단하고 학교 내외 자원을 연계한 지원 방안을 말하시오.
> Q 두드림학교의 개념과 운영 방식, 교사로서의 역할에 대해 설명하시오.

(5) 다문화 특성 통합형

> Q 전학 온 다문화 학생이 수업과 친구 관계에 모두 어려움을 겪고 있다. 교사로서 어떤 점을 우선하고, 어떻게 지도할 것인가?
> Q 다문화 가정 학생이 언어 능력 부족으로 학습에 어려움을 겪고 있다. 학습과 학교 적응을 위한 방안을 제시하시오.
> Q 다문화 학생과 비다문화 학생의 갈등이 생겼을 때, 교사의 대처 방안을 말하시오.

(6) 상담 및 연계 중심형

> Q 담임교사로서 자살 위험이 의심되는 학생을 발견했을 때, 어떻게 대응하겠습니까?
> Q 수업 시간마다 엎드려 있는 학생을 지도하고, 상담 및 학교 시스템을 어떻게 활용할지 설명하시오.
> Q 학습 부진이 심각한 학생의 문제를 학부모와 어떻게 협력하여 해결할 수 있을지 말하시오.

CHAPTER 10 수업·평가 상황 문제해결

임용 면접레시피

기출 문제

수업 상황	**[초등]** 25년 구상1 → 디지털 기기 사용 수업 시 유의점과 학생들 간 기기 사용 능력이 다를 경우 수업 방안은? 학교 교육과정에서 실시할 수 있는 방법은? 22년 구상1 → 온라인 수업 상황에서 문제점을 찾고 해결 방안을 제시 19년 구상1 → 수업 상황에서 문제점을 찾고 해결 방안을 제시 17년 구상1 → 수업준비에 어려움을 겪는 이유와 해결 방안을 제시 **[중등]** 25년 구상2 → 학생들이 겪는 수업의 어려움 문제를 해결하기 위한 방안을 제시 24년 구상1 → 수업이 잘 안 되는 상황에서 수업설계의 문제점을 찾고 해결 방안을 제시 23년 구상1 → 메타버스 활용 수업 상황에서 문제점을 찾고 해결 방안을 제시 19년 구상1 → 수업 상황에서 문제점을 찾고 즉각적인 대처 방안을 제시 **[비교과]** 19년 구상1 → 운영 중인 방과후 학교 프로그램의 문제와 해결 방안을 제시
평가 관련	**[중등]** 20년 구상1 → 제시문의 수행평가에 나타난 문제점과 해결 방안을 제시

기출 유형

수업 실행 문제 진단 및 해결 유형	• 수업이 잘 안 되는 이유를 진단하고 개선 방안을 묻는 문제 Q. 수업이 잘 안 되는 상황에서 수업설계의 문제점과 해결 방안
평가 문제 진단 및 해결 유형	• 수행평가, 형성평가 등 평가의 공정성, 시기, 피드백 문제 등 Q. 수행평가 상황에서의 문제점과 해결 방안
디지털 및 수업 도구 활용 시 발생 문제 해결 유형	• 메타버스, 온라인 수업, 디지털기기 활용 수업에서의 유의점 Q. 메타버스를 활용하는 수업 상황에서의 문제점
수업 참여 저조 및 학습동기 저하 유형	• 학생이 '이 수업 어려워요', '집중 안 돼요' 등 반응했을 때 Q. '수업이 어려워요', '수업의 중점이 뭔지 모르겠어요' 상황에서의 개선방안

대표 기출문제 살펴보기

2023년도 중등 평가원 구상형 1번 문제

Q 메타버스를 활용하는 수업 상황에서의 문제점을 학생별로 각각 찾고, 해결 방안을 제시하시오.

> A : 메타버스 사용방법을 잘 모르겠어요. 들어가는 것도 어렵고 중간에 갑자기 로그아웃돼요.
> B : 메타버스가 흥미롭긴 해요. 그런데 화면 구성이 복잡하고 혼란스러워서 뭘 배웠는지 모르겠어요.
> C : 그냥 평소에 교실에서 똑같이 하던 퀴즈 평가만 메타버스 안에서 진행되니까 식상해요.

🥣 답변 포인트 정리

[학생별로 문제 진단을 정확히 하고 이에 대한 각각의 해결책을 구체적으로 제시]

- A : 디지털 기기 조작 역량이 부족하거나 플랫폼 자체의 안정성이 낮아 학습의 지속성이 방해받는 문제
    → 사전 연습, 또래 튜터, 매뉴얼 제공
- B : 메타버스 수업이 학습자에게 과부하를 주어 학습의 초점이 흐려진 문제
    → 학습 흐름도, 핵심 정리 활동 추가
- C : 교사가 메타버스의 특성을 살리지 못하고 단순히 기존 수업 형식을 옮긴 데서 오는 흥미 저하 문제
    → 메타버스 특성을 살린 퀘스트형 수업 설계

01 step

1 수업·평가 상황 문제해결 학습재료

1) 2022 개정 교육과정에서의 교수·학습

다음 내용들은 2022 개정 교육과정 총론에 나와 있는 '교수·학습' 가이드 라인입니다.

핵심 역량	핵심 아이디어	단편적 지식의 암기를 지양하고 각 교과목의 핵심 아이디어를 중심으로 지식·이해, 과정·기능, 가치·태도의 내용 요소를 유기적으로 연계하며 학생의 발달 단계에 따라 학습 경험의 폭과 깊이를 확장할 수 있도록 수업을 해야 함. 예 '물의 상태 변화' 단원을 '에너지 보존'이라는 핵심 아이디어와 연결하여 학습자의 인식 확장 유도
	융합적 사고 문제해결 능력	교과 내 영역 간, 교과 간 내용 연계성을 고려하여 수업을 설계하고 지도함으로써 학생들이 융합적으로 사고하고 창의적으로 문제를 해결하는 능력을 함양할 수 있도록 해야 함. 예 수학 시간에 '비례식'을 배운 후 미술 시간 '그리드 드로잉' 활동과 비율 개념을 연계하여 활용
	실생활 맥락 이해·적용	학습 내용을 실생활 맥락 속에서 이해하고 적용하는 기회를 제공함으로써 학교에서의 학습이 학생의 삶에 의미 있는 학습 경험이 되도록 해야 함. 예 국어 '설명문 쓰기' 수업에서 실제 사용 설명서나 안내문을 직접 만들어보는 활동
	자기주도 학습 능력	학생이 여러 교과의 고유한 탐구 방법을 익히고 자신의 학습 과정과 학습 전략을 점검하며 개선하는 기회를 제공하여 스스로 탐구하고 학습할 수 있는 자기주도 학습 능력을 함양할 수 있도록 해야 함. 예 프로젝트 학습에서 학생 스스로 역할 분담, 조사 방법 결정, 결과 발표까지 계획하고 실행하도록 지도
	기초소양	교과의 깊이 있는 학습에 기반이 되는 언어·수리·디지털 기초소양을 모든 교과를 통해 함양할 수 있도록 수업해야 함. 예 디지털 도구를 활용한 발표자료 만들기(모든 교과)
능동적 참여 & 학습의 즐거움	학생 참여형 수업	학습 주제에서 다루는 탐구 질문에 관심과 호기심을 가지고 스스로 문제를 해결하는 학생 참여형 수업을 활성화하며, 토의·토론 학습을 통해 자신의 생각을 표현하는 기회를 가질 수 있도록 해야 함. 예 'AI가 인간의 직업을 대체할 수 있을까?'라는 주제로 모둠별 찬반 토론
	체험 및 탐구	실험, 실습, 관찰, 조사, 견학 등의 체험 및 탐구 활동 경험이 충분히 이루어질 수 있도록 해야 함. 예 식물의 생장과 관련된 관찰일지 작성 후 발표하는 활동
	협력적 문제해결	개별학습 활동과 함께 소집단 협동학습 활동을 통하여 협력적으로 문제를 해결하는 경험을 충분히 갖도록 해야 함. 예 역할 분담, 재료 분배, 제작까지 팀워크를 통해 '업사이클링 공동 조형물' 만들기 활동

학생 맞춤형 수업	학생 특성	학생의 선행 경험, 선행 지식, 오개념 등 학습의 출발점을 파악하고 학생의 특성을 고려하여 학습 소재, 자료, 활동을 다양화해야 함. 예 다양한 흥미에 따라 책을 그룹별로 다르게 제공하여 글쓰기 활동하기
	지능 정보 기술	정보통신기술 매체를 활용하여 교수·학습 방법을 다양화하고, 학생 맞춤형 학습을 위해 지능정보기술을 활용해야 함. 예 디지털 협업 도구 활동(패들렛, 잼보드 등)
	다양성 이해·존중	다문화 가정 배경, 가족 구성, 장애 유무 등 학습자의 개인적·사회문화적 배경의 다양성을 이해하고 존중하며, 이를 수업에 반영할 때 편견과 고정 관념, 차별을 야기하지 않도록 유의해야 함. 예 다문화 세계문화 발표회(문화, 음식, 의상 등에 대해 소개)
	학습 결손 예방	학교는 학생 개개인의 학습 상황을 확인하여 학생의 학습 결손을 예방하도록 노력하며, 학습 결손이 발생한 경우 보충학습 기회를 제공해야 함. 예 단원별 진단평가 후 맞춤형 보충 수업('다시 배우기 모둠' 운영)
교육 공간	유연한 학습 공간	각 교과의 특성에 맞는 다양한 학습이 이루어질 수 있도록 교과 교실 운영을 활성화하며, 고등학교는 학점 기반 교육과정 운영을 위해 유연한 학습공간을 활용해야 함.
	다양한 자료	교과용 도서 이외에 시·도교육청이나 학교 등에서 개발한 다양한 교수·학습 자료를 활용해야 함.
	디지털 학습 환경	다양한 지능정보기술 및 도구를 활용하여 효율적인 학습을 지원할 수 있도록 디지털 학습 환경을 구축해야 함.
	안전사고 예방	실험 실습 및 실기 지도 과정에서 학생의 안전사고를 예방하기 위해 시설·기구, 기계, 약품, 용구 사용의 안전에 유의해야 함.
	교육적 요구	특수교육 대상 학생 등 교육적 요구가 다양한 학생들을 위해 필요할 경우 의사소통 지원, 행동 지원, 보조공학 지원 등을 제공해야 함.

2) 2022 개정 교육과정에서의 평가

교수·학습의 질 개선	정보 제공 / 추수 지도	학생에게 평가 결과에 대한 적절한 정보를 제공하고 추수 지도를 실시하여 학생이 자신의 학습을 지속적으로 성찰하고 개선할 수 있도록 해야 함.
	평가결과 활용	학생 평가결과를 활용하여 수업의 질을 지속적으로 개선해야 함.
성취기준 기반 & 일관성 있는 평가	과정 환류	학습의 결과만이 아니라 결과에 이르기까지의 학습 과정을 확인하고 환류하여, 학습자의 성공적인 학습과 사고 능력 함양을 지원해야 함.
	균형 있는 평가 / 자기평가	학생의 인지적·정의적 측면에 대한 평가가 균형 있게 이루어질 수 있도록 하며, 학생이 자신의 학습 과정과 결과를 스스로 평가할 수 있는 기회를 제공해야 함.
	성취기준	교과목별 성취기준과 평가기준에 따라 성취수준을 설정하여 교수·학습 및 평가 계획에 반영해야 함.
	배운 내용만 평가	학생에게 배울 기회를 주지 않은 내용과 기능은 평가하지 않음.
학습자에게 적합한 평가	서술형·논술형 평가 비중 확대	수행평가를 내실화하고 서술형과 논술형 평가의 비중을 확대해야 함.
	교과목 성격 고려	정의적·기능적 측면이나 실험·실습이 중시되는 평가에서는 교과목의 성격을 고려하여 타당하고 합리적인 기준과 척도를 마련하여 평가를 실시해야 함.
	지능정보기술 활용	학교의 여건과 교육활동의 특성을 고려하여 다양한 지능정보기술을 활용함으로써 학생 맞춤형 평가를 활성화해야 함.
	개별 학생 특성 고려	개별 학생의 발달 수준 및 특성을 고려하여 평가 계획을 조정할 수 있으며, 특수학급 및 일반학급에 재학하고 있는 특수교육 대상 학생을 위해 필요한 경우 평가 방법을 조정해야 함.
	창의적 체험활동	창의적 체험활동은 내용과 특성을 고려하여 평가의 주안점을 학교에서 결정하여 평가해야 함.

3) 수업 문제상황과 해결 방안

수업 문제상황	해결 방안
학생의 수준을 고려하지 못하여 참여율이 저조함.	• 성취기준을 중심으로 학생들의 수준에 맞게 교육과정을 재구성하여 학생 참여·활동 중심 수업을 함.
모둠학습 시 무임승차 현상이 발생	• 소집단 구성원 모두에게 개별적 책무성을 부여하고 공동의 목표의식 강화를 위한 집단보상을 부여함.
별다른 동기유발 없이 수업이 진행됨.	• 흥미와 욕구를 토대로 자발적인 배움이 일어나도록 학생의 삶과 연계되고 실생활에서 발생할 수 있는 문제상황을 반영하여 동기유발함.
학생의 흥미, 능력, 적성 등을 반영하지 못함.	• 학생 개개인이 흥미, 능력, 적성에 따라 선택하고 주체적으로 활동할 수 있는 수업을 실시함. 예 프로젝트 수업, 토의·토론 등
수업이 끝나고 학생이 무엇을 배웠는지 잘 모르겠다고 답함.	• 수업 중에 혹은 수업이 끝난 뒤에 오늘 배운 내용의 핵심을 요약하거나 구조화하는 활동을 함. 예 마인드맵, 비주얼 씽킹 등
학생이 강의식 수업을 해줬으면 좋겠다고 답함.	• 지식을 단순히 학습하는 것만이 수업이 아니라 배움이 삶과 이어지고 그것을 활용해 보는 경험으로 살아가는데 꼭 필요한 핵심역량을 키우는 것이 목표임을 알려줌.
수업에서 질문이 없음.	• 질문에 대한 허용적 태도를 형성함. • 다양한 사고를 촉진하는 질문을 하고 학생들이 답을 만들어가도록 기다려주고 들어줌. • 온라인 질문방 운영 등 다양한 방법을 통해 수업과 관련된 질문을 받아줌.
발표 기회, 협업 기회가 없음.	• 모둠활동, 발표, 피드백 등 학생과 학생, 학생과 교사 간의 의사소통 과정을 수업설계에 반영함.
학생 스스로가 수업에서 '관객'처럼 느낌.	• 학생이 중심이 되는 수업을 위해 교사는 수업 안에서 안내자, 촉진자, 조력자로서의 역할을 하도록 학생 참여·활동 중심 수업을 설계함.

4) 평가 문제상황과 해결 방안

평가 문제상황	해결 방안
수행평가가 학기 말 시기에만 몰리는 문제	• 과정 중심 평가를 통해 수업 전반에 걸쳐 수행평가를 실시함. • 전 교과협의회를 통해 특정 시기에 평가가 몰리지 않도록 평가시기를 협의함.
평가의 공정성과 신뢰성 문제	• 학기 초에 학생과 학부모를 대상으로 평가방법과 성취기준에 근거한 평가기준에 대해 안내를 실시함. • 평가결과에 대해서 정당한 이의제기를 받고 피드백을 실시함.
평가 후에 피드백을 생략하거나 부실한 문제	• 학습 과정에서 피드백을 수시로 제공하고 분석적 채점을 활용하여 학생의 강점과 약점을 분석하고 학생의 성장을 돕는 형성적 피드백을 실시함.
수업과 무관한 내용의 평가가 이루어지는 문제	• 교육과정-수업-평가 일체화를 통해 수업에서 배운 내용과 연계되는 내용의 평가를 일관성 있게 실시함.
동교과, 동학년인데 가르치는 선생님마다 평가 방식이 다른 문제	• 동교과협의회를 통해 수업계획 및 평가계획에 대해 구체적으로 협의를 함. • 사전에 수업 아이디어를 공유하고 채점표 '루브릭'을 함께 만들어서 평가 방식을 일관성 있게 운영함.
집에서 하는 과제를 부여하고 평가하는 문제	• 가정에서 완성해 오는 과제부여 평가는 지양함. • 수업 시간에 교사가 직접 수행 과정을 관찰·확인이 가능한 평가를 지향해야 함.
교사의 평가 역량/전문성이 부족한 문제	• 교육지원청의 과정 중심 평가 컨설팅 지원 요청 • 교원 직무연수 활용 • 교과협의회/교원학습공동체와 활용 • 실천 사례 및 연구 공유 세미나·포럼 참여

5) 스마트기기 활용 기반 교육

❶ 스마트기기 활용 목적

학습의 개인화	학생이 스마트기기를 개별적으로 소유하고 고유의 개인 학습자료를 생성하고 저장하면서 학습의 개인화를 촉진함.
학습의 연결성	교실 내 무선인터넷망을 통해 온라인 수업 플랫폼에 접속하거나 수업과 관련된 정보를 검색하고 여러 가지 에듀테크 S/W를 활용하여 교실 내에서 친구들과 연결되어 상호작용할 수 있음. 전자칠판 미러링을 통해 교사와 즉각적이고 직접적인 연계활동이 가능
유연한 대처	등교수업에서 활용한 스마트기기를 유사시 원격 상황에서도 동일한 기기와 동일한 S/W를 활용하여 원활한 원격수업/블렌디드 수업을 진행할 수 있음.

❷ 스마트기기 활용하기

내용학습	• 학습내용과 관련된 구체적인 영상자료를 시청하고 활용함. • 과제 또는 학습정보를 주체적으로 인터넷 검색하여 학습에 활용함. • 디지털 교과서를 활용하고 에듀테크(띵커벨 워크시트, 구글 설문지 등)를 활용한 디지털 온라인 활동지를 제공함.
상호작용	• 게임 기반 에듀테크 도구(띵커벨 퀴즈, 퀴즈엔, 멘티미터 등)를 통해 흥미와 재미를 살려 학생의 참여도를 높일 수 있는 수업을 함. • 공유 작업 온라인 학습 도구(구글 오피스, 패들렛, 띵커벨 보드 등)를 활용하여 공유하고 소통하고 협업하는 수업을 함. • 구글 설문지 등을 활용하여 교실 내에서 온라인 형성평가를 실시함. • 에듀테크를 활용하여 실시간 투표(온라인 플랫폼 내 투표기능 활용), 실시간 질문받기(질문 채팅방 운영, 질문 게시판 마련) 등을 함. • 수업결과물을 공유하고 실시간으로 전시하고 수집하기 위해 에듀테크(패들렛, 띵커벨 보드 등)를 활용함.
콘텐츠 제작	• 영상 편집, 음악 만들기, 그리기 앱 등을 이용하여 짧은 결과물을 만드는 수업을 함. • 미리캔버스와 같은 디자인 플랫폼을 활용하여 카드뉴스, 인포그래픽 등을 창의적으로 만들어보는 수업을 함.

6) 인공지능 활용 기반 교육

❶ 인공지능 활용 기반 교육이란?

교육 문제해결에 인공지능을 활용하거나 인공지능을 통해 학습의 효율성을 높이는 것.

❷ 인공지능 활용 교육의 배경

구분	내용
맞춤형 교육 필요	• 학생 한 명 한 명을 소중한 인재로 키우기 위해서는 개별 학생의 역량 및 선호·학습 속도에 최적화된 맞춤 교육 체제 실현이 중요 • 단 한 명도 놓치지 않는 개별 맞춤 교육으로 모든 학생이 자신의 삶과 성장을 주도할 수 있는 교육환경 조성 필요
교육의 질 제고	• 첨단 기술의 도움으로 누구나 자신의 역량에 맞는 교육목표를 자기주도적으로 성취 가능 • 첨단 기술을 통해 시·공간의 한계를 극복 가능하며, 데이터에 기반한 과학적·객관적 교수·학습으로 수준 높은 교육 가능
디지털 대전환	• 민간에서는 디지털 기술을 빠르게 교육에 적용하고 있으나, 여전히 공교육 현장의 변화는 더딘 상황 • 디지털 대전환 시대에 맞게 교육 내용·방식의 근본적 변화가 요구되는 상황에서 공교육에서도 과감한 변화 노력과 시도가 필요

❸ 인공지능 활용 교육의 기본 방향

구분	내용
학생 자기주도적 학습자로 성장	• 단순히 지식을 전달받는 것을 넘어, 프로젝트·협력활동·토론 등을 통해 타 학생들과 함께 수업을 만들어가는 능동적 학습자로 성장 • 자신이 가지고 있는 목표와 역량, 학습 속도에 따라 서로 다른 학습 경로를 구축하고, 희망할 때 손쉽게 보충·심화 학습 가능
교사 학습 멘토·코치, 사회·정서적 지도자 역할 확대	• AI 튜터의 분석을 기반으로 학생 개인의 특성에 맞는 수업을 진행하고, 학생들의 역량을 최대한 이끌어 내는 역할 수행 • 학생 개인의 학습성과를 최대화할 수 있는 학습 설계와 함께, 사회·정서적 변화를 관찰·진단하여 안정적인 상담·멘토링 제공
수업 토론, 프로젝트 학습, 거꾸로 학습 등 확대	• 지식의 습득보다는 이를 활용할 수 있는 역량을 키우는 것에 초점을 두고, 프로젝트 학습, 팀 학습, 자유 토론 등 학생 간 상호작용과 적극적인 참여를 촉진하는 수업으로 전환 • AI가 대체할 수 없는 인간의 고유한 창의성, 비판적 사고력, 인성, 협업 능력을 키울 수 있도록 개념 중심, 문제해결 중심 교육 • 학생들은 다양한 수업 활동들을 통해 자기 표현, 상호 존중과 협력 등 사회·정서적 역량을 자연스럽게 체득

❹ 인공지능 활용 교육 - 예) AI 코스웨어 수학 수업

수업 시작과 함께 자신의 태블릿을 펼쳐서 AI 디지털 교과서의 사전 학습 문제를 풉니다. 상철이와 친구들이 푼 학습 문제 풀이 결과는 선생님이 가지고 있는 대시보드로 제공되어, 선생님은 상철이와 다른 친구들이 어떤 부분을 알고 모르는지 미리 살펴보시고, 학습자의 수준을 고려한 모둠을 구성하고, 프로젝트 학습을 시작하십니다.

오늘은 수학 수업인데, 친구들과 함께 삼각형의 작도 활동을 통해 우리 마을의 보물을 찾는 프로젝트 수업을 합니다. 먼저 '삼각형 작도' 방법을 이해하기 위해 모둠 구성원별 역할을 지정하고, 학생끼리 모여 공통된 주제를 서로 도와주며 탐구 활동을 수행합니다. 교실 내의 물건들 중 서로 합동인 것들을 함께 찾아보기도 합니다. 이때 선생님은 모둠별 활동이 원활히 잘 진행될 수 있도록 순회 지도를 하면서 학습을 이끌어주시고, 그때그때 즉각적으로 필요한 도움을 주십니다.

모든 활동이 종료되면, 학생들은 모둠별로 자신들의 미션 수행 과정 및 결과에 대해 발표하는 시간을 갖습니다. 선생님은 모둠별 프로젝트에 대한 피드백과 함께 디지털 교과서의 AI가 내린 학생별 진단/처방을 바탕으로 수업 활동과 연계된 맞춤형 학습을 과제로 내주시고, 개별 학생들의 진전을 모니터링하며, 다른 지원이 필요한 친구들에게는 상담을 해주십니다. 상철이는 오늘 도형에 대해 학습하라는 숙제를 받았는데, 디지털 교과서에서 제시한 도형 관련 평가 문제를 풀어 제출하면, 모르는 부분에 대해 충분히 이해할 때까지 계속적으로 개념 이해 설명을 받을 수 있습니다.

AI 튜터는 상철이가 더 궁금한 사항에 대해 답을 해주기도 하고, 모르는 개념에 대해 이해를 도울 수 있는 다양한 콘텐츠(영상, 사진 등) 자료를 추천해주기도 합니다. 때로는 답을 찾을 수 있는 소질문을 통해 스스로 답에 접근할 수 있는 방법을 제안해 줍니다. 상철이는 이러한 개념 학습을 적용해 친구들과 새로운 미션을 수행할 내일 수업 시간이 기다려집니다.

- AI 코스웨어 : 학습자 진단 및 수준별 학습 콘텐츠를 제공하는 AI 기반의 교과과정 프로그램(Course + Software)
- AI 튜터 : AI를 이용하여 학생의 학습상태를 분석하여 부족한 부분의 원인을 찾아 이를 개선할 수 있는 전략을 조언해 주는 서비스

❺ 인공지능 활용 교육 - 예) AI 학습분석 기반 대시보드

학생 특성, 학생의 학습 패턴, 학습유형, 풀이학습 유형, 참여학습 수준, 풀이학습 수준 등을 제시.

구분		내용
AI 학습분석 대시보드의 활용성	맞춤형 피드백 제공	취약 과목 및 문항 단위의 세분화된 정보가 제시되어 학생들의 학습 유형을 파악하고 개별화된 피드백 제공
	데이터에 기반한 피드백	문제풀이 시간·횟수 등 학습 행동에 대한 객관적인 데이터가 제공되므로 학생들의 학습방향 제시 시 활용
AI 학습분석 대시보드의 유용성	교사업무 경감	각기 다른 페이지에서 제공되던 정보가 한 화면에 제공되면서 학생의 학습과정과 결과를 이해하는 데 필요한 시간 단축
	학습참여 의지 제고	학생 스스로 학습 현황을 모니터링할 수 있는 정보를 제공해주므로 학습 수준 이해 및 학습 참여 의지 제고 가능

❻ 인공지능 활용 교육 - 생성형 AI 활용

생성형 AI란? 단순한 수치 예측이나 영상 추천 같은 단답형이 아니라, 내용과 언어의 형식을 갖춘 긴 문장 또는 이미지 등으로 콘텐츠를 생성하는 AI 서비스. 예) ChatGPT

구분		내용
생성형 AI 활용 전 주의사항		• 수업 및 교육활동에서 생성형 AI를 사용할 경우에는 사전에 생성형 AI의 원리와 한계점, AI의 윤리적 사용에 대한 학생 교육을 필수로 실시해야 한다. • 생성형 AI 서비스 약관을 통해 사용 가능 연령을 확인한다. ChatGPT는 법적으로 13세 미만은 사용할 수 없으며 만 13세~18세 미만은 가정통신문 등을 통해 보호자의 동의가 필요하다.
학교급별 생성형 AI 활용 지침	초등학교	교사를 중심으로 교육적 의도에 따라 수업에 활용한다.(해당 연령에 맞는 서비스만 사용 또는 교사의 추가 작업을 통해 생성형 AI 산출물의 안전성을 확보할 수 있는 경우에만 사용)
	중학교	약관에 따른 사용 가능 연령이거나 학부모의 동의를 받은 경우, 교사의 지도하에 학생이 직접 활용하여 수업에 활용한다.
	고등학교	

좋은 프롬프트* 하기	생성형 AI 활용 시 주의사항
• 자세한 지문과 함께 질의한다. • 화자 또는 청자를 지정하여 질의한다. • 답변의 형식을 지정하여 질의한다. • 예시를 제공하면서 질의한다.	• 생성된 답변의 오류 가능성에 주의한다. • 생성된 답변의 부적절성에 주의한다. • 개인정보 보호 및 보안 문제에 유의한다. • 생성된 답변의 데이터 편향에 주의한다.
수업 활용 방향	**생성형 AI 서비스**
• 보고서 만들기, 대본, 기사 요약하기 • 새로운 아이디어 탐색하기 • 복잡한 텍스트나 데이터를 표와 같은 구조화된 형식으로 재구성하기 • 번역하기 활동 등	• ChatGPT • MS Bing Chat • 네이버 클로바 • 업스테이지 Ask up • Quora poe 등

※ **프롬프트** : 생성형 AI에게 말하거나 질문하는 것.

❼ 인공지능 윤리교육

AI 윤리교육의 필요성	• AI의 빠른 확산으로 인해 학생들은 이미 다양한 AI 기술을 일상 속에서 사용하고 있음. • 학생들이 AI의 원리, 편향 가능성, 개인정보 문제 등을 제대로 이해하지 못할 경우 기술 수용과 활용에 있어서 윤리적 판단이 어려움. • 단순한 기능 활용을 넘어 책임 있는 디지털 시민으로 성장하기 위해서는 AI 윤리에 대한 교육이 필수적임.

구분		AI 윤리교육의 핵심 내용
AI의 개념과 작동 원리 이해		• 인공지능이 무엇인지, 어떻게 학습하고 작동하는지 기초 이해 • 기계학습, 알고리즘, 빅데이터의 개념 소개 (학생 수준에 맞게 간단히)
AI 활용의 실제 사례 탐구		• 실제 생활 속 AI 사용 예시 제시 예 추천 알고리즘, 얼굴 인식, 자율주행, AI 면접 • 사례 분석을 통해 학생들이 친숙하게 받아들이고 수업 맥락에 몰입할 수 있도록 구성
AI 윤리 쟁점 탐구		• 편향된 데이터와 알고리즘 차별 (예 인종/성별 차별 사례) • 개인정보 보호와 감시 문제 • 책임 소재 : AI의 결정에 대한 인간의 책임 • 인간의 일자리와 역할 변화
디지털 시민성과 책임		• 기술을 사용할 때 갖춰야 할 태도와 가치 • 온라인에서의 올바른 행동과 디지털 발자국, 정보의 출처와 검증
수업 활동	토론 활동	• "AI 면접은 공정한가?", "AI는 인간을 대체할 수 있을까?" 같은 윤리적 질문에 대해 자신의 의견을 형성하고 공유하는 수업 활동 (역할극, 찬반 토론, 가치 판단 활동 등)
	비판적 사고 활동	• 다양한 관점에서 AI 기술을 바라보고, 기술의 이면을 성찰할 수 있도록 유도 "AI 기술은 누구에게 이익일까?", "누가 불이익을 받을 수 있을까?"와 같은 질문 던지기

01 step

2 수업·평가 상황 문제해결 답변 연습

> **Q** 인공지능을 주제로 하는 토론 수업에서 일부 학생들이 자료를 그대로 베끼거나 토론에 충분히 참여하지 않은 채 결과물만 제출했다. 이 수업에서 발생한 문제점을 2가지 말하고 각 문제에 대한 해결 방안을 1가지씩 구체적으로 제시하시오.

❶ 수업·평가 상황 문제해결 답변 기본 구조

서론	수업에서 나타난 첫 번째 문제는 학생들이 자료를 그대로 베껴서 제출했다는 점입니다. 이는 학생들이 인공지능 주제에 대해 자신의 생각이나 비판적 관점을 형성하지 못하고 단순히 결과물만 만드는 데 집중했기 때문이라고 생각합니다. 두 번째 문제는 일부 학생들이 토론에 충분히 참여하지 않고 결과물만 제출한 점입니다. 이는 공동 활동에서 자주 발생하는 무임승차 문제로 개인의 기여도가 평가에 반영되지 않을 때 나타나기 쉽습니다.
본론	문제를 해결하기 위해 첫째, 저는 탐구 과정 중심의 평가 요소를 추가할 계획입니다. 예를 들어 자료를 선택한 이유와 그에 대한 본인의 생각을 서술하는 활동지를 수업 중에 작성하게 하고 이 과정을 평가에 반영함으로써 사고 과정을 중시하는 평가 문화를 만들고자 합니다. 둘째, 문제를 해결하기 위해 토론 활동 중 역할 분담표를 사전에 작성하고, 토론 후에는 개인별 성찰일지를 제출하도록 하겠습니다. 또한 동료 평가와 교사의 관찰을 종합하여 평가에 반영함으로써 참여의 질이 평가되도록 설계하겠습니다.
결론	이를 통해 학생들이 단순한 결과물보다 과정에 집중하게 되고 자기주도적인 태도도 함께 길러질 수 있다고 생각합니다.

3 수업·평가 상황 문제해결 레시피 연습 문제

Q 생성형 AI를 활용한 탐구 수업을 진행하던 중 다음과 같은 문제 상황이 나타났다. 각 학생의 문제를 분석하고, 이에 대한 수업 또는 평가 상의 해결 방안을 각각 1가지씩 제시하시오.

> A 학생 : 생성형 AI의 사용법은 알고 있으나, 생성된 정보를 사실 여부나 출처를 검증하지 않고 그대로 과제에 활용함.
> B 학생 : 생성형 AI가 제시하는 자료를 무작정 수용하고, 아무 생각 없이 답을 그대로 제출함.
> C 학생 : 생성형 AI를 자유롭게 사용하고 있지만, 타인의 아이디어를 인용하면서도 출처를 밝히지 않거나 생성된 결과물에 책임감을 가지지 않음.

01 step

예시답변

답변드리겠습니다.
먼저, A 학생은 생성형 AI의 정보를 사실 검토 없이 과제에 활용하고 있어 정보 검증 역량이 부족한 상황입니다. 이에 대한 해결 방안으로 수업에 '**팩트 체크' 활동**을 실시하겠습니다. AI가 제시한 주장 중 몇 가지를 골라 학생이 직접 신뢰 가능한 출처를 찾아 사실 여부를 판단해 기록하도록 하여 정보를 비판적으로 분석하고 선별하는 역량을 기를 수 있도록 하겠습니다.
다음으로, B 학생은 AI의 답변을 그대로 제출하여 본인의 사고력과 표현력을 드러내지 못하고 있습니다. 이에 대한 해결 방안으로 '**부분 서술형 문항**'을 평가에 반영하겠습니다. 예를 들어, 'AI의 주장에 동의하는 이유' 또는 '반대 입장을 설명하시오.'와 같은 문항을 통해, 자기 생각을 표현하는 능동적 태도를 기르도록 유도하겠습니다.
마지막으로, C 학생은 AI의 결과물을 인용하면서도 출처를 명시하지 않고 저작물에 관한 책임감도 보이지 않고 있습니다. 이는 디지털 윤리 의식 부족에서 기인한 문제로, 이를 개선하기 위해 '**AI 활용 윤리 규칙**'을 학생들과 함께 제정하고 공유하겠습니다. 'AI 문장은 따옴표로 구분하기', '도구명과 사용일자 명시하기' 등의 규칙을 수업 중 포스터나 체크리스트로 상시 활용하여, 책임 있는 AI 활용 습관을 기를 수 있도록 하겠습니다.
이러한 방안들은 단순한 기술 사용을 넘어서, 학생들이 AI 시대에 필요한 핵심 역량을 내면화할 수 있도록 돕는 교육적 접근이라고 생각합니다. 이상입니다.

4 수업·평가 상황 문제해결 레시피 워크북

● 아래 유형별 질문에 자신만의 답변을 준비하고, 스터디를 통해 답변을 공유해 보세요!

(1) 수업 실행 문제형

> **Q** 학생들이 수업 중 발표나 토론에 적극적으로 참여하지 않는다. 이 수업의 문제점과 해결 방안을 각각 1가지씩 말하시오.
>
> **Q** 모둠 활동이 학습 효과로 이어지지 않는다면 수업 설계에서 어떤 점을 고려해야 하며 어떻게 보완할 수 있을까?

(2) 평가 설계 및 피드백 문제형

> **Q** 수행평가 후 피드백이 부족해 학생들의 성장에 도움이 되지 않았다는 의견이 있었다. 이 상황의 문제점을 진단하고 구체적 개선 방안을 제시하시오.
>
> **Q** 평가 결과를 학생들이 이해하지 못하거나 불신하는 경우 교사로서 어떤 노력이 필요할까?

(3) 디지털 및 AI 활용 수업 문제형

> **Q** 디지털 교과서 수업 중 일부 학생은 기기를 능숙하게 다루지만, 일부는 따라오지 못해 수업이 지체된다. 이 문제를 어떻게 해결할 수 있을까?
>
> **Q** AI 생성 도구를 활용한 수업에서 학생들이 정답만 복사해서 제출했다. 평가 설계의 어떤 부분을 보완해야 하는가?

(4) 학생 반응 기반 수업 설계 개선형

> **Q** 수업이 어렵다는 학생 의견이 많을 때 교사는 어떻게 수업을 설계하고 운영해야 하는가?
>
> **Q** 한 학생이 수업의 핵심을 잘 모르겠다고 반응했다. 이런 상황에서 수업을 어떻게 개선할 수 있을까?

(5) 학습 결손 및 격차 대응형

> **Q** 한 학생이 이전 단원 내용을 잘 이해하지 못해 현재 수업에 따라오지 못한다. 교사로서 어떤 수업적 대응이 필요한가?
>
> **Q** 온라인 수업 이후 학습 격차가 벌어진 상황에서 어떤 수업 및 평가적 접근이 필요한가?

CHAPTER 11. 생활지도 상황 문제해결

임용 면접레시피

기출 문제

생활지도 상황

[중등]
25년 구상1 → 지각하는 학생이 교칙의 허점을 악용하는 상황, 어떻게 지도?
18년 구상1 → 담임교사 욕을 하며 화를 내는 학생을 어떻게 지도할 것인지?
17년 구상2 → 식당에서 학교폭력 현장을 목격한다면 어떻게 지도(대처)할 것인지?

[비교과]
25년 구상2 → SNS로 허위사실을 퍼뜨리는 학생을 어떻게 지도할 것인지?
20년 구상1 → 활동을 대충하고 장난치는 학생들의 문제점과 지도 방안을 제시?
18년 구상1 → 담임교사 욕을 하며 화를 내는 학생을 어떻게 지도할 것인지?
17년 구상2 → 식당에서 학교폭력 현장을 목격한다면 어떻게 지도(대처)할 것인지?

01 step

기출 유형

위반 행동 유형	• 교칙 무시, 교권 침해를 하는 학생에 대한 지도 방안을 묻는 문제
학교폭력 유형	• SNS 비방, 허위사실 유포, 언어폭력, 따돌림 등 상황에서 지도 방안을 묻는 문제
생활습관 관련 유형	• 용모, 핸드폰 사용, 공동체 질서와 관련된 상황에서 지도 방안을 묻는 문제

대표 기출문제 살펴보기

2018년도 비교과 평가원 구상형 1번 문제

Q 학생이 화난 이유를 학생의 입장에서 말하고, 본인이 교사라면 A 학생을 어떻게 지도할 것인지 2가지 말하시오.

> A : 담임 선생님이 제 휴대폰을 강제로 뺏어가서 화나요. 그리고 사사건건 간섭해요. 가뜩이나 요즘 학교 오기도 싫은데, 선생님이 일일이 간섭하니까 진짜 싫어요. 짜증 나고 재수 없어요! 선생님이 담임한테 뭐라고 말 좀 해주세요!

답변 포인트 정리

[학생이 화가 난 이유를 문제 안에서 힌트를 찾아 답변]

– A 학생은 최근 학교 생활 전반에 대한 스트레스를 받고 있는 상황에서 자신의 감정을 통제할 수 있는 여유가 없어 보입니다. 학생은 '왜 내 입장을 아무도 이해해주지 않느냐'는 마음으로 강한 표현을 쓰며 자신의 감정을 표출하고 있다고 생각합니다.

[학생 지도 방안 2가지 제시]

– 첫째, 저는 수업이 끝난 뒤 따로 A 학생과 비공식적인 1:1 대화를 조용히 시도하겠습니다. 먼저 학생의 입장을 충분히 공감하며 학생의 감정을 안전하게 표현할 수 있는 분위기를 만들어주겠습니다. 이후 생활규정의 필요성과 이유를 함께 이야기하며, 나–전달법을 활용해 제 기대도 함께 전하겠습니다.

– 둘째, 학급 차원에서는 학생 참여형 규칙 만들기 활동을 통해 생활지도에 대한 수용도를 높이겠습니다. 예를 들어 '교실에서 지켜야 할 디지털 기기 사용 규칙'이라는 주제로 전체 학급과 모둠별 토의를 하거나 회복적 서클을 운영하여 서로의 입장을 공유하고 합의하는 과정을 거칠 수 있도록 하겠습니다. 이렇게 하면 A 학생도 '억지로 지키는 게 아니라 내가 참여한 규칙이구나.' 하는 인식이 생겨 지도 효과가 더 좋아질 것이라 생각합니다.

1 생활지도 상황 문제해결 학습재료

1) 긍정훈육

친절하지만 엄격한 태도로 학생을 지도하는 방법.(드라이커스의 이론에 기반)

구분	내용
친절과 단호	1. 학생들을 대할 때 한 인간으로서 인격과 감정에 대해서는 친절하게 행동 2. 공동체 구성원으로서 살아가기 위한 약속과 책임에 대해서는 단호하게 행동
효과	단호하게 교육을 받아도 그에 대한 거부감, 두려움이 생기지 않고 선생님과의 연결에서 오는 유대감을 바탕으로 자존감, 소속감, 책임감을 키울 수 있음.
주의점	교사 혼자 규칙을 정할 것이 아니라, 꼭 학생들과 함께 만들고 역할을 나눔.
긍정 훈육 교사의 10계명	1. 감정에 친절하고 행동에 단호하라. 2. 보상과 처벌보다는 격려와 규칙으로 훈육하라. 3. 드러난 문제 행동보다는 아이의 숨겨진 의도를 해독하라. 4. 아이들의 싸움에 편을 들거나 재판관이 되지 마라. 5. 아이들에게 언제나 일관성 있고 지속성 있는 태도를 유지하라. 6. 결과에 대한 칭찬보다는 태도와 노력, 과정, 독창성을 격려하라. 7. 지시와 설명보다는 질문과 선택을 활용하라. 8. 실수한 아이를 격려하고 배움의 기회로 삼아라. 9. 감사와 격려하기를 일상화하여 아이들이 긍정적인 말에 익숙해지게 하라. 10. 지켜야 할 규칙과 원칙은 끝까지 관철시켜라.

2) 비폭력 대화 '나-전달법'

학생지도 상황에서 '나-전달법'을 통해 전하고자 하는 말을 효과적으로 전달 가능.

관찰 및 사실	[있었던 일에 대해, 관찰한 사실에 대해] "선생님이 말하고 있는데 너희들이 그렇게 소리 지르고 떠들면…"
느낌과 영향	[그 일이 미친 영향과 느낌을] "선생님의 말이 너희들에게 전달이 전혀 안 되는 것 같다고 느껴…"
욕구와 감정	[자신이 포착한 내면의 감정과 연결되는지 표현] "선생님도 사람인데… 말을 안 들어주면 좀 불쾌하고 섭섭해…"
기대와 부탁	[정중하게 나의 기대를 부탁하는 대화법] "선생님이 말할 때는… 너희들이 잠깐 집중하면서 경청해주면 안 될까?"

3) 교권 확립·학습권 보호를 위한 지침

❶ 교권 확립·학습권 보호를 위한 지침의 목적
- 교원의 정당한 생활지도에 대한 구체적인 기준을 제시
- 모든 학생의 학습권을 보호
- 학교 구성원의 책무, 생활지도의 범위, 방식 등을 법제화

❷ 교원의 학생생활지도에 관한 고시 제1장 총칙 : 정의

학생	「초·중등교육법」 제2조에 따른 학교에 재학 중인 사람을 말한다.
특수교육대상자	「장애인 등에 대한 특수교육법」 제2조 제3호에 따른 사람을 말한다.
교육활동	「학교안전사고 예방 및 보상에 관한 법률」 제2조 제4호에 따른 활동을 말한다.
학생생활지도	학교의 장과 교원이 교육활동 과정에서 학생의 일상적인 생활 전반에 관여하는 일체의 지도 행위(이하 "생활지도"라 한다)를 말한다.
조언	학교의 장과 교원이 학생 또는 보호자에게 서면 또는 구두로 정보를 제공하거나 권고하는 지도 행위를 말한다.
상담	학교의 장과 교원이 학생 또는 보호자와 학생의 문제를 해결해나가는 일체의 소통활동을 말한다.
주의	학교의 장과 교원이 학생 행동의 위험성 및 위해성, 법령 및 학칙의 위반가능성 등을 지적하여 경고하는 지도 행위를 말한다.
훈육	학교의 장과 교원이 지시, 제지, 분리, 물품 분리보관 등을 통해 학생의 행동을 중재하는 지도 행위를 말한다.
훈계	학교의 장과 교원이 학생을 대상으로 바람직한 행동을 하도록 문제 행동을 지적하여 잘잘못을 깨닫게 하는 지도 행위를 말한다.
보상	학교의 장과 교원이 학생의 바람직한 행동을 장려할 목적으로 유형·무형의 방법으로 동기를 부여하는 지도 행위를 말한다.

❸ **교원의 학생생활지도에 관한 고시 제1장 총칙 : 학교 구성원의 책무**

학생, 교원, 보호자	학생	교원/학교장
상호 간에 권리를 존중하고 타인의 권리를 부정하거나 침해하지 않도록 노력하여야 한다.	학칙을 준수하고 학교의 장과 교원의 생활지도를 존중하며 따라야 한다.	생활지도를 통해 학생의 건강한 성장과 발달을 지원하고 학내의 질서를 유지하기 위해 노력하여야 한다.

학교장	보호자
학생 및 보호자와 교원 간의 상호 소통 증진을 위해 노력하며, 교원의 원활한 생활지도를 위해 시설, 인력 등 제반여건을 갖추도록 지원하여야 한다.	학교의 장과 교원의 전문적인 판단과 생활지도를 존중하여야 하며, 학생이 학칙을 준수하도록 지도하여 교육활동이 원활히 이루어지도록 협력하여야 한다.

❹ **교원의 학생생활지도에 관한 고시 제2장 생활지도의 범위**

학교의 장과 교원은 다음 사항에 대해 학생을 지도할 수 있다.

학업 및 진로	1. 교원의 수업권과 타인의 학습권에 영향을 주는 행위 2. 학교의 면학분위기에 영향을 줄 수 있는 물품의 소지·사용 3. 진로 및 진학과 관련한 사항
보건 및 안전	1. 자신 또는 타인의 건강에 영향을 주는 행위 2. 건전한 성장과 발달에 영향을 미치는 사항 3. 자신 또는 타인의 안전을 위협하거나 위해를 줄 우려가 있는 행위
인성 및 대인관계	1. 전인적 성장을 위한 품성 및 예절 2. 언어사용 등 의사소통 행위 3. 학교폭력 예방 및 대응, 학생 간의 갈등조정 및 관계개선
기타 분야	1. 특수교육대상 학생과 다문화학생에 대한 인식 및 태도 2. 건전한 학교생활 문화 조성을 위한 용모 및 복장 3. 비행 및 범죄예방 4. 그 밖에 학칙으로 정하는 사항

❺ 교원의 학생생활지도에 관한 고시 제3장 생활지도의 방식

조언	요건	학생의 문제를 인식하거나 학생 또는 보호자가 도움을 요청하는 경우
	방식	• 사생활에 관한 조언 비공개 원칙 • 보호자에 대한 전문가의 검사·상담·치료 권고 가능
상담	요건	학생의 문제 해결을 위한 원인 분석, 대안 모색 등이 필요한 경우
	방식	• 수업 시간 외의 시간 활용 원칙 • 사전에 일시, 방법 등을 상호 협의하여 실시하는 상담예약제 • 교원-보호자 모두에게 상담 요청권 부여 • 교원의 사전에 협의되지 않았거나, 근무시간·직무범위 외 상담 거부권·폭언·협박·폭행 시 교원의 상담 중단권 부여
주의	요건	학교 안전 및 교내 질서 유지를 저해할 소지가 있는 경우
	방식	• 수업 중 휴대전화 사용 등 수업에 부적합한 물품 사용 시 주의 • 주의를 무시하여 발생한 피해에 대하여 학교장과 교원의 책임 면제
훈육	요건	조언 또는 주의로 학생에 대한 행동중재가 어려운 경우
	방식	• 바람직한 행동변화를 위한 특정 과업을 부여하는 지시 • 법령·학칙에서 금지된 특정 행동을 중지시키는 제지 • 자신·타인의 생명·신체에 위해 및 재산에 중대한 손해를 끼칠 우려가 있는 경우의 물리적 제지 • 자신·타인의 생명·신체에 위해 및 재산에 중대한 손해를 끼칠 우려가 있는 물품을 소지하고 있다고 의심되는 경우의 물품 조사 • 수업 방해 학생에 대한 분리(교실 내, 교실 밖 등) • 수업 중 휴대전화 사용 등 수업에 부적합한 물품 사용에 대한 주의에 불응하는 경우 등의 물품 분리보관
훈계	요건	조언, 상담, 주의, 훈육 등에도 불구하고 학생이 자신의 잘못을 깨닫지 못하는 경우
	방식	• 훈계의 사유와 바람직한 행동 개선방안 제시 • 성찰을 위한 반성문 작성, 청소 등 훈계 사유에 합당한 과제 부여
보상	요건	학생에게 동기부여가 필요한 경우
	방식	칭찬, 상 등 적절한 수단 활용

4) 회복적 생활교육

'응보적 정의'가 아닌 치유, 자비, 조정과 화해의 방식으로 문제를 해결하는 '회복적 정의'를 실천하는 생활교육 방식.(피해자는 상처를 회복하고, 가해자는 자신의 잘못을 알고 피해자의 피해회복에 대한 책임을 지게 됨)

※ **회복적 정의** : 공동체 구성원의 참여와 대화를 통해 피해가 회복되었을 때 정의가 이루어졌다고 믿는 신념

구분	응보적 생활지도	회복적 생활교육
중점	처벌 중심(가해자 중심)	관계회복 중심(피해자 중심)
문제해결 방식	상과 벌	대화와 공감을 통한 피해자의 상처 회복
행동동기	처벌과 보상, 비난·칭찬·강요	자발성 및 관계회복 욕구
처음 던지는 질문	1. 누가 가해자인가? 2. 어떤 잘못을 했는가? 3. 어떻게 처벌할 것인가?	1. 누가 피해자인가? 2. 어떤 피해를 입었는가? 3. 피해자가 바라는 것은 무엇인가? 4. 관계회복을 위해 필요한 것은?

❶ 갈등 정도에 따른 회복적 생활교육 방안

갈등 정도	해결 방안/활용 방안
평소에 회복적 생활교육 준비방안	• 기본환경 구축 → 우리들의 약속, 체크인·체크아웃 서클 • 회복적 문화 조성 → 적극적 경청, 비폭력 대화, 학급자치 서클
심각하지 않은 갈등	• 회복적 관계 맺기 → 회복적 질문하기, 적극적 경청을 통한 회복적 개입 • 서클 운영 → 신뢰 서클, 문제해결 서클
심각한 갈등	• 회복적 대화모임 운영 → 회복적 서클

❷ **구체적인 회복적 생활교육 방안**

구분	구체적인 방안
우리들의 약속	• 평화로운 교실 공간을 만들기 위해 학생들이 자발적으로 합의를 통해 학급 규칙과 약속을 정하고 약속을 지킬 것을 실천함.
체크인·체크아웃 서클	• 서클운영의 가장 간단한 형태로 다양한 주제를 설정하여 학급 내에서 존중하는 문화를 지속적으로 유지하기 위해 사용함. • 무언가를 시작하기 전(체크인), 무언가를 마치고 나서(체크아웃) 동그랗게 둘러 앉아 서로의 의견을 나누는 서클
적극적 경청	• 한 사람은 말하고 한 사람은 침묵으로 듣기 → 들은 사람이 거울처럼 반영하기 → 느낀 점을 상호 피드백하는 방식으로 운영
비폭력 대화법	• 무엇을 느끼고, 바라고, 부탁하는가에 집중하면서 자신을 표현하고 다른 사람의 말에 귀 기울이는 대화방법 • 비난하거나 비판하지 않으면서 관찰 → 느낌 → 욕구 → 부탁 순으로 표현함. • 상대방은 공감하며 적극적 경청함. (관찰) "네가 점심시간에 친구랑 서로 주먹질하는 장면을 봤어." (느낌) "선생님은 친구와 네가 서로를 크게 다치게 할까 봐 걱정돼." (욕구) "선생님은 진심으로 너희들이 다치지 않았으면 좋겠어." (부탁) "너희들이 하는 행동이 서로를 위험하게 하는 건 아닐지 생각하고 서로를 위해 조심히 행동해줄 수 있을까?"
학급자치 서클	• 학급 의사소통의 방법으로 학급회의 방식을 회복적 생활교육의 '서클'을 적용하여 운영하는 방법 • '다수결의 원칙'이 아니라 모두의 의견을 경청하고 반영하는 '동의제'로 운영함(학급자치 의사결정, 학생 행사 등에서 사용)
회복적 질문	• 비난하기보다는 자기 행동에 대해 되돌아볼 수 있도록 기회를 주어, 자신의 행동이 타인에게 어떤 영향을 주었는지 이해하여 스스로 책임질 수 있게 하는 질문 방법 "네가 수업에 늦은 것에 대해 얘기를 해줬으면 해." "수업에 늦을 때 무엇을 느끼고 어떤 생각이 들었니?" "네가 수업에 늦을 때 누가 네 행동에 영향을 받았다고 생각하니?" "이 행동이 너에게 어떤 영향을 주었니?" "지각이 반복되지 않도록 너는 무엇을 할 수 있을까?" "선생님이 네가 지각하지 않도록 돕기 위해 무엇을 할 수 있을까?"
적극적 경청을 통한 회복적 개입	• 가벼운 문제 상황에 직면했을 때, 갈등 당사자들의 상호 이해와 문제해결을 적극적 경청 기술을 통해 돕는 방안 예) 서로 욕하는 학생들 지도 상황

신뢰 서클	• 대화를 통해 서로의 공통점과 차이점을 발견하고 공동체가 연결되어 있음을 느낌으로써 상호 신뢰감을 형성할 수 있도록 하는 서클 • 무슨 질문을 하느냐에 따라 약속을 만들 때, 고민을 나눌 때, 가벼운 문제를 해결할 때, 생각을 나눌 때 등 평소에 다양한 주제로 운영이 가능
문제해결 서클	• 서클의 대화(회복적 질문)를 통해 가벼운 문제상황이 학급 공동체에 미친 영향과 어려움에 대해 이야기하고 문제의식을 공유하여 문제를 해결할 수 있는 기회를 부여함.(수업방해, 복장문제, 지각 등)
회복적 서클	• 심각한 갈등 상황에서 갈등 당사자와 관련된 사람들이 둥글게 앉아 대화를 통해 관계 회복으로 나아가도록 돕는 서클 운영 방식(언어적, 신체적 폭력행위로 인한 신체적, 정신적 피해가 발생했을 때 등)

5) 학교폭력

학교 내외에서 학생을 대상으로 발생한 폭행, 명예훼손, 모욕 등에 한정되지 않고 이와 유사한 행위로서 학생의 신체 및 정신 또는 재산피해를 수반하는 모든 행위.

❶ 학교폭력의 유형

유형	설명
신체폭력	상해, 폭행, 감금, 약취, 유인 등
언어폭력	명예훼손, 모욕, 협박 등
금품갈취	돈을 요구/빌리고 돌려주지 않는 행위, 물건을 망가뜨리는 행위 등
강요	강제적 심부름, 강요 등
따돌림	다른 학생과 어울리지 못하도록 막는 행위, 집단적으로 의도적으로 반복적으로 피하는 행위 등
성폭력	유사 성행위, 성적 모멸감, 성적 수치심 등을 느끼도록 하는 행위
사이버 폭력	사이버 모욕, 사이버 명예훼손, 사이버 성희롱, 사이버 스토킹 등

2 생활지도 상황 문제해결 답변 연습

> **Q** 한 학생이 복장 규정을 반복적으로 위반하고 친구들에게 시대에 뒤떨어진 규정은 지키지 않아도 된다고 말하며 학급에 부정적 영향을 끼치고 있다. 해당 학생과 학급 전체를 대상으로 한 지도 방안을 각각 말하시오.

❶ 생활지도 상황 문제해결 답변 기본 구조

서론	현재 상황은 교칙 준수의 중요성을 약화시키고 학급의 질서와 공동체 문화를 흔드는 문제로 볼 수 있습니다. 교사로서는 단순히 복장 자체보다 이 상황이 규칙 경시 태도로 확산되지 않도록 하는 것이 중요합니다.
본론	먼저, 해당 학생과 1:1 면담을 실시하여 복장 규정 위반의 이유와 학생의 생각을 들어보겠습니다. 이때 비난이나 단순 지적보다는 비폭력 대화법과 회복적 질문을 활용하여 스스로 성찰할 수 있도록 유도하겠습니다. 다음으로, 학급 전체를 대상으로 규칙의 의미와 공동체 약속에 대한 대화의 시간을 마련하겠습니다. 학급자치 서클 또는 체크인 서클을 통해 함께 논의하며 규칙이 억압이 아니라 상호 존중과 안전한 공동체를 위한 약속임을 인식시키도록 하겠습니다. 기존 규칙에 대한 개정이 필요한 경우에는 학생들과의 합의를 통해 현실화할 수 있는 방법도 열어두겠습니다.
결론	이를 통해, 학생 개인의 자율성과 표현을 존중하면서도 규칙의 의미를 재확인함으로써 학급 전체의 공정성과 질서, 소속감을 회복하고 건강한 공동체 문화를 형성할 수 있다고 생각합니다.

3. 생활지도 상황 문제해결 레시피 연습 문제

Q 다음의 상황이 교권을 침해당한 경우라고 볼 수 있는지 여부를 판단하고, 그 이유를 설명하시오. 또한, 교사로서 교권을 회복하기 위한 구체적 지도 방안을 2가지 제시하시오.

> 김 교사가 수업 중 스마트폰을 사용하던 학생에게 사용을 중지할 것을 지도하자 학생 A는 "제가 알아서 할게요. 왜 맨날 트집 잡아요?"라고 말하며 불만을 드러냈다. 이후 A는 다른 학생들에게도 "쌤 진짜 꼰대 같지 않냐?"라며 김 교사를 조롱하는 말을 퍼뜨렸다.

01 step

예시답변

답변드리겠습니다.
제시된 상황은 교사의 정당한 교육 활동을 학생이 공개적으로 부정하고 조롱한 사례로, **명백한 교권 침해에 해당합니다.** 수업 중 스마트폰 사용을 제지한 행위는 「교원의 학생생활지도에 관한 고시」에 따른 정당한 생활지도이며, 이에 대해 꼰대 같다는 발언을 한 것은 교사의 권위를 훼손하고 학급 내 교육 분위기를 해치는 문제 행동이기 때문입니다.
이에 대한 구체적인 지도 방안을 두 가지 말씀드리겠습니다.
첫째, 학생생활지도 고시에 근거한 훈육 절차를 따르겠습니다. 수업 중에는 학생에게 스마트폰을 교탁 위에 보관하게 하고, 지시를 따르지 않을 경우 일시적인 교실 분리를 안내하겠습니다. 이후에도 문제 행동이 지속된다면 반성문 작성이나 청소 봉사 등의 훈계를 통해 자신의 언행이 공동체에 미친 영향을 성찰하도록 지도하겠습니다.
둘째, 학급 전체를 대상으로 공동체 규범을 재정비하겠습니다. 회복적 생활교육의 관점에서 학급 회의나 회복적 서클을 운영하여 '우리 학급의 스마트기기 사용 약속'을 학생들과 함께 만들고 게시하겠습니다. 예를 들어 '수업 중 스마트기기는 학습용으로만 사용', '규칙 위반 시 교탁 보관' 등의 조항을 설정하여, 학생 스스로 규칙의 주체가 되도록 하겠습니다. 이를 통해 교사의 지도 역시 공동체가 함께 정한 기준으로 인식되도록 하겠습니다.
이러한 접근은 교사의 지도력을 회복하는 동시에, 학생이 책임과 자율의 의미를 내면화하는 데에도 실질적인 도움이 될 것이라 생각합니다. 이상입니다.

4 생활지도 상황 문제해결 레시피 워크북

● 아래 유형별 질문에 자신만의 답변을 준비하고, 스터디를 통해 답변을 공유해 보세요!

(1) 위반 행동 유형

> Q 수업 중 녹음기로 교사의 말을 녹음하는 학생이 있다. 이 상황에서 교사는 어떻게 대처해야 하는가?
> Q 복도에서 교사를 향해 소리를 지르며 비속어를 사용하는 학생을 목격했다. 이 학생을 어떻게 지도할 것인가?
> Q 한 학생이 교칙을 이용해 계속 지각하며 다른 학생들도 이를 따라 하기 시작했다. 이 상황을 어떻게 지도하겠는가?
> Q 특정 학생이 수업 시간마다 보건실, 상담실, 화장실을 간다며 무단 이탈을 한다. 반복되는 상황에서 교사는 어떻게 이 학생을 지도하겠는가?

(2) 학교폭력 유형

> Q 학생이 SNS에 친구에 대한 허위 사실을 게시했다. 교사로서 어떻게 지도하겠는가?
> Q 온라인 채팅방에서 특정 학생을 따돌리고 놀리는 상황이 발생했다. 담임교사로서 어떤 조치를 취하겠는가?
> Q 학생이 AI 프로그램을 이용해 조작된 이미지를 만들어 친구들에게 돌렸다. 어떻게 지도하겠는가?

(3) 생활습관 관련 유형

> Q 한 학생이 복장 규정을 반복적으로 위반하면서 "이 규정은 낡았다."며 친구들에게 영향을 끼치고 있다. 어떻게 지도할 것인가?
> Q 자율복장제 시행 이후 일부 학생이 고가의 옷을 과시하면서 계층 갈등이 나타나고 있다. 교사로서 어떤 조치를 취하겠는가?
> Q 한 학생이 귀걸이를 착용하고 등교했는데, 다른 학생들이 왜 쟤만 되고 우리는 안되냐며 이를 문제 삼으며 갈등이 생겼다. 어떻게 해결할 것인가?

상담 관련 문제해결

임용 면접레시피

기출 문제

학생 상담	[초등] 20년 즉답2 → 학생 상담 중 아동학대 의심 학생 발견 시 조치 방안?
	[중등] 21년 구상1 → 성적과 진로 고민에 대해 담임교사로서 해결 방안을 제시?
	[비교과] 25년 구상1 → 상담 중 진로 선택에 어려움을 겪고 있는 학생 발견 시 지원 방안은?
학부모 상담	[초등] 24년 즉답2 → 학부모와 전화 상담에서 교사에게 필요한 인성적 자질 21년 구상1 → 학부모와 상담 상황에서 교사가 겪는 어려움과 대처 방안을 제시?

01 step

기출 유형

진로·학업 상담 유형	• 진로 결정, 과목 선택, 학습 동기 저하, 성적 고민 등과 관련된 상담 문제 상황
정서·심리 상담 유형	• 불안, 우울, 무기력, 자존감 저하 등 정서적 어려움을 겪는 학생 상담 문제 상황
대인관계 상담 유형	• 친구 갈등, 따돌림, 충돌 등 대인관계로 인한 어려움을 겪는 학생 상담 문제 상황
가정 문제 상담 유형	• 아동학대 의심, 가정불화, 보호자의 부정적 영향 등으로 인한 상담 문제 상황
위기 학생 상담 유형	• 결석, 무기력, 하교 거부, 진로 포기 등 학업중단 징후를 보이는 학생 상담 문제 상황
학부모 상담 유형	• 전화/대면 상담, 갈등 조정, 정보 전달 등과 관련한 교사의 태도와 전략 문제 상황
교사-학생 상담 유형	• 교사에 대한 불만, 거리감, 교사 지도에 대한 반발 등을 겪는 학생 상담 문제 상황

대표 기출문제 살펴보기

2021년도 중등 평가원 구상형 1번 문제

Q 아래 학생들이 겪고 있는 어려움을 각각 말하시오. 본인이 담임교사라면 어떻게 해결할 것인지 각각 제시하시오.

> 민수 : A 과목에 흥미가 있는데… 인원수가 적어서 내신 성적은 안 나올 것 같아서 망설여져요.
> 민지 : 제 진로를 생각하면 B 과목을 듣는 게 맞는데… 암기할 것들이 많아서 망설여져요.

답변 포인트 정리

[겪고 있는 어려움 각각 제시]

- 민수 : 진로와 학업 부담 사이에서 고민을 겪고 있음. 자신의 흥미와 특성에 대해 알고 있지만 현실적인 문제로 고민하고 있음.
- 민지 : 본인의 진로에 대한 방향성은 갖고 있지만 암기에 대한 부담으로 자신의 선택에 확신을 갖지 못하고 있음.

[해결 방안 각각 제시]

- 민수 : 흥미와 진로 중심으로 과목 선택을 안내하고, 내신 불이익에 대한 불안을 완화할 수 있도록 학습 전략 및 생활기록부 기록 등 실질적 지원을 제공함.
- 민지 : 진로에 적합한 과목 선택을 격려하고, 암기 부담을 덜 수 있도록 공부 방법 및 학교 내 지원 체계를 활용한 맞춤형 지원을 제시함.
- 공통 : 학생 각자의 상황을 존중하며, 선택이 성장과 진로 탐색의 기회가 될 수 있도록 격려하고 교사로서 실질적 조력자 역할을 강조함.

1 상담 관련 문제해결 학습재료

1) 상담 활동의 핵심적 기법

라포르 형성	라포르(Rapport)는 교사와 학생과의 사이에 형성된 신뢰 관계+협조관계로 교사와 학생의 마음이 서로 연결된 상태를 의미, '마음의 유대'가 형성되어 학생이 마음 깊은 곳에 있는 내용까지 말할 수 있게 됨.
구조화	학생과 교사가 조력해야 할 목표를 정하고, 교사와 학생 간의 역할과 지켜야 할 규칙을 정하는 것, 이 과정에서 조력 목표를 분명히 함.
경청	학생의 말과 행동에 대하여 교사가 선택적으로 주목하는 것으로 학생의 특정한 문제에 대해 탐색하도록 함. 경청은 학생으로 하여금 생각이나 감정을 자유롭게 표현할 수 있도록 북돋워 주며, 학생 자신의 방식으로 문제를 탐색하게 하며, 상담에 대한 책임을 느끼게 함.
주의 집중	학생이 편안하게 자신의 생각과 감정을 탐험할 수 있도록 교사가 신체적으로 내담자를 향하는 것, 학생이 개방적으로 이야기하고, 자신의 감정과 생각을 탐색하기를 촉진함. 눈 마주치기, 얼굴 표정, 신체적 움직임, 공간 활용, 언어적 반응, 비언어적 표현 등 활용
수용	학생에게 주의를 기울이고 있으며, 학생의 말을 받아들이고 있다는 교사의 태도, 학생의 감정, 사고, 행동을 평가하거나 판단하지 않고 있는 그대로 받아들이는 것, 수용의 태도는 무조건적이고, 긍정적이어야 함. 교사가 수용의 태도를 마음과 행동으로 보여줄 때 학생은 자유롭게 자신의 감정을 경험하고 표현할 수 있음.
공감	교사가 학생의 입장에서 학생의 느낌을 추측하여 직접 말로 전달하는 것, 학생은 교사가 자신의 말에 매우 관심 있게 경청하고 있으며 자신을 이해해주기를 갈망하는 마음을 충분히 납득하고 있다는 사실을 깨닫게 됨.
반영	학생의 말과 행동에서 표현된 기본적인 감정, 생각 및 태도를 교사가 다른 참신한 말로 부연해주는 것, 학생이 자기가 교사로부터 이해받고 있다는 인식을 주게 됨.
재진술	학생의 진술 내용이나 의미를 반복하거나 바꾸어 말하는 것, 교사가 학생의 입장을 이해하려고 한다는 노력을 보여주고, 학생의 말이 불명확할 때 명백하게 해주고, 두서가 없거나 애매할 때 초점을 맞추도록 도와줌.
개방형 질문	개방형 질문은 학생이 자신의 생각과 느낌을 명료화하도록 요구하는 질문, 학생이 자신의 질문에 내재되어 있는 많은 측면들을 탐색하는 것이 가능하도록 함.
명료화	학생의 말 속에 내포되어 있는 의미를 명확하게 해줌으로써, 학생의 실제 반응에서 나타난 감정 또는 생각 속에 암시되었거나, 내포된 관계와 의미를 학생에게 분명하게 말해줌. 학생에게 애매하게만 느끼던 내용을 교사가 말로 표현해준다는 점에서 학생에게 자기가 이해를 받고 있으며, 상담이 잘 진행되고 있다는 느낌을 갖게 해줌.
침묵	상담과정에서 침묵을 적절하게 이용하는 것은 내담자로 하여금 그가 말한 내용에 거리를 두고 그 의미를 찾는 기회를 제공해 줌. 때론 내담자는 상담자가 자신이 계속 말하기를 원한다고 잘못 생각하여 계속 말하려는 경우도 있음.

2) 상담 시 교사에게 필요한 역량

교사의 태도(필요한 역량)	학생의 지각
공감적 이해 (공감능력, 경청능력)	"선생님은 내가 어떻게 느끼는지 알고 있어."
수용적 존중 (수용적 태도, 존중하는 태도)	"선생님은 내가 뭐라고 해도 나를 있는 그대로 봐주셔."
일관적 태도 (일관성)	"선생님은 말과 행동이 같아."
내담자 보호 (보호하고 배려하는 마음)	"선생님은 내 비밀을 지켜 줄 거야."
전문적, 구체적 상담 (전문성)	"선생님은 내가 문제를 해결하는 데 도움을 주실 수 있어."

3) 상담 활동 순서

친구 문제, 대인관계 문제, 미래에 대한 문제, 자신에 대한 불만, 부모와의 관계 문제, 교사와의 관계 문제, 학교에 대한 불만, 이성 친구문제 등 다양한 주제에 대해 상담활동을 함.

순서	교사의 상담 과제
1단계 : 관계 형성하기	교사가 학생들의 당면문제에 대해 이해하고 수용 (라포르 형성, 구조화 기법 사용)
2단계 : 문제 평가하기	학생들이 자신들이 당면하고 있는 문제를 해결하기 위해 어떠한 노력을 해 왔는지를 확인(공감, 반영, 질문하기 기법 사용)
3단계 : 목표 설정하기	학생들이 원하는 것을 통해 상담의 목표를 설정
4단계 : 대안 탐색하기	문제해결을 위한 대안 탐색
5단계 : 대안 적용하기	새로운 대안을 구체화하고, 실제 상황에 적용

4) 학부모 상담

학부모 상담 시 주의사항	
• 몸짓, 얼굴표정, 목소리 톤 등 반언어적·비언어적 태도 주시하기 • 학생과 가정환경을 이해하고, 학생에 대해 구체적으로 알려고 노력하기 • 타 학생과 비교하지 말고 학생에 대해 긍정적으로 바라보고 이야기하기 • 부모의 이야기를 많이 들어주고, 포용하는 자세로 부모의 욕구를 파악하기 • 친근감 있는 태도로 대하고, 적극적 경청을 하며, 알아듣기 쉬운 말을 사용하기 • 먼저 상황을 수용하고, 인정해 주고, 사소한 부분이라도 칭찬하기부터 시작하기 • 중립적인 언어를 사용하고, 평가하거나 비판하거나 설득하지 않기	• 학부모와 만나 학생에 관해 의논하거나 부모들로 하여금 학생의 교육문제에 직접 참여하고 조력하도록 돕기 위해서는 교사가 상담 전문성을 갖춰야 함. • 학부모의 마음은 자녀에 대해 부정적인 내용을 듣게 되지는 않을까 하는 불안한 마음, 자녀의 상태를 교사에게 객관적으로 확인하고 싶어 하는 마음, 자녀를 잘 키웠다는 인정을 받고 싶어 하는 마음, 교사를 평가하려는 마음 등 다양함. • 학기 초 또는 학기 중에 학부모 상담 주간을 운영하여 학생의 학교생활과 가정에서의 모습 등 교육에 필요한 정보를 교환하도록 함.

5) 상담활동 시 주의사항

- 상담활동의 기본(비밀보장, 객관적 태도, 이중관계 회피)을 지키는 것
- 학생의 이야기만 듣고 모든 것을 안다고 생각하고 판단하고 평가하는 것
- 문제를 해결하거나 답을 먼저 찾으려고 상담자가 압력을 가하는 것
- 지나치게 부정적으로 이야기하거나 다른 학생과 비교하거나 계속 질문만 하는 것

6) 아동학대

- 보호자를 포함한 성인이 아동(18세 미만)의 건강 또는 복지를 해치거나 정상적으로 발달할 수 있는 요인을 저해할 수 있는 가혹행위를 하는 것.
- 아동의 권리(생존권, 발달권, 보호권, 참여권)를 침해하여 아동의 건강한 발달을 저해하는 모든 행위.

❶ 아동학대 유형별 특징

구분	특징	발견 징후
신체학대 신체적 폭력 가혹행위	• 정서적 문제, 행동상의 문제, 학습문제 등을 야기함. • 타인을 신뢰하지 못하고 불안해 하며 관계에서 지나친 긴장과 공격성을 보임. • 분노, 공격성, 수면장애, 약물중독, 자살충동에 영향을 미침.	• 생기기 어려운 부분에 상처가 있음. • 할퀴거나 손으로 맞은 자국이 있음. • 체벌도구를 짐작할 수 있는 상처 • 화상자국이 계속 보임. • 상처가 반복적으로 나타나며 몸의 여러 부위에 동시다발적으로 나타날 수 있음.
정서학대 언어적 폭력 정서적 위협 감금, 억제	• 자존감이 낮음, 우울증, 도벽, 거짓말, 낮은 학업 성취, 타인에 대한 공격성 등의 문제행동을 보임. • 부모가 폭언, 모욕, 감금, 심각한 비교 등을 하는 경우 모두 해당 • 가정폭력, 정신건강 문제, 약물 중독이 가정에서 빈번하게 나타남.	• 귀가를 거부하거나 두려워함. • 우울증 및 조울증 • 공격적인 말을 하고 행동을 함. • 어른을 기피함.
성(性)학대 아동 대상 모든 성적행위	• 신체적 상해 이외의 자해, 우울증, 자아존중감 상실, 성충동 조절의 문제 등 심각한 정신적 후유증을 유발함. • 아동의 나이, 지속기간, 학대수준, 고의성, 위협이나 강압의 정도 등에 따라 성학대 후유증의 심각성이 좌우됨.	• 연령대에 맞지 않은 성적 언행을 함. • 죄의식 때문에 자책행동을 함. • 갑작스러운 섭식장애 행동을 함. • 어른과의 접촉을 기피하고 거부함. • 극단적인 공격 또는 위축 행위를 함. • 악몽 등 수면장애가 있음.
방임·유기 물리적 방임 교육적 방임 의료적 방임 유기	• 방임이 지속되면 사회적 기능, 대인관계, 학업성취 등 다양한 면에서 심각한 손상을 초래함. • 저학년기 학습준비도가 떨어지게 됨. • 고학년기 심각한 학습장애를 보이게 됨.	• 위생상태가 불량함.(머릿니, 빈대 등) • 계절에 맞지 않는 옷을 계속 입음. • 영양실조 상태가 지속됨. • 보호자가 학교나 병원을 보내지 않음. • 학생 또는 학부모와 연락이 두절됨.

❷ **아동학대 신고 절차**

- 교사는 직무를 수행하면서 아동학대범죄를 알게 된 경우나 그 의심만 있어도 아동보호전문기관 또는 수사기관에 즉시 신고해야 함.(**교사의 아동학대 신고 의무**)
- 정당한 사유 없이 신고 의무를 불이행할 경우, 1000만원 이하의 과태료가 부과됨.
- **법적인 측면**에서는 아동학대는 비밀보장 예외 조항으로 학생의 동의 없이 또는 사전예고 없이 즉시 신고절차를 밟을 수 있음.
- **윤리적 관점**에서는 학생과 그 가족에게 미칠 영향을 고려하여 학생의 의사를 먼저 묻고 신고하는 방법도 종합적으로 고려해 볼 필요가 있음.

구분	내용
1. 징후 발견	학대의심징후 발견(담임교사, 상담교사, 보건교사와의 상담 및 관심을 통해)
2. 증거 확보	응급상황 시 아동의 안전 및 신변 확보, 구체적인 증거 확보(사진 찍기)
3. 관리자 보고	교장, 교감 선생님에게 즉시 보고(긴급한 경우에는 수사기관에 우선 신고)
4. 신고	아동학대 신고 → 112 또는 아이지킴이콜앱으로 신고 (보호자에게 신고내용을 알리지 않아야 하며 증거가 은폐되지 않도록 주의해야 함)
5. 교육청에 보고	담당자가 교육청에 보고
6. 협조, 관찰	경찰과 아동보호전문기관 현장조사 및 사례개입 협조, 지속적인 관찰
7. 사후지원	다각적인 지원방안 마련, 사후지원 및 서비스 협조 (아동쉼터, 아동보호 전문기관, Wee센터 협조 등)

❸ **아동학대 예방교육**

구분	설명
아동학대 신고 의무자 교육	• 교사는 아동학대 신고 의무자이므로 학교에서 신고의무 교육을 매년 1시간 이상 받음. (미실시 시 과태료 -「아동복지법」 제26조) • 아동학대 신고 의무자 교육을 통해 교사에게 아동학대 신고 의무가 있고 발견 징후 인지를 통해 아동학대를 조기에 발견하여 신고할 수 있도록 교육을 받아야 함.
아동학대 예방교육	• 교사는 공공부문 아동학대 예방교육의 대상이므로 의무적으로 매년 1시간 이상의 아동학대 예방교육을 받아야 함.(「아동복지법」 제26조의2) • 아동학대 예방교육을 학부모 대상, 학생 대상으로 연 1회 이상 실시함. • 아동학대 예방교육을 통해 아동학대에 대해 경각심을 심어줄 수 있음.

7) 학업중단 위기학생

- 자퇴, 유예 등 학업중단에 대한 의사를 직접 표현한 학생
- 교사의 관찰과 상담을 통해 학업중단 위기에 처했다고 판단되는 학생
- 학교 부적응, 교우관계 문제, 기초학력 부진, 가정환경 등의 이유로 학업중단 위기에 처한 학생

❶ 학업중단 위기학생 지원

학교 안 학업중단 예방과 **학교 밖 학업복귀 지원**을 통합하여 학업중단 위기학생을 지원하는 것.

❷ 학업중단 위기학생 징후

구분	내용
학업능력 부족	학습의욕 상실(시험 볼 때 이름만 쓰고 누워버림), 기초학력 부진 등
본인이 원한 학교가 아님	학교에서 하는 모든 것에 전혀 관심과 흥미가 없음.
무관심과 무기력	수업, 친구에 관심이 없고 밥도 안 먹음 / 우울과 불안 등 정서적 문제 있음.
무단이탈	미인정 결석, 미인정 지각, 미인정 결과가 잦음.
친구관계	자신과 비슷한 상황의 학교 밖 친구들하고만 어울림. / 학교에서 홀로 지냄. / 또래 관계에서 피해 경험이 있었음. / 대인관계 경험이 부족함.
가출 및 비행	가출을 시도하거나 잦은 가출을 경험함. / 약물사용, 흡연, 성문제 등의 문제 발생
교사와의 갈등	반항 시작, 폭력적인 말대꾸, 학생들 앞에서 교사 욕을 함, 생활지도 거부 등
가정문제	부모의 이혼, 폭행, 가족의 정서적 지지 부족, 경제적 어려움 등

❸ 학업중단 위기학생 지원 과정

1단계 학업중단 징후 발견/지원	2단계 학교 안 학업중단 예방 (학업중단숙려제)	3단계 학교 밖 학업복귀 지원 (청소년 도움/지원센터)
• 교육복지 우선지원 • 전문상담/진로상담 실시 • 학교 내 대안교실 기회 제공 • 기초학력 지원(두드림 학교)	학업중단 의사를 밝히면 의무적으로 '학업중단숙려제'를 안내하고 실시함.	• 학업복귀 정보제공 • 검정고시 강좌 제공 • 학습지원 • 복지지원

❹ 학업중단숙려제

구분	내용
의미	• 학업중단 징후가 발견되거나 학업중단 의사를 밝힌 학생에게 숙려할 기회를 제공, 충동적인 학업중단을 예방하기 위한 제도 • 미인정 결석이 연속 7일 이상 또는 연간 누적 30일 이상인 학생에게 제안함. • 대상 학생/학부모에게 반드시 학업중단숙려제를 안내하여야 함(희망하면 참여).
숙려 기간	최소 2주(14일)~최대 7주(49일)까지 숙려 기회를 부여함.
출결	학업중단숙려제 기간 중 주 1회~2회 상담/프로그램에 참여 시 출결로 인정
학교 내 프로그램	• 숙려 기간 중 상담 실시(전문상담교사) • 숙려 기간 중 진로상담 실시(진로교사) • 학업중단예방 프로그램 실시(학교 내 대안교실 등) 예 심리정서, 관계증진, 진로체험, 문화체험, 학습향상 활동 등 프로그램 운영
외부기관 연계 프로그램	• 교육지원청 Wee센터 : 학업중단숙려제 상담/프로그램 • 시·도교육청 청소년도움센터 : 휴식·소통 / 상담·복지 지원 / 진로설계 등 • 자치구 청소년지원센터 등 : 상담지원 / 학습 클리닉 / 직업체험 등

❺ 학업중단 위기학생을 대할 때 교사에게 필요한 자질 및 태도

구분	내용
진정성	학생이 진심으로 마음을 열 수 있도록 진정성 있는 자세로 대해야 함.
인내심	학생의 변화가 나타나지 않거나 기복이 심하거나 연락이 되지 않거나 약속을 지키지 않아서 실망감이 들더라도 쉽게 포기하지 않고 견디고 버텨주는 인내심이 필요함.
관심과 열정	학생에게 지속적으로 연락하고 학생과 관련된 정보를 알기 위해 끊임없이 관심을 가져야 하며 많은 이야기를 나누고 작은 변화에도 관심을 갖기 위해 관심과 열정의 자질이 필요함.
이타심	학생을 위하고 학생의 입장에서 실질적으로 도움이 될 수 있는 정보를 제공하고 서비스를 연결시켜줄 수 있도록 하는 마음이 필요함.

2 상담 관련 문제해결 답변 연습

Q 다음과 같은 상황을 고려했을 때 김 교사가 A 학생을 위해 취해야 할 즉각적인 조치와 보호자와의 전화 상담 시 어떻게 상담을 진행할 것인지 제시하시오. 또한, 이때 교사에게 요구되는 교사의 상담 태도에 대해 말하시오.

> 담임 교사인 김 교사는 수업에 집중하지 못하고 종종 결석하는 A 학생이 걱정되어 개별 면담을 진행했다. 면담 도중 A 학생은 "요즘 아빠가 술만 마시면 집에서 자주 소리를 지르고 가족들을 때려요. 너무 무서워요."라고 말했다. 이후 해당 학생의 보호자와 전화 상담 일정을 잡았다.

❶ 상담 관련 문제해결 답변 기본 구조

서론	현재 신체적 학대와 정서적 학대가 의심되는 상황입니다.
본론	먼저 절차에 따라 교장선생님과 상담부장님께 즉시 상황을 보고하고, 학생의 진술과 정서 상태와 최근 출결 상황 등을 종합적으로 정리한 후 112 또는 아동보호전문기관에 신고하겠습니다. 보호자와의 전화 상담은 매우 민감한 상황이므로 저는 판단이나 비난이 아닌 '관찰된 사실'에 기반한 대화로 접근하겠습니다. 비난보다는 걱정과 협력의 자세로 신뢰 기반의 상담관계를 구축하겠습니다. 상담 시에는 학생 중심의 시선과 공감적인 태도로 보호자의 반응을 판단하지 않는 중립성을 비추겠습니다. 'A 학생 보호를 위한 공동의 목적'을 분명히 하면서 학부모님과 함께 협력의 길을 열어가는 상담자세를 유지하겠습니다.
결론	이를 통해 학생의 문제를 현실적으로 해결할 수 있도록 노력하겠습니다.

학부모 상담, 말보다 태도가 먼저입니다.
학부모 상담은 단순한 정보 전달을 넘어서 신뢰와 협력 관계를 형성하는 자리입니다.
다음 네 가지 태도를 기억해두면, 어려운 상황에서도 흔들림 없이 대응할 수 있어요.
1. 판단·비난 금지 : 학생이나 보호자의 상황을 평가하거나 단정 짓지 않고, 있는 그대로 수용하는 태도가 필요합니다. 상대방이 방어적으로 변하지 않도록, 교사의 언어는 중립적이어야 해요.
2. 사실 중심 대화 : 감정이나 추측보다 교사가 직접 관찰한 사실을 중심으로 이야기해야 신뢰를 얻을 수 있습니다. 예를 들어, "최근 수업 시간에 자주 지각합니다."처럼 구체적으로 말합니다.
3. 비밀보장 vs 신고의무 구분 : 상담은 기본적으로 비밀보장이 원칙이지만, 아동학대는 예외 경우로 즉시 신고해야 하는 법적 의무가 있습니다. 상황에 따라 적절한 판단과 보고가 필요합니다.
4. 비언어적 태도 주의 : 교사의 표정, 말투, 눈맞춤, 자세 등도 상담의 분위기를 좌우합니다. 비난이나 긴장감이 느껴지지 않도록, 따뜻하고 신뢰감 있는 태도를 유지해야 합니다.
부모 상담은 학생을 위한 협력의 출발점이에요. 단정하지 않고, 경청하고, 따뜻하게 마주하려는 태도부터 준비해두면 좋습니다.

3 상담 관련 문제해결 레시피 연습 문제

Q 다음 제시문을 읽고 박 교사가 학생 A에게 실시할 수 있는 상담 방법을 말하고, 학교 차원에서 A를 지원할 수 있는 방안을 1가지 제시하시오.

> 박 교사는 수업 시간에 자주 졸거나 멍하니 있는 학생 A가 걱정되어 A와 개별 상담을 진행했다. A는 "요즘 너무 무기력하고, 학교 다니는 게 무슨 의미가 있는지 모르겠어요. 그냥 집에 있거나 밖에 나가 혼자 있는 게 편해요. 수업도 재미없고 친구들을 만나는 것도 지쳐요."라고 말했다.

01 step

예시답변

답변드리겠습니다.
A 학생의 말에서 느껴지는 무기력감과 사회적 회피는 학업중단 위기 학생에게서 자주 나타나는 전형적인 징후라고 판단됩니다. 따라서 박 교사는 상담 초기에 학생과의 신뢰 관계 형성을 최우선 과제로 두고 접근해야 합니다.
우선, A 학생의 감정을 수용하며 공감의 언어를 사용해야 합니다. 학생의 마음을 있는 그대로 받아들이고, 상담의 목표와 방향을 간단히 안내하여 심리적 안정감을 제공할 필요가 있습니다.
상담이 이어지는 과정에서는 적극적 경청과 개방형 질문을 활용해야 합니다. "언제 가장 무기력하다고 느꼈어?", "그럴 때 어떤 생각이 들었어?"와 같은 질문을 통해 학생이 자신의 감정을 인식하고 표현할 수 있도록 도와야 합니다. 동시에 학생을 격려하여 스스로 긍정적인 변화 가능성을 인식할 수 있도록 해야 합니다.
다음으로, 학교 차원의 지원 방안으로는 '학업중단숙려제' 운영과 전문기관 연계를 제시하겠습니다. Wee클래스나 Wee센터 등과 연계하여 정서적 안정과 진로 탐색의 기회를 제공하여 학생이 학교와 완전히 단절되지 않도록 지원하겠습니다.
이러한 상담과 지원을 통해 학생이 심리적으로 회복하고, 다시 학교생활의 의미를 찾을 수 있도록 지속적인 관심을 기울이겠습니다. 이상입니다.

4 상담 관련 문제해결 레시피 워크북

● 아래 유형별 질문에 자신만의 답변을 준비하고, 스터디를 통해 답변을 공유해 보세요!

(1) 진로·학업 상담 유형

> **Q** 학생이 내신에 유리한 과목 대신 진로에 더 적합한 과목을 고민할 때 어떻게 상담하겠는가?
> **Q** 진로에 대한 확신이 없어 의욕이 떨어지고 있는 학생을 어떻게 지도하겠는가?
> **Q** 학업 성취도가 낮아지고 있는 학생과의 상담에서 교사의 역할은 무엇인가?

(2) 정서·심리 상담유형

> **Q** 최근 들어 말수가 줄고 표정이 어두운 학생이 "모든 게 다 귀찮고 지겹다."고 말할 때 교사로서 어떻게 접근하겠는가?
> **Q** 또래와 어울리지 못하고 수업 참여가 적은 학생을 상담해야 한다면 어떻게 하겠는가?
> **Q** 학교생활에 흥미를 잃은 학생이 무기력하게 지내고 있을 때 어떤 상담 전략을 적용하겠는가?

(3) 대인관계 상담 유형

> **Q** 친구가 자꾸 놀린다고 불만을 표하는 학생에게 어떻게 조언하겠는가?
> **Q** 반 친구들과 자주 다투는 학생을 상담하게 되었다. 어떤 방법으로 접근하겠는가?
> **Q** 친구들과 어울리지 않고 혼자 있는 학생을 어떻게 도울 수 있을까?

(4) 가정 문제 상담 유형

> **Q** 학생이 "아빠가 술만 마시면 소리를 지르고 가족을 때려요."라고 말했을 때, 교사로서 어떻게 대응하겠는가?
> **Q** 보호자가 아이를 과도하게 통제하고 혼내는 모습을 목격한 교사는 어떻게 해야 하는가?
> **Q** 학생이 가정 상황을 숨기며 반복적으로 결석할 때, 어떻게 접근하고 상담하겠는가?

(5) 위기학생 상담 유형

> **Q** "학교 다닐 이유를 모르겠어요."라고 말하는 학생에게 교사는 어떤 대응을 해야 할까?
> **Q** 미인정 결석이 잦고 수업 참여가 저조한 학생에게 어떤 상담을 해야 할까?
> **Q** 학업중단 의사를 밝힌 학생에게 학업숙려제를 안내하며 어떤 방식으로 상담할 수 있을까?

(6) 학부모 상담 유형

> **Q** 학생의 문제행동에 대해 항의하는 학부모와 전화 상담을 하게 되었다. 어떤 자세로 응대하겠는가?
> **Q** 학부모가 학교 교육과 교사의 지도를 신뢰하지 않을 때 어떻게 상담을 진행하겠는가?
> **Q** 예민한 사안(예 : 가정문제, 아동학대)을 보호자와 상담해야 할 때 교사의 주의사항은?

(7) 교사 – 학생 상담 유형

> **Q** "선생님이 저한테만 뭐라고 해요."라고 말하는 학생을 상담할 때 어떻게 접근할 것인가?
> **Q** 수업과 생활지도에 자꾸 반항하는 학생과 관계를 회복하기 위한 상담 전략은?
> **Q** 과거 교사와의 갈등 경험이 있는 학생을 새 학기 처음 상담할 때 어떤 방식으로 시작하겠는가?

CHAPTER 13 중등 즉답형 문제

기출 문제

선호 선택	**[중등]** 22년 즉답 → 학생을 무조건 신뢰 vs 무조건 신뢰는 비교육적, 선호 선택? 20년 즉답 → 얼굴보고 소통 vs 메신저로 소통, 선호 선택? 19년 즉답 → 동료와 소통하는 교사 vs 수업 만족도가 높은 교사, 선호 선택?
만약 ~라면	**[중등]** 25년 즉답 → 나의 희망 업무와 동료들이 기대하는 업무가 다를 때, 만약 ~라면? 23년 즉답 → 탄소중립 중점학교 운영에 대한 의견이 다를 때, 만약 ~라면? 21년 즉답 → 수업자료 제작과 관련하여 동료교사들과 서먹해졌을 때, 만약 ~라면? 18년 즉답 → 부장교사가 융합교육과정을 마음대로 진행했을 때, 만약 ~라면? 17년 즉답 → 수업과 일은 잘하지만 동료와 교류하지 않는 교사, 만약 ~라면?
상황 해결	**[중등]** 24년 즉답 → 열심히 하는 학생이 갑자기 수행평가에 참여하지 않는 상황에서 참여를 독려? 그냥 둘 것? + 내가 생각하는 교사의 역할은? + 유의점은?

기출 유형

선호 선택	1-1 : (　　)에서 선호하는 (　　)을/를 선택하고 이유를 말하시오. 1-2 : 자신이 선택한/선택하지 않은 입장에서 (　　)을/를 말하시오. 혹은 비판하시오. 1-3 : 제시문 내용과 관련하여 (　　)에 대해서 말하시오.
만약 ~라면	1-1 : 만약 내가 (　　)라면 (　　)에 대해서 말하시오. 1-2 : 제시문 내용과 관련하여 (　　)을/를 말하시오. 혹은 비판하시오. 1-3 : 만약 내가 (　　)라면 어떻게 할 것인지 말하시오.
상황 해결	1-1 : 제시문을 읽고, (　　)에 대해 말하고 제시문의 상황을 해결할 수 있는 (　　)를 말하시오. 1-2 : 위의 (　　)를 행했을 때의 유의점을 말하시오.

대표 기출문제 살펴보기(1) 선호 선택

[선호 선택] 유형 문제는 다음과 같은 소문항들로 출제

1-1 (　　)에서 선호하는 (　　)을/를 선택하고 이유를 말하시오.
1-2 자신이 선택한/선택하지 않은 입장에서 (　　)을/를 말하시오. 혹은 비판하시오.
1-3 제시문 내용과 관련하여 (　　)에 대해서 말하시오.

2022년도 중등 평가원 즉답형 문제

Q 학생을 얼마나 신뢰해야 할까요?

> A 교사 : 무조건으로 교사는 학생을 신뢰해야 합니다.
> B 교사 : 교사가 무조건으로 학생을 신뢰하는 것은 비교육적일 수 있습니다.

1-1 두 교사 중 자신이 선호하는 교사를 선택하고 그 이유를 말하시오.
1-2 자신이 선택한 교사의 입장에서 유의해야 할 점을 말하시오.
1-3 학생과 바람직한 신뢰 관계를 형성하기 위한 방안을 제시하시오.

답변 포인트 정리

[선호하는 교사 선택과 이유 제시]
- 저는 B 교사를 선호합니다. 그 이유는 학생들은 때로는 부적절한 행동을 하고 잘못된 결정을 하기도 합니다. 이에 대해서 교사가 무조건으로 신뢰를 한다면 학생의 성장과 발전을 도모하는 데 있어서 방조하는 것이라고 생각합니다.

[선택한 입장에서 유의점 제시]
- 선택한 입장에서 유의점은 신뢰와 적절한 교사의 감독 사이에서 균형점을 찾는 것입니다. 학생들이 자기주도적으로 학습하고 성장할 수 있도록 적절한 기회를 제공하고 학생들이 스스로의 행동과 결정에 책임질 수 있도록 교사가 적절하게 신뢰하고 적절하게 감독하고 피드백하는 것이 필요합니다.

[학생과 신뢰 관계 형성 방안 제시]
- 첫째, 학생들과 평소 라포르를 쌓는 것입니다. 일상에서 학생들과 자연스럽게 대화하면서 학생들의 의견을 경청하고 존중하고 공감해야 합니다. 교사 자신의 생각도 학생들과 공유하면서 친근하게 라포르를 형성하는 것이 신뢰 관계를 형성하기 위한 첫 번째 단계라고 생각합니다.
- 둘째, 학생들과 신뢰 관계 형성을 위해서는 교사 자체가 모범을 보이면서 신뢰를 쌓아야 합니다. 규범적으로, 교육적으로, 인간적으로 모든 면에서 학생들이 보고 배울 수 있는 어른이 되어야 합니다. 학생들에게 가르치는 생활 규칙들을 스스로 먼저 실천하고 모범을 보여야 학생들이 교사를 신뢰하고 따라올 수 있다고 생각합니다.

대표 기출문제 살펴보기(2) 만약 ~라면

[만약 ~라면] 유형 문제는 다음과 같은 소문항들로 출제

1-1 만약 내가 (   )라면 (   )에 대해서 말하시오.
1-2 제시문 내용과 관련하여 (   )을/를 말하시오. 혹은 비판하시오.
1-3 만약 내가 (   )라면 어떻게 할 것인지 말하시오.

2023년도 중등 평가원 즉답형 문제

Q 다음 제시문을 읽고 물음에 답하시오.

> A 교사와 B 교사는 평소 친밀한 사이였다. 최근 학교가 탄소중립 중점학교로 지정되면서 탄소저감 사업 활동에 대한 의견 차이로 갈등이 생겨 관계가 나빠진 상황이다. A 교사는 학생 참여 중심의 이벤트 수업으로 진행하자 주장하고, B 교사는 모든 교과와 연계하여 교과수업으로 진행하자 주장하고 있다. A 교사는 자신의 방식이 더 효율적이라고 생각해서 이번에는 꼭 자신의 의견대로 추진하고 싶은데 어떻게 이야기해야 할까 고민하고 있다.

1-1 제시문 속 상황에서 만약 내가 A 교사라면 어떻게 행동할 것인지 답하시오.
1-2 위에서 한 답변대로 행동했을 때 유의할 점을 답하시오.
1-3 내가 A, B 교사를 중재해야 하는 제3자의 입장이라면 어떻게 중재할 것인지 답하시오.

📖 답변 포인트 정리

[A 교사로서 행동 방안 제시]
- 제가 A 교사라면 학생 참여 중심 수업이 갖고 있는 장점과 수업 사례와 관련된 자료들을 활용하여 설득하겠습니다. B 교사에게 무조건 적으로 내 주장을 강요할 것이 아니라 이해를 도울 수 있는 자료를 적절히 활용하겠습니다.

[행동의 유의점 제시]
- 이때 행동의 유의점은 B 교사가 제시하는 자료도 존중할 필요가 있다는 것입니다. 내가 준비한 자료만 옳다는 자세를 지양하고 B 교사의 입장도 충분히 들어볼 수 있도록 하는 것이 필요합니다.

[학생과 신뢰 관계 형성 방안 제시]
- 제가 제3자의 입장이라면 객관적인 입장 중재를 진행하겠습니다. 먼저 A 교사와 B 교사를 동시에 만나는 것이 아니라 따로따로 만나서 그들의 관점에 대해서 듣도록 하겠습니다. 두 관점의 장·단점에 대해서 정리한 뒤에는 두 교사를 함께 불러 모아서 서로의 의견을 공유하도록 하겠습니다. 그럼에도 불구하고 의견의 합의점을 찾지 못한다면 전체 교사 협의회를 제안하여 다양한 의견을 들어볼 수 있도록 제안하겠습니다.

대표 기출문제 살펴보기(3) 상황 해결

[상황 해결] 유형 문제는 다음과 같은 소문항들로 출제

1-1 제시문을 읽고, (　　　)에 대해 말하고 제시문의 상황을 해결할 수 있는 (　　　)를 말하시오.
1-2 위의 (　　　)를 행했을 때의 유의점을 말하시오.

2024년도 중등 평가원 즉답형 문제

Q 다음 제시문을 읽고 물음에 답하시오.

> 지민이는 평소에 성실하고 수업에 적극적으로 참여하는 학생이다. 하지만 지민이가 이번 모둠별 수행평가에 참여하지 않고 있는 것을 발견했다. 교사로서 수행평가에 참여하도록 개입해서 독려할지 평가임을 고려하여 개입하지 않고 그대로 둬야할지 고민이 되는 상황이다.

1-1 자신이 생각하는 교사의 역할을 말하고, 제시문 속 상황에서 어떻게 행동할 것인지 말하시오.
1-2 위와 같이 행동했을 때 유의점을 2가지 말하시오.

🏆 답변 포인트 정리

[생각하는 교사의 역할을 말하고 적절한 행동 방안 제시]

- 제가 생각하는 교사의 역할은 '촉진자' 역할입니다. 학생이 학습에 참여하고 이를 통해 성장할 수 있도록 옆에서 적극적으로 응원하고 도와주는 것이 교사의 중요한 역할이라고 생각합니다.
- 이러한 역할에 따라 제시문 속 상황에서 지민이가 수행평가에 참여할 수 있도록 개입하겠습니다. 이를 위해 근접간섭을 활용하여 간접적으로 독려하겠습니다. 지민이는 평소에 성실하고 수업에 적극적으로 참여하는 학생이기 때문에 근접간섭 신호를 통해 평가에 참여할 수 있도록 유도할 수 있다고 생각합니다.

[행동의 유의점 제시]

- 첫째, 평가의 공정성이 훼손되지 않도록 해야 합니다. 평가 상황임을 고려하여 다른 학생들이 공정하다고 느끼지 않을 정도로 개입하는 것을 유의해야 합니다. 평가에 참여할 수 있도록 동기를 부여하거나 관심을 제공하는 식으로 간접적으로 개입할 수 있도록 유의해야 합니다.
- 둘째, 지민이 이외에도 도움이 필요한 학생들도 적절하게 촉진할 수 있어야 합니다. 교사의 역할은 촉진자 역할이기 때문에 지민이 외에 평가 상황에서 참여하지 않고 어려움을 겪고 있는 학생이 더 있을 수 있다고 생각합니다. 교사로서 특정 학생에게만 관심을 쏟는 것이 아닌 모든 학생들에게 관심을 갖고 도움을 제공할 수 있도록 유의해야 합니다.

1 중등 즉답형 학습재료

1) 갈등 상황 관련 문제해결

❶ 교사 대 학생·학부모 갈등 상황

기본 대처 입장 : 공감과 존중을 바탕으로 상황에 맞게 대처함.

갈등 상황 유형 예시	해결 방안 예시
• 성적 관련 • 수행평가 관련 • 잘못된 언행 • 생활지도 관련 • 학습지도 관련 • 학급경영 관련 • 수업 관련 • 수업 피드백 관련 • 차별, 편애 관련 • 폭언, 폭행 관련 등	• 공감, 이해하는 자세 • 회복적 생활교육 • 비폭력 대화 사용 • 학생, 학부모를 존중하는 태도 • 흥분하거나 감정적으로 대처하지 않음. • 필요하다면 다른 교사들과 협력 • 학부모 의견을 존중 • 잘못이 있다면 인정하고 사과함. • 민주적 학급경영

❷ 교사 대 교사 갈등 상황

기본 대처 입장 : 상호 존중하고 예의를 지키며 의사표현을 분명히 함.

갈등 상황 유형 예시	해결 방안 예시
• 과도한 희생 요구 • 예산 문제로 인한 갈등 • 행정적, 절차적 충돌 • 학교 모임, 행사 참여 강요 • 반말하는 선생님과의 갈등 • 수업방식, 평가방식에 대한 갈등 • 존중하지 않는 선생님과의 갈등 • 관리자와 여러 가지 상황에서의 갈등 • 교과교실 및 특별실 사용에 대한 갈등 • 불합리한 업무편성(과도한 업무 몰아주기) • 과도한 수업 시수 부담(수업 몰아주기) • 잘 모르는 업무로 인한 갈등	• 업무관리시스템에서 검색하여 잘 모르는 업무파악 하기 • 해당 업무 지침서 찾아보기 • 합의점 찾기(문제해결에 중점) • 멘토-멘티 교사제도 활용하여 조언받기 • 공동체 의식 갖고 학교일에 참여하기 • 상대방의 입장에서 역지사지하여 이해하기 • 무조건 YES는 지양하고 거절할 일은 NO 하기 • 다른 교사들과 평소에 의사소통을 활발히 함. • 관리자 선생님에게 도움 요청함. • 업무 관련하여 전임자에게 묻기 • 협의회를 통해 사전에 협의하기

2　중등 즉답형 답변 연습

Q 다음 제시문을 읽고, 각 질문에 순서대로 답하시오.

> A는 평소 조별활동에 열심히 참여하지 않는 학생입니다. 최근 조별 탐구수업에서 A는 친구의 발표 준비물까지 챙기지 않거나 자신이 맡은 역할도 제대로 하지 않았습니다. 그로 인해 조원들 간의 갈등이 생기고 학급 분위기까지 흐트러지고 있습니다.

1-1 자신이 생각하는 교사의 역할을 말하고, 제시문 속 상황에서 어떻게 행동할 것인지 말하시오.
1-2 위와 같이 행동했을 때 유의점을 2가지 말하시오.

01 step

❶ 중등 즉답형 문제 답변 기본 구조

1-1	교사는 학생 개개인의 행동을 이해하고 지도함과 동시에 학급 전체의 협력 문화를 조성해야 하는 역할을 가지고 있다고 생각합니다. A 학생이 느끼는 소외감을 줄이고 학급 전체의 책임감을 높이는 것이 필요합니다. 이를 위해 A 학생을 개별적으로 불러 조용히 면담을 진행할 것입니다. A가 왜 조별활동에 소극적인 태도를 보였는지, 최근 학업이나 친구 관계에 어려움은 없었는지를 경청을 통해 파악합니다. 다음으로 조별활동 운영 방식 자체를 점검하겠습니다. 조별활동에서 역할이 모호했거나 A가 기여할 수 있는 방식이 명확하지 않았을 수 있기 때문입니다. 따라서 이후 수업에서는 각자의 역할을 사전에 명확히 정하고 공동 목표 달성을 위해 모두가 기여해야 한다는 규칙을 다시 확인시키겠습니다.
1-2	다음으로 유의점을 두 가지 답변드리겠습니다. 첫째, A 학생을 지도할 때는 공개적인 질책이 아닌 비공개 상담을 통해 자존감을 보호해야 합니다. 다른 학생들 앞에서 직접적으로 문제를 지적하면 학생이 반발하거나 더 위축될 수 있기 때문입니다. 둘째, 지도 과정에서 다른 조원들의 감정도 함께 살펴야 합니다. 피해 학생들의 입장도 충분히 공감하고 회복적 대화나 조정 활동 등을 통해 갈등이 남지 않도록 마무리해야 합니다. 이를 통해 학급 공동체가 건강하게 유지될 수 있을 것입니다.

즉답형, '정확한 답변'이 먼저입니다.
즉답형 문항은 여러 개의 질문이 짧은 시간 안에 주어지기 때문에 '서론-본론-결론'을 정리할 여유가 없습니다. 묻는 말에 정확하게, 논리적으로 답변하는 것이 가장 중요합니다. 답변할 때는 질문이 무엇인지 정확히 파악하고 지문에서 요구하는 핵심 내용을 놓치지 않으며, 핵심 개념이나 문장을 간단히 인용하여 논리 흐름을 잡는 것이 효과적입니다.
형식을 갖추기보다 '질문 → 핵심 개념 → 이유나 근거'의 흐름으로 간단명료하게 말하는 연습을 추천드립니다.

3 중등 즉답형 레시피 연습 문제

Q 다음 제시문을 읽고, 각 질문에 순서대로 답하시오.

> C 교사는 중간고사 후 학생들에게 채점 기준과 성취 수준에 대한 설명을 충분히 제공하며, 개별 피드백을 제공하고 있다. 그러나 일부 교사는 "시험의 공정성을 위해 점수만 공개하고 구체적인 설명은 자제해야 한다."라고 주장하며, 평가에 대한 입장 차이를 보이고 있다.

1-1 제시문 속 상황에서 만약 내가 C 교사라면 어떻게 행동할 것인지 답하시오.
1-2 위에서 한 답변대로 행동했을 때 유의할 점을 답하시오.
1-3 만약 내가 C 교사의 입장을 중재해야 하는 제3자의 입장이라면 어떻게 조정할 것인지 답하시오.

예시답변

1-1 답변드리겠습니다. 제시문 속 상황에서 제가 C 교사라면, **먼저 동료 교사들과의 갈등을 줄이기 위해 소통의 자리를 마련하겠습니다.** 평가에 대한 철학은 다를 수 있지만, 2022 개정 교육과정에서 강조하는 '과정 중심 평가'의 취지를 공유하며 피드백의 필요성을 사례를 통해 설득하겠습니다. 예를 들어, "틀린 문제를 다시 정리하면서 개념을 완전히 이해할 수 있었다."라는 학생의 말을 들었던 실제 경험을 소개하여 피드백이 학습 성장에 실질적인 도움이 된다는 점을 전달하겠습니다. 또한 교과협의회를 통해 평가 방식이나 피드백 수준에 대한 최소한의 공통 기준을 제안하되, 교사별 자율성을 존중하며 협업 가능한 지점을 함께 모색하겠습니다.

1-2 답변드리겠습니다. 위와 같이 행동할 때 유의할 점은 **동료 교사의 전문성과 자율성을 침해하지 않는 방식으로 접근해야 한다는 점**입니다. 피드백의 필요성을 강조하더라도 그것이 평가 방식의 통일로 오해되지 않도록 말투, 표현, 태도에 신중하겠습니다. 또한 동료의 기존 평가 방식에 대한 존중과 공감을 먼저 표현하고, 학생 성장이라는 공동 목표 아래 서로의 실천 사례를 공유하는 대화 분위기를 조성하겠습니다. 특히 "지금까지 충분히 효과적인 평가를 해오셨다는 걸 잘 알고 있다."라는 식의 말로 인정과 신뢰를 전하며 논의를 이어가겠습니다.

1-3 답변드리겠습니다. 제3자의 입장에서 중재한다면, **먼저 양측의 평가 철학을 충분히 듣고, 공통된 지향점이 '학생의 학습 성장'임을 확인하겠습니다.** 이후 전체 협의를 통해 평가의 공정성과 피드백 실천 가능성을 모두 반영한 '공통 최소 기준'을 설정하되, 피드백 방식은 교사의 자율에 맡기는 느슨한 일체화를 제안하겠습니다. 또한 루브릭 예시나 피드백 방식 메뉴판을 함께 제공해, 실천 부담을 낮추고 자연스럽게 협력할 수 있는 분위기를 만들겠습니다. 이상입니다.

4　중등 즉답형 레시피 워크북

● 아래 유형별 질문에 자신만의 답변을 준비하고, 스터디를 통해 답변을 공유해 보세요!

(1) 선호 선택 유형

> **Q** 다음 제시문을 읽고, 각 질문을 순서대로 답하시오.
>
>> A 교사 : 학생이 힘든 상황에 처해 있더라도 사생활을 존중해 먼저 묻지 않는 것이 옳다.
>> B 교사 : 학생이 힘든 기색을 보이면 먼저 다가가 말을 걸어주는 것이 교사의 역할이다.
>
> 1-1 위 두 교사 중 자신이 더 선호하는 교사의 입장을 선택하고, 그 이유를 말하시오.
> 1-2 자신이 선택한 교사의 입장에서 유의해야 할 점을 말하시오.
> 1-3 학생과 신뢰를 형성하기 위한 실제적인 교사의 노력을 1가지 이상 제시하시오.

01 step

(2) 만약 ~라면 유형

> **Q** 다음 제시문을 읽고, 각 질문을 순서대로 답하시오.
>
>> A 교사는 정해진 업무 외에는 협조를 꺼리며 일과 삶의 균형을 중시하는 편이고, B 교사는 학교 발전과 동료 협력을 중요하게 여기며 다양한 교육활동에 적극적으로 참여해왔다. 최근 학교에서 '기초학력 책임지도제' 운영팀을 구성하게 되었고, B 교사는 A 교사에게 공동 참여를 제안했으나 A 교사는 "그건 내 업무가 아니다."라며 거절하였다. 이후 두 교사 간의 갈등이 심화되며 교무실 분위기에도 부정적인 영향이 나타나고 있다.
>
> 1-1 제시문 속 상황에서 만약 내가 B 교사라면 어떻게 행동할 것인지 답하시오.
> 1-2 위에서 한 답변대로 행동했을 때 유의할 점을 답하시오.
> 1-3 만약, 내가 A, B 교사를 중재해야 하는 관리자의 입장이라면 어떻게 조정할 것인지 답하시오.

(3) 상황 해결 유형

> **Q** 다음 제시문을 읽고, 각 질문을 순서대로 답하시오.
>
>> 수업 시간 중 학생들이 모둠별로 발표 연습을 하는 동안 일부 학생들이 뒷자리에서 잡담을 하며 발표를 방해하는 행동을 반복하는 것을 목격했다. 발표를 준비한 학생이 불편함을 표했고 다른 학생들 또한 집중력이 떨어지는 상황이다. 그러나 방해 학생들은 "우린 이미 다 준비해서 할 거 다 했어요."라고 말하며 반성의 기색을 보이지 않았다.
>
> 1-1 자신이 생각하는 교사의 역할을 말하고, 위 상황에서 어떻게 행동할 것인지 말하시오.
> 1-2 위와 같이 행동했을 때의 유의점을 2가지 말하시오.

면접을 위한 재료는 준비되었습니다. 이제 준비한 재료를 실제 답변으로 만들어볼 시간입니다.
하지만 막상 문제를 풀어보려고하니 어떻게 풀어야 할지 감이 오지 않는 분들이 많을 것이라고 생각합니다.
그래서 이번 STEP에서는 실제 기출문제를 함께 살펴보며 문제를 해결하는 전략을 세워보고자 합니다.
총 4단계를 준비하였으니 함께 살펴봅시다.

1단계 문제 유형 파악하기
문제를 보자마자 가장 먼저 해야 하는 부분입니다. 문제의 유형이 무엇인지 파악하고 어떻게 문제를 바라보고 답안을 준비해야하는지 결정해야 합니다.

2단계 발문 해석하기
문제를 해결할 때 가장 중요한 것은 문제를 꼼꼼하게 잘 읽는 것입니다. 발문에 따라서 요구하는 포인트가 무엇인지, 가짓수는 몇 가지인지 등 문제의 발문을 해석하는 것이 중요합니다.

3단계 문제 분석하기
평가원 지역의 경우 제시문이 주어지는 경우가 대부분입니다. 따라서 제시문을 분석하는 능력이 다른 어느 지역보다도 중요합니다. 제시문에서 답변 힌트를 찾는 방법, 답을 만들어내는 법 등 사고 과정을 알려드립니다.

4단계 답안 개요짜기
1~3단계를 바탕으로 실제 답을 만들어보는 것입니다. 답안 개요를 짜보면서 답안의 범위를 정하고 실제 답변하는데 필요한 구상지를 만들어본다고 생각하면 좋겠습니다.

면접 문제를 어떻게 풀어가야 할지 막막하게 느껴진다면, 만점을 받을 수 있는 답변 전략이 궁금하다면,
STEP 2가 좋은 길잡이가 되어줄 것입니다.
이 장에서는 면접레시피 저자들이 평가원의 최신 기출문제를 풀어가는 과정에서 실제로 사고한 내용을 정리하였습니다. 타인의 사고 흐름을 따라가 보는 경험은 자신의 생각을 구조화하고 정리하는 데에 분명 도움이 됩니다.

답안을 구성해 나가는 방식을 하나씩 살펴보며 '나라면 어떻게 답했을까?'를 생각하는 시간을 가져보세요.
작은 연습의 반복이 실전에서의 자신감으로 이어질 수 있습니다.

STEP
02
Recipe

평가원 최신 기출로 배우는 면접 만점 기술

CHAPTER 1. 2025 평가원 초등
CHAPTER 2. 2025 평가원 중등 교과
CHAPTER 3. 2025 평가원 중등 비교과

CHAPTER 1

2025 평가원 초등

▶ 구상형

[장면 1]
김 교사가 디지털 기기를 활용해서 학생들이 토의를 통해 문제 해결 방법을 찾는 모둠 활동을 진행하였다.

- 가영 : 그냥 인터넷에 있는 거 복사해서 붙여 넣어도 되겠지?
- 나영 : 우리가 필요한 기사가 여기 다 있네. 모두 쓰는 게 좋겠다.
- 다영 : 음… 이건 발표 자료에 넣기 딱이다. 그대로 복사 해둘게.
- 라영 : 다른 사람들이 만들어 놓은 것을 그대로 쓰기만하면 되니까 너무 편하다.

김 교사가 찾은 방법을 바탕으로 발표 자료를 만들자고 하였다.

- 가영 : 내가 프레젠테이션을 다룰 수 있으니 내가 PPT를 만들게. 나영이는 태블릿으로 자료를 좀 더 모아줘. 그리고 다영이는 태블릿으로 정리해줘.
- 다영 : 나는 태블릿을 잘 못 쓰는데….
- 라영 : (역할이 별도로 없어서 가만히 있다.)

[장면 2]
- 김　교사 : 이번 디지털 기기를 활용한 수업이 잘 진행되지 않았던 것 같습니다.
- 부장교사 : 어떤 점에서 그랬나요?
- 김　교사 : 학생들이 디지털 기기를 활용할 때 주의해야 할 점을 잘 알지 못했고, 디지털 기기 사용 능력도 저마다 달랐습니다.
- 부장교사 : 김 교사님의 경험을 바탕으로 우리 학교에서 학교 교육과정 차원에서 프로그램을 실시하는 것이 좋겠네요.

[장면 1]에 나타난 김 교사 수업의 문제점 2가지와 이에 대한 개선 방안을 각각 1가지씩 말하시오.

[장면 2]의 대화에 근거하여 학교 교육과정 차원에서 실시할 수 있는 프로그램 1가지를 제안하시오.

1. 문제 유형 파악하기

제시문의 문제 상황을 적절히 파악하여 그에 대한 해결 방안을 답하는 문제입니다. 이러한 유형은 내가 답하는 내용이 제시문과 연결이 되는지 그리고 실질적으로 제시문의 문제 상황을 해결해줄 수 있는지에 집중해야 합니다

2. 발문 해석하기

\[장면1\]에 나타난 김 교사 수업의 문제점 2가지와 이에 대한 개선 방안을 각각 1가지씩 말하시오. \[장면2\]의 대화에 근거하여 학교 교육과정 차원에서 실시할 수 있는 프로그램 1가지를 제안하시오.	
답변 가짓수(5)	문제점(2), 개선방안(1+1), 실시 프로그램(1)
주의사항	실시 프로그램은 \[장면 2\]의 대화에 근거해야 함을 기억해야 한다.

3. 문제 분석하기

[장면 1]
김 교사가 디지털 기기를 활용해서 학생들이 토의를 통해 문제 해결 방법을 찾는 모둠 활동을 진행하였다.

가영 : 그냥 인터넷에 있는 거 복사해서 붙여 넣어도 되겠지?
나영 : 우리가 필요한 기사가 여기 다 있네. 모두 쓰는 게 좋겠다.
다영 : 음… 이건 발표 자료에 넣기 딱이다. 그대로 복사 해둘게.
라영 : 다른 사람들이 만들어 놓은 것을 그대로 쓰기만하면 되니까 너무 편하다.

김 교사가 찾은 방법을 바탕으로 발표 자료를 만들자고 하였다.

가영 : 내가 프레젠테이션을 다룰 수 있으니 내가 PPT를 만들게. 나영이는 태블릿으로 자료를 좀 더 모아줘. 그리고 다영이는 태블릿으로 정리해줘.
다영 : 나는 태블릿을 잘 못 쓰는데….
라영 : (역할이 별도로 없어서 가만히 있다.)

문제라고 생각되는 부분에 밑줄을 치면서 문제점을 하나의 문장으로 종합해보자.
① '인터넷에 있는 것 그대로 복사' + '다른 사람이 만든 것 그대로 쓰기'
  → 디지털 윤리 의식 부족(디지털 리터러시 교육 부족)
② '태블릿을 잘 못 쓰는 학생에게 역할 부여' + '역할이 없는 학생 존재'
  → **역할 분담이 효과적으로 이루어지지 못함.**(역할 분담 규칙 부재)

[장면 2]
김 교사 : 이번 디지털 기기를 활용한 수업이 잘 진행되지 않았던 것 같습니다.
부장교사 : 어떤 점에서 그랬나요?
김 교사 : 학생들이 디지털 기기를 활용할 때 주의해야 할 점을 잘 알지 못했고, 디지털 기기 사용 능력도 저마다 달랐습니다.
부장교사 : 김 교사님의 경험을 바탕으로 우리 학교에서 학교 교육과정 차원에서 프로그램을 실시하는 것이 좋겠네요.

제시문의 상황의 문제점을 파악하면 실시할 프로그램을 생각할 수 있다.
'디지털 기기 활용 시 주의사항을 모름' + '디지털 기기 사용 능력 편차'
  → 디지털 기기를 활용한 디지털 윤리의식 주간 프로그램 실시

4. 답안 개요짜기

[문제점]

주장 1		디지털 윤리 의식 부족
	근거	인터넷에서 찾은 자료를 무비판적으로 출처 없이 사용함.
주장 2		역할 분담이 효과적으로 이루어지지 않음.
	근거	일부 학생이 주도하여 역할을 나누고 역할이 없는 학생도 존재함.

[개선방안]

주장 1		디지털 리터러시 체크리스트 활용
	이유	디지털기기 활용 수업 전 지켜야할 규칙을 생각하고 수업 후 스스로 잘 지켰는지 평가함.
	예시	책임 있는 정보 활용 방법을 스스로 점검하고 바람직한 태도 형성 가능
주장 2		모둠 역할표 활용
	이유	활동마다 필요한 역할과 이름의 빈칸 표를 제공하여 역할을 분담하도록 함.
	예시	학생의 고른 참여와 협업을 강화할 수 있음.

[운영 프로그램]

주장 1		디지털 윤리의식 주간 운영
	이유	정규 교과 시간 내 정보 윤리와 디지털 시민성 관련 교육이 필요해짐.
	예시	실과 시간, 창체 시간을 활용하여 디지털 저작권 퀴즈 등의 활동 구성
	효과	학생들은 타인을 존중하고 정보를 책임있게 활용하는 태도를 기를 수 있음.

▶ 즉답형 1

다음 상황에서 교사 소진 현상을 2가지 말하고 이때 필요한 태도 2가지를 말하시오.

> 신규교사 김 교사는 교사로서 책임감을 갖고 열심히 지도 방법을 연구하고 자기개발을 꾸준히 하여 지도에 대한 전문성을 높여왔다. 하지만 열심히 해도 학생들은 여전히 수업을 열심히 안 듣는 것 같고 한두 달 상담을 해봤는데도 효과가 없는 것 같다. 김 교사는 수업이 눈에 띄는 효과가 안 보이는 것을 학생 탓으로 돌리고 싶다. 김 교사는 점점 우울해져 다른 교사들과 이야기하지 않고 혼자 있고 싶어 한다. 감정적으로 소진한 김 교사는 점차 학교로 가는 발걸음이 무겁게 느껴진다.

1. 문제 유형 파악하기
즉답형의 제시문을 빠르게 읽고 문제 속에서 힌트를 찾아야 하는 유형이다. 이때 답안의 적절성은 제시문과 얼마나 연결성이 드러나는가라고 볼 수 있다. 따라서 마음이 급하더라도 제시문을 하나하나 읽으면서 답의 힌트를 찾아야 한다.

2. 발문 해석하기

다음 상황에서 교사 소진 현상을 2가지 말하고 이때 필요한 태도 2가지를 말하시오.	
답변 가짓수(4)	교사 소진 현상(2), 필요한 태도(2)
주의사항	현상과 태도를 연결하고 제시문과의 연결성을 잊지 않아야 한다.

3. 문제 분석하기

> 신규교사 김 교사는 교사로서 책임감을 갖고 열심히 지도 방법을 연구하고 자기개발을 꾸준히 하여 지도에 대한 전문성을 높여왔다. 하지만 열심히 해도 학생들은 여전히 수업을 열심히 안 듣는 것 같고 한두 달 상담을 해봤는데도 효과가 없는 것 같다. 김 교사는 수업이 눈에 띄는 효과가 안 보이는 것을 학생 탓으로 돌리고 싶다. 김 교사는 점점 우울해져 다른 교사들과 이야기하지 않고 혼자 있고 싶어 한다. 감정적으로 소진한 김 교사는 점차 학교로 가는 발걸음이 무겁게 느껴진다.

교사 소진 현상에 대한 힌트를 제시문에서 찾아보고 필요한 태도를 떠올려보자.
① '혼자 있고 싶다' + '학교로 가는 발걸음이 무겁다'
　→ **정서적 소진** ▶ 자기 돌봄의 태도(정서적 소진에 대한 회복의 시간 필요)
② '열심히 해왔다' + '학생 탓으로 돌리고 싶다'
　→ **개인 성취감의 감소** ▶ 성찰의 태도(수업의 긍정적인 점을 극대화, 단점을 극복)

4. 답안 개요짜기

[교사 소진 현상]

주장 1		정서적 소진
	근거	혼자 있고 싶어 하고 학교에 가는 발걸음이 무거움.
주장 2		개인 성취감의 감소
	근거	열심히 해도 달라지지 않고 학생 탓으로 돌리며 본인의 성과를 인지하지 못함.

[태도]

주장 1		자기 돌봄의 태도
	이유	자신을 돌보고 회복하는 시간이 필요함.
	예시	동료들과의 소통, 퇴근 후 산책 또는 취미 활동으로 스트레스 해소
주장 2		성찰의 태도
	이유	현재의 어려움을 객관적으로 보고, 시야를 넓히는 것이 필요함.
	예시	수업 나눔, 수업 일지 작성을 통해 작은 변화와 학생의 반응 점검

즉답형 2

다음 상황에서 요구되는 리더십 행동 2가지와 인성적 자질 2가지를 말하시오.

> 윤 교사는 인문독서교육 프로젝트 업무를 맡게 되어 교육적 가치를 살리기 위해 적극적으로 아이디어를 구상하고 실행 계획을 세우는 등 의욕적으로 활동하고 있다. 업무 협의를 위해 동학년 교사들에게 회의 참여를 요청했지만, 대부분의 교사들은 "바빠서 시간이 안 된다.", "그건 맡은 사람이 알아서 하는 거 아니냐."는 반응을 보이며 적극적으로 참여하지 않았다. 윤 교사는 부장교사와만 의견을 나누며 업무를 진행하고 있는 상황이다. 윤 교사는 이 업무를 교육적으로 의미 있게 만들고 싶지만, 교내 협력이 원활하지 않아 어려움을 느끼고 있다.

1. 문제 유형 파악하기

즉답형의 제시문을 빠르게 읽고 문제 속에서 힌트를 찾아야 하는 유형이다. 이때 답안의 적절성은 제시문과 얼마나 연결성이 드러나는가라고 볼 수 있다. 따라서 마음이 급하더라도 제시문을 하나하나 읽으면서 답의 힌트를 찾아야 한다.

2. 발문 해석하기

다음 상황에서 요구되는 리더십 행동 2가지와 인성적 자질 2가지를 말하시오.	
답변 가짓수(4)	리더십 행동(2), 인성적 자질(2)
주의사항	필요한 리더십과 자질이 제시문과의 연결성이 반드시 필요하다.

3. 문제 분석하기

윤 교사는 인문독서교육 프로젝트 업무를 맡게 되어 교육적 가치를 살리기 위해 적극적으로 아이디어를 구상하고 실행 계획을 세우는 등 의욕적으로 활동하고 있다. 업무 협의를 위해 동학년 교사들에게 회의 참여를 요청했지만, 대부분의 교사들은 "바빠서 시간이 안 된다.", "그건 맡은 사람이 알아서 하는 거 아니냐."는 반응을 보이며 적극적으로 참여하지 않았다. 윤 교사는 부장교사와만 의견을 나누며 업무를 진행하고 있는 상황이다. 윤 교사는 이 업무를 교육적으로 의미 있게 만들고 싶지만, 교내 협력이 원활하지 않아 어려움을 느끼고 있다.

문제 행동을 찾다보면 요구되는 리더십을 찾을 수 있다.
① '부장교사와만 의견을 나눔' + '협력이 원활하지 않음'
  → 동료들과 적극적 비전공유 ▶ 협력의 자질(동료들과 의견 공유 및 공감 활성화)
② '대부분 바쁜 동료교사' + '참여의지 부족'
  → 역할 부담 최소화 및 참여 장려 ▶ 소통의 자질(다양한 의견 수렴 및 신뢰감 있는 소통)

4. 답안 개요짜기

[요구되는 리더십]

주장 1	동료들과 적극적 비전공유
이유	프로젝트가 성공하기 위해서는 함께 목표를 설정하고 나아가야 함.
주장 2	역할 부담 최소화 및 참여 장려
이유	책임을 분산하면 참여에 대한 부담감을 낮출 수 있어 적극적 참여 장려가 가능함.

[인성적 자질]

주장 1	협력의 자질
설명	심리적으로 편안한 분위기 조성, 작은 성과 함께 공유 및 정례화
효과	장기적으로 협업 문화가 활성화 될 수 있음.
주장 2	소통의 자질
설명	서로의 어려움을 이해하고 프로젝트에 대한 부담을 낮추는 것이 중요함.
예시	익명 설문을 통한 부담 없는 소통 및 별도 개별 피드백 시간을 마련함.

2025 **평가원** 중등 교과

▶ 구상형 1

다음 제시문의 상황에서 민수와 학급 학생들의 문제점을 1가지씩 말하고 이에 대한 지도 방안을 1가지씩 제시하시오.

> 민수는 학교에 오기 싫으면 늦게 학교에 온다. 1교시에 오나 6교시에 오나 지각 처리가 똑같다는 것을 알게 되어서 점점 더 늦게 등교하게 되었다. 이러한 민수의 행동을 보고 학급에서 지각을 하는 학생들이 점차 늘어나기 시작했다.

1. 문제 유형 파악하기
제시문에서 문제가 될만한 부분을 파악하여 그에 대한 적절한 지도 방안을 답하는 문제입니다. 이러한 유형은 문제점의 근거가 제시문과 밀접하게 관련되어 있어야 하며 실제로 지도 방안이 해당 문제를 해결해 줄 수 있는지가 중요한 채점 포인트가 됩니다.

2. 발문 해석하기

다음 제시문의 상황에서 민수와 학급 학생들의 문제점을 1가지씩 말하고 이에 대한 지도 방안을 1가지씩 제시하시오.	
답변 가짓수(4)	민수의 문제점(1), 학급 학생들의 문제점(1), 민수 지도(1), 학급 학생들 지도(1)
주의사항	가짓수를 정확히 맞추고 지도 방안이 문제점과 연결성이 잘 드러나야 한다.

3. 문제 분석하기

> 민수는 학교에 오기 싫으면 늦게 학교에 온다. 1교시에 오나 6교시에 오나 지각 처리가 똑같다는 것을 알게 되어서 점점 더 늦게 등교하게 되었다. 이러한 민수의 행동을 보고 학급에서 지각을 하는 학생들이 점차 늘어나기 시작했다.

문제라고 생각되는 부분에 밑줄을 치면서 문제점을 하나의 문장으로 종합하고 알맞은 해결 방안을 생각해본다.
①-1 '지각 처리 제도 악용' / 민수 : **지각의 심각성을 인지하지 못하고 반복적으로 지각**
①-2 **민수와 개별 상담 진행**
②-1 '민수를 따라서 점점 지각이 늘어남' / 학생들 : **민수의 행동을 부정적인 모델링으로 활용**
②-2 **학급 차원의 정시 등교 캠페인 운영**

4. 답안 개요짜기

[민수의 문제점과 해결 방안]

주장 1	지각의 심각성을 인지하지 못하고 반복적 지각	
	근거	1교시에 오나 6교시에 오나 동일하다는 제도적 허점을 이용하여 점점 더 늦게 등교함.
	인과	이로 인해 규칙에 대한 무감각과 책임감 결여가 발생할 수 있음.
주장 2	민수와 개별 상담 진행	
	예시	학교에 대한 인식, 가정 환경 문제, 스트레스 요인 등을 파악하기 위한 설문 및 담화 진행
	부연	규칙 준수의 중요성 강조 및 개선을 위한 목표 설정을 도움.

[학생들의 문제점과 해결 방안]

주장 1	민수의 행동을 부정적인 모델링으로 활용	
	근거	민수의 행동을 보고 따라하는 학생들이 점점 늘어남.
	인과	다수의 학생들이 민수와 같은 행동을 당연하게 여기게 됨.
주장 2	정시 등교 캠페인 운영	
	예시	학생들을 칭찬하고 격려함. 정시 등교를 원하는 학생들을 대상으로 생활 습관 관리 상담 진행
	부연	학급 전체의 규칙 준수 의지와 건강한 학급 문화 형성

구상형 2

제시문의 학생들이 겪는 어려움에 따른 수업 설계 방안 1가지와 전문성을 신장하기 위한 노력 방안 1가지를 제시하시오.

> 학생 1 : 선생님은 쉽다고 하시지만 수업이 너무 어려워요.
> 학생 2 : 어떤 것을 중점으로 공부해야 높은 점수가 나오는지 모르겠어요.

1. 문제 유형 파악하기
제시문에 등장한 각 학생들의 어려움을 종합하여 한 가지 방안을 도출해내야 하는 문제입니다. 또한, 전문성을 신장하기 위한 노력을 통해 결국 제시문 속 학생들이 겪는 어려움에 실질적으로 도움이 되는가에 주목할 필요가 있습니다.

2. 발문 해석하기

제시문의 학생들이 겪는 어려움에 따른 수업 설계 방안 1가지와 전문성을 신장하기 위한 노력 방안 1가지를 제시하시오.	
답변 가짓수(2)	수업 설계 방안(1), 전문성 신장 노력 방안(1)
주의사항	전문성 신장을 위한 노력이 결국 제시한 수업 설계 방안과 관련이 있어야 함.

3. 문제 분석하기

> 학생 1 : 선생님은 쉽다고 하시지만 수업이 너무 어려워요.
> 학생 2 : 어떤 것을 중점으로 공부해야 높은 점수가 나오는지 모르겠어요.

학생들이 겪는 어려움을 하나로 종합하여 적절한 수업 설계 방안을 도출해야 한다.
① '수업이 너무 어렵다' + '어떤 것이 중요한지 모른다'
　→ 학생의 수준에 적합하지 않은 수업
　→ 설계방안 : **개별 맞춤형 수업 설계**

맞춤형 수업 설계와 관련된 전문성을 기르기 위해 노력해야할 점을 생각해야 한다.
② **전문적 학습 공동체에 적극 참여**
　→ 맞춤형 수업 관련 우수 사례 공유 및 실천　＊노력을 설계 방안과 연결지어 주자.

4. 답안 개요짜기

[수업 설계 방안]

주장 1	개별 맞춤형 수업 설계
근거	수업에 어려움을 느끼고 중요한 것이 무엇인지 파악하지 못함.
예시	핵심 개념 정리 자료(어려워하는 학생용), 학습 중간 점검 퀴즈(학습의 방향성 점검용)
효과	학습 효과 극대화, 학습 목표 도달률 향상

[전문성 신장을 위한 노력 방안]

주장 1	전문적 학습 공동체에 적극 참여
이유	혼자서는 더 좋은 맞춤형 수업을 만드는 데 한계가 있음.
예시	우수 수업 사례를 매주 연구하고 수업 적용 방안을 논의 에듀테크와 같은 최신 사례도 적극적으로 활용
효과	학생 맞춤형 수업 관련 효율적이고 체계적인 전문성 함양 가능

구상형 3

두 교사 중 자신의 생각과 비슷한 교사의 입장을 선택하고 그 이유를 제시하시오. 또한, 학교와 지역 사회가 서로 협력한 사례가 있다면 1가지 말하시오.

> A 교사 : 학교의 계획 수립과 운영은 교내 구성원이 정하고, 지역 사회의 자원을 활용해서 교육 활동에 도움이 되도록 해야 해요.
>
> B 교사 : 학교의 계획 수립과 운영은 교내 구성원뿐만 아니라 지역 사회 인사들도 함께 참여시키고, 학교의 자원을 지역 사회에 제공해야 해요.

1. 문제 유형 파악하기

둘 중 하나를 선택하는 문제이다. 평가원 지역에서 구상형 3번으로 그리고 즉답형으로 자주 출제되는 유형이다. 선택에 정답이 있다고 생각하기보다 내가 선택한 것에 대한 적절한 '근거'와 이어지는 물음과의 일관성이 중요하다는 것을 기억해야 한다.

2. 발문 해석하기

두 교사 중 자신의 생각과 비슷한 교사의 입장을 선택하고 그 이유를 제시하시오. 또한, 학교와 지역 사회가 서로 협력한 사례가 있다면 1가지 말하시오.

답변 가짓수(2)	비슷한 입장 선택 및 이유 제시(1), 학교와 지역의 협력 사례(1)
주의사항	선택에 대한 이유가 적절해야 하며 사례는 협력이 잘 드러나야 함.

3. 문제 분석하기

A 교사 : 학교의 계획 수립과 운영은 교내 구성원이 정하고, 지역 사회의 자원을 활용해서 교육 활동에 도움이 되도록 해야 해요.

B 교사 : 학교의 계획 수립과 운영은 교내 구성원뿐만 아니라 지역 사회 인사들도 함께 참여시키고, 학교의 자원을 지역 사회에 제공해야 해요.

A 교사 선택 시 이유를 논리적으로 이야기하는 것이 중요하다.
① '교내 구성원이 운영 주도' + '지역의 자원을 적절히 활용'
   → 교육 전문가 중심의 결정은 더 효율적이고 효과적인 운영을 이끌어낼 수 있음.

B 교사 선택 시 이유를 논리적으로 이야기하는 것이 중요하다.
① '지역사회 인사도 운영 참여' + '학교 자원을 적절히 제공'
   → 다양한 분야의 전문가들의 역량이 합쳐지면 풍부하고 현실적인 학습 경험 제공 가능

협력 사례를 떠올릴 때 해당 사례가 학교와 지역의 협력이 잘 드러나도록 보충가능해야 한다.
① **지역 봉사 활동 프로그램 운영**

4. 답안 개요짜기

[B 교사 선택 및 이유]

주장 1	교사의 전문성은 다른 분야의 전문성과 결합되었을 때 더 큰 힘을 발휘함.
부연	지역 사회 인사들은 학교가 놓치기 쉬운 사회적 요구와 변화에 대한 통찰을 지님. 학교가 단순히 교육기관을 넘어 배움을 실천할 수 있는 사회 발전의 경험을 제공할 수 있는 기관이 될 수 있음.
효과	학교와 지역의 상호 발전을 도모할 수 있음.

[협력 사례]

주장 1	지역 봉사 활동 프로그램 운영
부연	학생들이 지역 사회에서 봉사 활동을 하며 지역 주민들과 교류하는 시간을 가짐.
예시	지역 복지관과 협력하여 자신의 재능을 발휘할 수 있는 봉사를 선택하여 실시

▶ 즉답형

> A 교사는 책임감을 갖고 행정 업무를 성실히 수행하는 교사이다. 하지만 이제는 학생 지도 업무를 맡으며 교직 생활의 초심을 찾아가고 싶다. 하지만 동료 교사들은 행정 업무에 공백이 생길 것을 우려해 이전의 행정 업무를 그대로 맡아 달라고 요청했다.

1-1. 내가 A 교사라면 다음 상황에서 어떻게 행동할 것인지 말하고, 그 이유를 제시하시오.

1-2. 내가 업무 분장을 하는 교사라면, A 교사에게 기존 업무를 맡길 것인지 말하시오.

1. 문제 유형 파악하기
즉답형은 주로 문제 상황에서 나의 생각과 태도를 묻는 문제가 출제되고 있다. 따라서 나의 입장을 분명하게 정하고 그에 대한 논리적인 이유를 만드는 것이 중요하다. 답이 정해져 있지 않은 경우가 많으므로 항상 문제와의 연결성, 논리성을 가장 중요하게 생각하자.

2. 발문 해석하기

1-1 내가 A 교사라면 다음 상황에서 어떻게 행동할 것인지 말하고, 그 이유를 제시하시오.	
1-2 내가 업무 분장을 하는 교사라면, A에게 기존 업무를 맡길 것인지 말하시오.	
답변 가짓수(2)	A 교사로서 행동과 이유(1), 업무를 맡길 것인지 유무(1)
주의사항	행동의 이유와 업무 배정의 이유가 논리적인 것이 중요하다.

3. 문제 분석하기

> A 교사는 책임감을 갖고 행정 업무를 성실히 수행하는 교사이다. 하지만 이제는 학생 지도 업무를 맡으며 교직 생활의 초심을 찾아가고 싶다. 하지만 동료 교사들은 행정 업무에 공백이 생길 것을 우려해 이전의 행정 업무를 그대로 맡아 달라고 요청했다.

A 교사로서 행동은 정답이 없다. 다만, 이유를 적절히 제시하는 것이 중요하다.
① **기존의 행정 업무 대신 학생 지도 업무를 맡겠다고 요청**
  이유 : 교사로서 **교육적 성장을 도모하는 자발적 의지**가 중요하다고 생각함.

업무 분장 교사로서 업무를 맡기는지 유무가 중요한 것이 아니다. 다만, 내가 위에서 학생 지도 업무를 이야기하였으니 논리적 일관성을 위해 어떤 답을 하는 것이 좋을지 고려해보자.
② **A 교사에게 기존 업무를 맡기지 않음.**
  이유 : 업무 분장에서 자발적인 의지가 가장 중요하다고 생각함.
  *맡기지 않을 수도 있지만 맡기는 것이 나의 가치관의 일관성을 보여주는 답이다.

4. 답안 개요짜기
[A 교사로서 행동 및 이유]

주장 1	기존의 행정 업무 대신 학생 지도 업무를 맡겠다고 요청
이유	교육적 성장을 위해서는 자발적 의지가 존중되어야 함. 행정 업무 경험과 학생 지도 역량이 조화를 이루어야 한 걸음 더 성장할 수 있다고 생각함.
부연	기존 업무의 공백은 기존 업무에 대한 매뉴얼 작성으로 최소화할 수 있음.

[업무를 맡길지 유무]

주장 1	A 교사에게 기존 업무를 맡기지 않음.
이유	업무분장에서 자발적인 의지가 가장 중요한 요소라고 생각함. A 교사의 희망 업무를 행정 공백이란 이유로 기회를 제공하지 않는다면 A 교사의 업무에 대한 동기와 열정이 떨어질 수 있음.
부연	업무의 공백은 협력 체계를 통해 충분히 최소화 할 수 있음.

2025 평가원 중등 비교과

▶ **구상형 1**

다음 제시문을 읽고 학생들이 겪고 있는 어려움을 각각 1가지씩 말하고, 이에 대해 교사로서 지원할 수 있는 학생 지도 방안을 각각 1가지씩 제시하시오.

> A : 저는 뭐가 되고 싶은지 고민해 본 적이 없어요. 미래를 생각하면 답답하고 막막해요.
> B : 저는 진로가 딱히 없어요. 그래서 부모님께서 하라는 진로로 나가려고요.
> C : 저는 누군가를 도와주는 데 적성이 있는 것 같아요. 그런데 관련 직업이 뭐가 있는지 찾아보는 게 귀찮아요.

1. 문제 유형 파악하기
제시문에서 어려움을 찾고 적절한 지도방안을 제시하는 문제이다. 각각의 어려움을 제시하는 것이기 때문에 겹치지 않도록 하나씩 문제점을 답하는 것이 중요하다. 또한, 지도 방안은 실질적으로 어려움을 해결해줄 수 있는지가 중요 채점 포인트이다.

2. 발문 해석하기

다음 제시문을 읽고 학생들이 겪고 있는 어려움을 각각 1가지씩 말하고, 이에 대해 교사로서 지원할 수 있는 학생 지도 방안을 각각 1가지씩 제시하시오.	
답변 가짓수(6)	각각의 겪고 있는 어려움(3), 학생 지도 방안(3)
주의사항	지도 방안이 지나치게 추상적이지 않아야 한다.

3. 문제 분석하기

A : 저는 뭐가 되고 싶은지 고민해 본 적이 없어요. 미래를 생각하면 답답하고 막막해요.
B : 저는 진로가 딱히 없어요. 그래서 부모님께서 하라는 진로로 나가려고요.
C : 저는 누군가를 도와주는 데 적성이 있는 것 같아요. 그런데 관련 직업이 뭐가 있는지 찾아보는 게 귀찮아요.

문제점을 단순히 제시문을 그대로 읽지 않도록 주의하자. 또한, 제시하는 지도 방안이 실질적으로 어려움을 해결해 줄 수 있는지를 고민해야 한다.
①-1 '뭐가 되고 싶은지 고민X' + '미래를 생각하면 답답' → **자기 이해 부족**
①-2 **다중지능카드 및 성격검사를 활용한 자기 이해 활동 상담 실시**
②-1 '진로가 없음' + '부모님이 하란대로 함' → **능동적이지 못한 의사결정**
②-2 **학부모, 학생과 함께 대면 상담 실시**
③-1 '적성을 알고 있음' + '귀찮음' → **정보 부족 및 탐색 과정의 어려움**
③-2 **사회 공헌 관련 진로 체험관 안내 및 체험 기회 제공**

4. 답안 개요짜기

[어려움과 지도 방안]

주장1	자기 이해 부족
근거	뭐가 되고 싶은지 모르고 미래를 답답하게 생각함.
주장2	다중지능카드 및 성격검사를 활용한 자기 이해 활동 상담 실시
근거	자신의 흥미, 성향, 강점, 단점 등을 명확히 이해할 수 있는 계기 제공

주장1	능동적이지 못한 의사결정
근거	본인이 희망하는 진로가 없고 부모님이 시키는 진로를 따라감.
주장2	학부모, 학생과 함께 대면 상담 실시
이유	학생의 주체성이 반영된 진로 탐색이 중요성 자각 필요
예시	개인 상담을 통해 학생의 내면을 면밀히 파악하고 이를 바탕으로 전체 대면 상담 실시

주장1	정보 부족 및 탐색 과정의 어려움.
근거	본인의 적성에 대해 알고 있으나 관련 진로 탐색을 귀찮아함.
주장2	사회 공헌 관련 진로 체험관 안내 및 체험 기회 제공
예시	진로 박람회, 진로직업 체험관 등과 관련된 팸플렛 제공 및 참여 독려
효과	관심 분야를 실제로 체험하면서 다양한 직업적 가능성을 느낄 수 있음.

▶ 구상형 2

최근 가짜 뉴스에 속는 사람이 많고, 학생들의 SNS 허위 사실 유포 등 다양한 문제가 발생하고 있다. 이에 대한 학생 지도 방안 1가지와 이와 관련된 전문성 신장을 위해 교사로서 노력할 방안을 1가지 말하시오.

1. 문제 유형 파악하기

제시문이 없는 유형이다. 제시문이 없을 때는 문제 자체에 힌트가 녹아있는 경우가 많기 때문에 문제를 더욱 자세히 분석할 필요가 있다. 또한, 전문성 신장을 위한 노력 방안이 추상적이고 일반적인 답안이 되지 않고 실제로 학생 지도 관련 전문성을 키워줄 수 있다는 것을 보여주는 것이 중요하다.

2. 발문 해석하기

> 최근 가짜 뉴스에 속는 사람이 많고, 학생들의 SNS 허위 사실 유포 등 다양한 문제가 발생하고 있다. 이에 대한 학생 지도 방안 1가지와 이와 관련된 전문성 신장을 위해 교사로서 노력할 방안을 1가지 말하시오.

답변 가짓수(2)	학생 지도 방안(1), 전문성 신장 노력 방안(1)
주의사항	전문성 신장을 위한 노력이 결국 먼저 제시한 지도 방안과 관련이 있어야 함.

3. 문제 분석하기

> 최근 가짜 뉴스에 속는 사람이 많고, 학생들의 SNS 허위 사실 유포 등 다양한 문제가 발생하고 있다. 이에 대한 학생 지도 방안 1가지와 이와 관련된 전문성 신장을 위해 교사로서 노력할 방안을 1가지 말하시오.

학생 지도 방안이 실질적으로 가짜뉴스, 허위 사실 유포 등의 문제를 해결해줄 수 있어야 한다.
① '가짜 뉴스 판별 능력 필요' + '허위 사실 판별 능력 필요'
  → 디지털 리터러시 교육 실시

전문성 신장 방안은 늘 이전에 제시한 지도 방안을 정말로 신장시킬 수 있는지를 가장 먼저 고려해야 한다.
② 교사 연수 참여 및 교사 네트워크 형성
  → 디지털 리터러시 관련 연수 이수 및 관심사가 유사한 분들과 네트워킹
  *노력을 설계 방안과 연결지어 주자.

4. 답안 개요짜기

[지도 방안]

주장 1	디지털 리터러시 교육 실시
근거	정보를 비판적으로 이해하고 주체적으로 긍정적으로 향유할 수 있는 능력이 필요함.
예시	팩트 체크 프로젝트 수업 진행. 정보의 신뢰성을 확보할 수 있는 방법을 연구 및 우리 주변의 다양한 정보의 진위 여부를 판별하는 수업 실시
효과	생활에서 디지털 리터러시 역량이 적극 발휘될 수 있음.

[전문성 신장을 위한 노력 방안]

주장 1	교사 연수 참여 및 교사 네트워크 형성
이유	디지털 리터러시의 내용이 방대하기 때문에 관련 연수에 참여하여 전문 지식을 선별하여 습득하고 체화하는 것이 중요함.
예시	오프라인 연수 및 온라인 연수 참가 교사들 중 디지털 리터러시 교육에 관심이 있는 분들과 함께 교사 네트워크를 구축함. 연수내용 적용 사례 공유 및 공동 자료 제작 가능
효과	혼자서 이루기 힘든 부분까지 효과적으로 전문성을 신장시킬 수 있음.

기출문제는 모든 시험의 나침반입니다.
STEP 3에서는 이전에 출제가 되었던 문제들을 살펴보며 임용 면접의 경향을 파악해야 합니다.
앞으로 완벽하게 동일한 문제가 출제되지 않더라도 기출문제를 분석하고 끊임없이 연습해야만 합니다.
기출문제를 먼저 보신 뒤에 실전 모의고사를 보시기 바랍니다.

STEP
03
Recipe

평가원 기출문제 연습하기

CHAPTER 1. 초등(2025~2018)
CHAPTER 2. 중등 교과(2025~2018)
CHAPTER 3. 중등 비교과(2025~2018)

초등(2025-2018)

2025 평가원 초등

▶ 구상형

[장면 1]
김 교사가 디지털 기기를 활용해서 학생들이 토의를 통해 문제 해결 방법을 찾는 모둠 활동을 진행하였다.

가영 : 그냥 인터넷에 있는 거 복사해서 붙여 넣어도 되겠지?
나영 : 우리가 필요한 기사가 여기 다 있네. 모두 쓰는 게 좋겠다.
다영 : 음… 이건 발표 자료에 넣기 딱이다. 그대로 복사 해둘게.
라영 : 다른 사람들이 만들어 놓은 것을 그대로 쓰기만하면 되니까 너무 편하다.

김 교사가 찾은 방법을 바탕으로 발표 자료를 만들자고 하였다.

가영 : 내가 프레젠테이션을 다룰 수 있으니 내가 PPT를 만들게. 나영이는 태블릿으로 자료를 좀 더 모아줘. 그리고 다영이는 태블릿으로 정리해줘.
다영 : 나는 태블릿을 잘 못 쓰는데…
라영 : (역할이 별도로 없어서 가만히 있다.)

[장면 2]
김　　교사 : 이번 디지털 기기를 활용한 수업이 잘 진행되지 않았던 것 같습니다.
부장교사 : 어떤 점에서 그랬나요?
김　　교사 : 학생들이 디지털 기기를 활용할 때 주의해야 할 점을 잘 알지 못했고, 디지털 기기 사용 능력도 저마다 달랐습니다.
부장교사 : 김 교사님의 경험을 바탕으로 우리 학교에서 학교 교육과정 차원에서 프로그램을 실시하는 것이 좋겠네요.

[장면 1]에 나타난 김 교사 수업의 문제점 2가지와 이에 대한 개선 방안을 각각 1가지씩 말하시오.

[장면 2]의 대화에 근거하여 학교 교육과정 차원에서 실시할 수 있는 프로그램 1가지를 제안하시오.

▶ 즉답형 1

다음 상황에서 교사 소진 현상을 2가지 말하고 이때 필요한 태도 2가지를 말하시오.

> 신규교사 김 교사는 교사로서 책임감을 갖고 열심히 지도 방법을 연구하고 자기개발을 꾸준히 하여 지도에 대한 전문성을 높여왔다. 하지만 열심히 해도 학생들은 여전히 수업을 열심히 안 듣는 것 같고 한두 달 상담을 해봤는데도 효과가 없는 것 같다. 김 교사는 수업이 눈에 띄는 효과가 안 보이는 것을 학생 탓으로 돌리고 싶다. 김 교사는 점점 우울해져 다른 교사들과 이야기하지 않고 혼자 있고 싶어 한다. 감정적으로 소진한 김 교사는 점차 학교로 가는 발걸음이 무겁게 느껴진다.

▶ 즉답형 2

다음 상황에서 요구되는 리더십 행동 2가지와 인성적 자질 2가지를 말하시오.

> 윤 교사는 인문독서교육 프로젝트 업무를 맡게 되어 교육적 가치를 살리기 위해 적극적으로 아이디어를 구상하고 실행 계획을 세우는 등 의욕적으로 활동하고 있다. 업무 협의를 위해 동학년 교사들에게 회의 참여를 요청했지만, 대부분의 교사들은 "바빠서 시간이 안 된다", "그건 맡은 사람이 알아서 하는 거 아니냐."는 반응을 보이며 적극적으로 참여하지 않았다. 윤 교사는 부장교사와만 의견을 나누며 업무를 진행하고 있는 상황이다. 윤 교사는 이 업무를 교육적으로 의미 있게 만들고 싶지만, 교내 협력이 원활하지 않아 어려움을 느끼고 있다.

2024 평가원 초등

▶ **구상형**

제시문을 읽고 [상황 1]에서 문제 행동을 보이는 준하의 지도를 어려워하는 김 교사가 학교에서 활용할 수 있는 지원 방안 2가지를 구체적으로 설명하고, [상황 2]에서 준하의 원만한 학교생활을 위해 담임교사로서 학부모에게 요청할 수 있는 협조사항 2가지와 그 이유를 함께 제시하시오.

다음은 문제 행동을 보이는 준하의 지도에 어려움을 겪고 있는 김 교사가 부장 교사 권 교사와 준하의 학부모와 이야기를 나눈 상황이다.

[상황 1] 김 교사와 부장교사 권 교사의 대화

김 교사 : 저희 학급에 저를 정말 힘들게 하는 학생 한 명이 있어서 어려움이 있네요.

권 교사 : 무엇 때문에 힘든지 알 수 있을까요?

김 교사 : 수업시간에 집중하는 것을 어려워하고 자리에서 자주 일어나 교실을 돌아다녀요.

권 교사 : 수업을 진행하는 것이 많이 어려웠겠네요. 학생의 또 다른 특징이 있을까요?

김 교사 : 기초학력이 부족해 내용을 이해하는 것을 어려워해요. 평소 무기력한 모습도 자주 보이고… 문제 행동을 지도해도 변화가 없는 것이 힘드네요.

권 교사 : 고생이 많으십니다. 아무래도 어려움을 해결하기 위해 학교에서 지원할 수 있는 방안들을 활용해보면 좋을 것 같아요.

김 교사 : 그렇지 않아도 학교에서 지원할 수 있는 방안을 알아보려 합니다. 감사합니다.

[상황 2] 김 교사와 준하 학부모와의 대화

학부모 : 저희 준하가 학교에서 그런 행동을 보이고 있는 줄 몰랐네요.

김 교사 : 학부모님, 준하가 집에서는 어떤가요?

학부모 : 동생을 때리는 모습을 자주 보여요.

김 교사 : 주말에는 준하가 가족들과 주로 무엇을 하나요?

학부모 : 매일 핸드폰 게임을 하거나 영상을 봐요. 약속한 핸드폰 사용 시간을 넘길 때가 많습니다.

김 교사 : 어머니, 준하를 위해서 가정에서 다음과 같은 사항을 협조해 주셨으면 좋겠습니다.

▶ 즉답형 1

다음 제시문을 읽고 공개 수업에 대해 이 교사가 가져야 할 태도를 3가지 말하시오.

> 이 교사는 공개 수업을 중요하게 생각하지 않는다. 그 이유는 공개 수업에서 평가를 받을 때 다른 교사와의 마찰이 발생할 우려가 있으며, 자신을 평가한다는 것에 대해 기분이 좋지 않기 때문이다. 다른 선생님들이 이 교사에게 공개 수업으로 AI, 에듀테크 등 최신 수업 도구를 배울 수 있어 좋지 않냐고 말을 했지만, 이 교사는 현장에 실질적인 도움이 안 되는 보여주기식 수업 같아 보인다고 답했다.

▶ 즉답형 2

다음 상황에서 최 교사에게 필요한 인성적 자질 3가지와 이유를 말하시오.

> 최 교사는 학부모와의 전화 통화 이후 기분이 좋지 않다. 학부모가 전화를 걸어와 자녀가 물건을 자주 잃어버린다며 불만을 또 털어놓았기 때문이다. 학부모는 이전에 비슷한 이야기를 나눈 적 있지 않냐 물었고 최 교사는 학부모와의 통화 내용을 잘 기억하지 못했다. 다른 학생들은 다 잘하는데 해당 학생만 문제가 있다고 말하며 결론지었고, 최 교사는 학부모가 어떤 말을 할지 이미 가늠되어, 자기 할 말만하고 끊어버렸다. 최 교사는 학부모와의 관계는 서먹해졌지만 이러한 상황을 대수롭지 않게 생각한다.

2023 평가원 초등

구상형

제시문을 읽고 최 교사와 박 교사가 만난 학생들의 문제 행동 유형을 각각 말하고, 각 교사가 해당 학생에게 할 수 있는 개별적 지도 방안을 1가지씩 제시하시오. 그리고 민 교사가 말한 문제 행동 예방을 위한 수업 운영 방안을 구체적으로 1가지 제시하시오.

[고경력교사 민 교사와 신규교사 최 교사와 박 교사의 대화 내용]

민 교사 : 요즘 잘 지내고 있으신가요? 수업은 괜찮게 하고 계신가요?

최 교사 : 수업 준비는 괜찮은데 힘들게 하는 학생이 있어요.

민 교사 : 어떻게 힘들게 하나요?

최 교사 : 수업 중 모든 일을 저에게 해달라고 합니다. 본인이 충분히 할 수 있는 일인데도 저에게 해달라고 해요. 그리고 수업 시간에 계속 수업과 관련 없는 질문을 해서 소란스럽게 해, 제대로 수업을 진행하기가 힘들어요.

민 교사 : 교사의 관심을 일부러 유도해 수업을 방해하는 모습을 보이네요.
박 선생님은 어떠세요?

박 교사 : 저는 오히려 최 선생님과 반대네요. 아예 수업에 참여하지 않는 학생이 있어서 고민입니다.

민 교사 : 어떤 학생인지 조금 더 자세하게 이야기 해주시겠어요?

박 교사 : 수업이라는 것 자체에 아예 흥미를 느끼지 못하고 있는 것 같아요. 평소 성격을 보면 전혀 안 그럴 것 같은데 수업 중에 갑자기 엎드려서 잠을 자고, 발표는 전혀 하지 않아요. 또, 모둠 활동에도 전혀 참여하지 않고 이야기도 안 합니다.

민 교사 : 박 선생님도 많이 힘들었겠어요. 이런 문제를 해결하기 위해서는 문제 행동의 원인을 정확하게 파악하여 개별적으로 지도할 수 있는 방안을 마련하는 것이 중요하다고 생각해요.

최 교사 : 문제 행동을 하는 학생에게는 개별적인 지도 방안이 필요하다는 말씀이군요.

민 교사 : 문제 행동이 일어난 뒤에 개별적으로 지도하는 것도 좋지만 사전에 학생들의 흥미와 주의집중을 시킬 수 있는 방안이 필요합니다. 사전에 문제 행동을 예방할 수 있도록 적절한 수업 운영 방안을 잘 마련하는 것이 중요할 것 같네요.

▶ 즉답형 1

다음 제시문을 읽고 전문적학습공동체를 활성화하기 위한 측면에서 김 교사가 가져야 할 태도 3가지와 그 이유를 말하시오.

> 신규교사인 김 교사는 매일 바쁘고 정신없게 하루를 보내고 있다. 작년부터 시작했던 취미 생활에 흥미가 생겨 취미 생활을 학교 일보다 더 열심히 하고 싶은 마음이다. 그런 와중 동료 선생님들로부터 4차 산업혁명에 대비해 미래교육을 준비하자며 전문적학습공동체에 참여해 보라는 권유를 받았다. 하지만 김 교사는 전문적학습공동체보다는 행정업무와 학교업무를 잘 하는 것이 우선이라고 생각한다. 이제 학교에 적응하기 시작한 만큼 취미활동에 시간을 투자하고 싶고, 미래교육 준비는 학습공동체보다는 혼자서 독서로 효율적으로 충분히 준비할 수 있을 것 같다.

▶ 즉답형 2

다음 제시문을 읽고 마을 축제를 성공적으로 운영하기 위해 송 교사에게 필요한 인성적 자질 3가지와 그 이유를 말하시오.

> 송 교사는 학교와 지역사회가 함께하는 마을 축제를 기획하는 일을 맡게 되었다. 학생들의 배움의 장을 학교에서 확장시켜 더 많은 배움이 일어나도록 하는 것이 목적이다. 사실 이 업무는 송 교사의 업무는 아니지만 학교 사정으로 송 교사가 어쩔 수 없이 맡게 된 업무이다. 마을 축제의 특성상 일을 추진하다 보면 많은 외부인을 만나야 하는데 송 교사는 낯선 사람과 이야기를 잘 못하는 내향적인 성격이라 부담감이 큰 상황이다. 하지만 자신이 맡게 된 업무인 만큼 축제를 성공적으로 진행하고 싶은 마음도 크다.

2022 평가원 초등

▶ 구상형

다음의 온라인 수업 관련 성찰일지에서 문제점 1가지씩을 찾고, 문제점을 해결하기 위한 구체적인 해결 방안을 각각 2가지씩 말하시오.

[성찰일지 1]

〈학생들의 온라인 댓글 모음〉

- 학생 A : 대면 수업 때는 다양한 활동을 해서 즐거웠는데 온라인 수업은 지루해요.
- 학생 B : 질문하라고 하지만 선생님에게 질문하고 이야기 나눌 시간이 부족해요. 질문하려다가 시간이 다 돼서 수업이 그냥 끝난 경우가 많아요.
- 학생 C : 집에서 엄마와 언니가 과제를 도와준다는데 해도 돼요?
- 학생 D : 친구들이랑 이야기할 시간이 부족해서 아쉽다.

~~~~~~

온라인 학습이 오래되니 이제 슬슬 적응되기 시작했다. 하지만 아직 부족한 점이 많은 것 같다. 아이들이 아직 온라인 수업에서 어려움을 많이 겪고 있는 것 같다. 다양한 활동을 하고 싶고, 학생들의 질문에 대답도 잘 해주고 싶다. 학생의 요구를 반영한 온라인 수업 개선이 필요할 것 같다.

[성찰일지 2]

온라인 수업을 위한 교육자료를 만드는 것이 제일 어려운 것 같다. 내가 혼자서 자료를 제작하고 편집하려니 시간이 많이 걸리고 학교 업무와 병행하는 것이 벅차다. 시간 들여서 열심히 만들어도 다른 선생님들에 비해 많이 부족한 것 같다. 학교에 교육자료 제작에 뛰어난 선생님들이 있지만 그분들도 바빠 보여 선뜻 도와달라 요청하기 어렵다. 계속 이렇게 진행되면 갈수록 수업의 질이 떨어질 것 같아 고민이다.

즉답형 1

다음의 상황을 읽고 김 교사의 문제점과 필요한 태도 2가지를 이유와 함께 제시하시오.

> 김 교사는 가장 선호하는 학년인 3학년 담임을 하게 되었다. 5학년에서 3학년으로 오니 너무 편하고 지도하기 쉽다. 아이들도 너무 좋은 것 같고 공부 잘하는 학생이 많은 것 같다. 생활지도도 쉬워 보이고 기초학력 부진은 걱정하지 않아도 되겠다. 학부모들과 상담해 보니 교육에 관심이 높아 보이고 태도도 좋아서 다행이다. 올해는 문제없이 지나갈 수 있겠다.

즉답형 2

다음 상황을 읽고 이 교사에게 필요한 인성적 자질 3가지와 이유를 말하시오.

> 이 교사는 학기 초 학생들이 잘못된 말과 행동하는 것을 자주 목격하였고 이를 바로잡을 필요가 있다고 판단하였다. 그래서 수업 시간, 쉬는 시간 등 학생들이 잘못된 말과 행동을 할 때마다 바로 지적했다. 지도 당시에는 학생들이 잘 따르는 것 같다가도 시간이 조금 지나면 다시 원래대로 돌아와 별로 효과를 보지 못하고 있다. 이 교사는 어떻게 해야 할지 고민에 빠졌나.

2021 평가원 초등

구상형

[상황 1]

교　　사 : 학부모님 안녕하세요. 지수 담임 선생님입니다.

학부모 : 네. 안녕하세요, 선생님. 무슨 일이신가요?

교　　사 : 다름이 아니라 지수가 최근에 원격 수업에 참여하지 않아서요.

학부모 : 그런가요? 저는 지수가 잘하고 있는 줄 알고 있었어요.

교　　사 : 지수와 이야기해 보니 밤늦게까지 스마트폰을 사용하느라 수업에 참여하지 못했다고 합니다.

학부모 : 저는 정말 모르고 있었네요. 죄송합니다.

교　　사 : 그리고 e-학습터에 올린 과제도 자주 빠뜨리더라고요.

학부모 : 저랑 지수 아빠가 일을 하느라 너무 바빠서 신경 쓸 시간이 없었네요. 조금 더 신경 쓰도록 하겠습니다.

[상황 2]

교　　사 : 안녕하세요. 지민이 아버님. 무슨 일이신가요?

학부모 : 안녕하세요, 선생님. 지민이 아버지입니다. 다름이 아니라 이번에 학예회를 온라인으로 진행한다고 하더라고요. 그런데 지민이 말로는 자기는 장기자랑을 1가지만 발표한다고 하던데, 다른 아이들은 2가지씩 장기자랑을 한다고 들었습니다. 저희 지민이도 똑같이 장기자랑을 2가지 할 수 있도록 해주실 수 있나요?

교　　사 : 지민이 아버님, 지난번에 보내드린 가정통신문 혹시 확인해보셨는지요. 한 학생당 최대 2개씩 할 수 있고, 학생이 선택한 만큼 학예회에 참여하게 된다고 미리 공지해드렸습니다. 지민이는 피아노 연주 하나만 한다고 했고, 이에 맞춰서 학예회 일정을 편성했습니다. 이미 학예회 프로그램 시간이 다 정해져서 변경하기 어렵습니다.

학부모 : 우리 지민이가 피아노 연습도 하면서 노래연습도 많이 했어요. 선생님 꼭 부탁드립니다. 학예회 때 노래도 할 수 있게 해주세요.

위 상황은 신규교사가 학부모 상담을 진행하고 있는 모습이다. 학부모와 상담에서 교사가 겪는 어려움을 상황별로 각각 이야기하고, 이러한 어려움에 대한 대처 방안을 이유와 함께 2가지씩 제시하시오.

▶ 즉답형 1

학급 규칙에 대한 두 교사의 입장을 읽고 자신의 입장에 더 가까운 교사를 선택하고 자신의 학생관에 비추어 그 이유를 말하시오. 또한 선택한 교사의 입장에서 학생들이 학급 규칙을 만드는 방법을 3가지 제시하시오.

> 김 교사 : 학급 자치는 학생들에 의해서 이루어져야 합니다. 학생들은 굳이 교사가 도움을 주지 않아도 스스로 규칙을 만들 수 있는 능력을 갖고 있습니다. 학생들끼리 학급 규칙을 만들게 하고 교사가 중간에 끼어들면 안 됩니다.
>
> 최 교사 : 학생들은 아직 미성숙한 존재입니다. 학급 규칙을 처음부터 학생들이 만들고자 하면 어려움을 겪을 것입니다. 교사가 학급 규칙을 어느 정도 만들어서 제시하는 형태로 학급 규칙을 정해야 합니다.

▶ 즉답형 2

아래와 같은 상황에서 신규교사가 가져야 할 인성적 자질 3가지를 이유와 함께 제시하시오.

> **신규교사인 박 교사와 고경력교사인 이 교사가 대화를 나누고 있다.**
>
> 이 교사 : 선생님 이번에 제출하신 평가 계획서를 봤는데요, 수정해야 할 부분이 있습니다. 수행평가 방식도 수정이 필요할 것 같고요.
>
> 박 교사 : 평가 방식을 수정해야 한다고요? 저는 분명 평가 계획 수립 이론과 성취기준에 맞게 평가를 제대로 계획한 것 같은데요.
>
> 이 교사 : 이론이 항상 맞는 것이 아닙니다. 이론과 실전은 다릅니다. 실제 현장의 상황을 반영하여 평가를 계획하고 수업을 준비해야 합니다.
>
> 박 교사 : 이론과 성취기준 토대로 준비한 것이 어떤 잘못이 있는 것인지 잘 모르겠네요.

2020 평가원 초등

구상형

다음 제시문을 읽고 종합의견을 고려하여 A 학생의 학습을 위한 지도 방안 4가지와 그 이유를 각 1가지씩 제시하시오.

[학생 관찰기록]
- A는 타인의 평가에 민감하며 비교하려는 경향이 있다.
- A는 활동 중간에 교사에게 다가와 과제를 제일 잘하지 않았느냐고 칭찬을 해 달라고 한다.
- A는 다른 학생들의 과제 수행 속도를 보려고 기웃거리며, 자신이 친구들보다 빠르지 않으면 자신의 과제를 포기한다.
- A는 공부는 타고난 것이라고 믿고 있다.
- A는 자신이 잘하는 일에만 흥미를 갖는다.
- A는 흥미 있는 것을 하면 성적이 잘 나오지만, 흥미 없는 것은 하지 않기 때문에 성적이 안 나오는 것이라며 자신이 흥미만 가진다면 잘 할 수 있을 것이라고 생각한다.

[종합의견]
A 학생은 실패 회피 경향을 보인다. A 학생은 타인과 비교하는 것에서 벗어나 학생 스스로 기준을 세워 성장하도록 하는 방법이 필요하다.

▶ **즉답형 1**

다음 글을 읽고, 김 교사의 잘못된 자세 2가지와 해결 방안 2가지를 제시하시오.

> 김 교사는 새로운 디지털 교과서 도입에 불만이 있다. 현재의 교과서에 이제 막 적응했는데 또 디지털 교과서로 수업하라니 막막하기만 하다. 김 교사는 '애들은 잘 활용하지도 못하고 어차피 수업 분위기만 흐리겠지. 스마트기기를 애들에게 쥐여주는 것은 고양이에게 생선을 맡기는 격이야. 내가 아무리 수업을 준비해도 학생들은 흥미를 느끼지 못할 거야.'라고 생각했다.

▶ **즉답형 2**

아래 제시문을 읽고 최 교사가 해야 할 사후 조치 2가지와 이를 실천할 때 필요한 인성적 자질 2가지를 제시하시오.

> 최 교사는 자신의 학급 학생인 철수의 눈 근처에 상처를 확인하고, 어떻게 생긴 상처인지 철수에게 물었다. 철수는 아버지에게 맞았다고 대답하였다. 최 교사는 아동학대라는 의심이 들어 곧바로 이를 경찰에 신고하였고, 학생과 학부모가 모두 경찰 조사를 받았다. 그러나 아동학대에 대한 혐의가 없다고 사건이 마무리되었고, 사건이 진행되는 과정에서 학부모는 최 교사가 수사기관에 신고했다는 사실을 알게 되었다. 이 사건으로 최 교사는 당사자들과 관계를 어떻게 풀어가야 하나 걱정하고 있다.

2019 평가원 초등

▶ **구상형**

다음 상황들에서 알 수 있는 김 교사의 문제점과 이를 해결할 수 있는 방안을 1가지씩 말하시오.

[A 상황]
김 교사가 떠들고 있는 학생 두 명을 지적해서 수업에 집중을 하라고 야단을 쳤다. 그랬더니 그 두명의 학생이 "다른 애들도 떠들고 있는데 왜 우리에게만 야단을 치세요?"라고 말을 했다.

[B 상황]
모두가 미션 활동을 하는 수업을 하는 와중에 한 명이 수업 외 행동을 하며 볼펜을 이리저리 크게 돌리면서 장난을 쳤다. 그걸 보고 김 교사가 '저 학생을 본보기 삼아서 이 학급에 경고를 줘야겠다.'라고 생각하며 "야! 너 때문에 지금 너네 모둠이 미션 수행을 못하고 있잖아! 너 때문에 너네 모둠은 오늘 망했어."라고 했다. 그러자 반 전체적인 활동 분위기가 다운되어 오히려 모든 학생들이 활동에 소극적으로 변해버렸다.

[C 상황]
김 교사가 미리 발표 순서를 정하여 모둠 발표 수업을 진행하는데 발표자가 아닌 학생들이 발표자의 발표 내용에 집중하지 않고 수업 외 행동을 하고 떠들었다.

즉답형 1

다음 연수목록표에서 자신이 참여하여 배우고 싶은 연수를 2가지 선택하고, 그 이유와 함께 관련된 교사의 전문성을 2가지 말하시오.

> [연수목록표]
> 1. 스팀교육(STEAM교육)
> 2. 코딩교육(S/W교육)
> 3. 한 달에 책 한 권 읽기 프로그램

즉답형 2

다음 상황에서 박 교사의 대처 방안을 2가지 말하고, 이때 박 교사에게 필요한 인성적 자질을 각각 1가지 말하시오.

> 박 교사는 올해 초임교사이다. 평소처럼 박 교사가 수업을 하는데 동료교사이자 옆 반 교사인 김 교사가 지나가면서 창문으로 박 교사의 수업을 보고서는 후에 찾아와 박 교사에게 "내가 박 교사 잘되라고 알려주는 건데 수업은 이렇게 하는 거다.", "애들 집중시킬 때는 이렇게 하는 거다." 하며 조언을 한껏 해주고 갔다. 이런 김 교사에 대해서 박 교사는 고마워는 하지만 너무 과도하게 간섭을 하는 것 같아서 어떻게 대처해야 할지 고민이다.

2018 평가원 초등

▶ **구상형**

다음 글을 읽고 물음에 답하시오.

[장면 1]

김 교사 : 서희야, 어제 너가 청소 당번인 날인데 왜 청소 안 하고 그냥 집에 갔니? 친구들한테 물어보니까 저번에도 그랬다던데.

서 희 : 어제 엄마가 빨리 집으로 오라고 해서 그랬어요.

김 교사 : 정말이니? 어머니께서 왜 그렇게 말씀하셨을까? 왜 그러신 것 같니?

서 희 : 죄송해요. 선생님, 사실 거짓말이에요. 청소는 하기 싫고 친구들이랑 놀고 싶어서 그랬어요.

[장면 2]

박 교사 : 선생님, 수업 준비는 잘 되고 계신가요?

이 교사 : 제 수업에 문제가 있는 것 같습니다. 지금까지 저는 교과서 내용을 전달하는 수업만 해왔고, 학생들의 흥미, 능력, 적성을 고려한 수업을 하지 못한 것 같습니다.

1-1. [장면 1]에서 학생이 가진 문제 행동 2가지와 교사로서 이를 지도할 때 고려해야 할 점을 말하시오.

1-2. [장면 2]에서 이 교사의 고민을 해결하기 위한 수업 방법 2가지를 말하시오.

▶ **즉답형 1**

다음 글을 읽고 자신이 꿈꾸는 바람직한 학교의 모습을 말하시오. 또, 자신이 A 학교의 교사라면 다음 상황을 어떻게 해결할지 구체적인 실천 방안 2가지를 말하시오.

> 한 다큐멘터리에서 A 학교 교사들의 학교생활 모습을 방영하였다. 교사들은 서로에게 아무런 관심이 없고 자신의 자리에만 틀어박혀서 오직 개인 업무에만 집중하고 있었다.

▶ **즉답형 2**

다음은 김 교사의 교단일기이다. 교단일기를 읽고, 김 교사에게 부족한 인성적 자질 3가지와 그 이유에 대해 말하시오.

> 우리 반 명희는 3월까지만 해도 명랑하고 친구들과도 잘 어울려 놀던 아이였다. 그런데 얼마 전부터 명희의 표정이 어두워지고 점심시간에도 친구들과 어울리지 못하고 혼자 있는 모습이 종종 보였다. 시간이 지나고 5월경 지금도 명희는 우울한 모습으로 자주 혼자 다니곤 하는 모습을 보였다. 김 교사는 무슨 일이 있는 것일까 신경이 쓰였지만, 업무도 바쁘고 할 일이 많아 그런 명희를 그냥 모른 척했다.

중등 교과(2025-2018)

2025 평가원 중등 교과

구상형 1

다음 제시문의 상황에서 민수와 학급 학생들의 문제점을 1가지씩 말하고 이에 대한 지도 방안을 1가지씩 제시하시오.

> 민수는 학교에 오기 싫으면 늦게 학교에 온다. 1교시에 오나 6교시에 오나 지각 처리가 똑같다는 것을 알게 되어서 점점 더 늦게 등교하게 되었다. 이러한 민수의 행동을 보고 학급에서 지각을 하는 학생들이 점차 늘어나기 시작했다.

구상형 2

제시문의 학생들이 겪는 어려움에 따른 수업 설계 방안 1가지와 전문성을 신장하기 위한 노력 방안 1가지를 제시하시오.

구상형 3

두 교사 중 자신의 생각과 비슷한 교사의 입장을 선택하고 그 이유를 제시하시오. 또한, 학교와 지역 사회가 서로 협력한 사례가 있다면 1가지 말하시오.

> A 교사 : 학교의 계획 수립과 운영은 교내 구성원이 정하고, 지역 사회의 자원을 활용해서 교육 활동에 도움이 되도록 해야 해요.
> B 교사 : 학교의 계획 수립과 운영은 교내 구성원뿐만 아니라 지역 사회 인사들도 함께 참여시키고, 학교의 자원을 지역 사회에 제공해야 해요.

▶ 즉답형

다음 제시문을 읽고 면접실에 비치된 **[즉답형 질문지]**의 질문 2가지를 읽고, 각 질문에 순서대로 답하시오.

> A 교사는 책임감을 갖고 행정 업무를 성실히 수행하는 교사이다. 하지만 이제는 학생 지도 업무를 맡으며 교직 생활의 초심을 찾아가고 싶다. 하지만 동료 교사들은 행정 업무에 공백이 생길 것을 우려해 이전의 행정 업무를 그대로 맡아 달라고 요청했다.

1-1. 내가 A 교사라면 다음 상황에서 어떻게 행동할 것인지 말하고, 그 이유를 제시하시오.

1-2. 내가 업무 분장을 하는 교사라면, A에게 기존 업무를 맡길 것인지 말하시오.

2024 평가원 중등 교과

구상형 1

다음은 김 교사의 수업일지이다. 다음 수업일지에서 유추할 수 있는 김 교사의 수업설계 시 문제점 1가지와 문제점에 대한 구체적인 해결 방안 1가지를 원인과 관련지어 말하시오.

> 오늘 수업은 정말 당황스러웠다. 왜냐하면 학생들이 수업에 제대로 집중하지 못했기 때문이다. 수업을 설계할 때 내용으로 준비한 사례가 학생들이 쉽게 경험하지 못하는 내용이었다지만 하품하며 수업시간에 딴짓을 했다. 예전에는 시각자료 없이 말로만 설명해도 충분히 수업을 이끌어나갔지만, 이번에는 그러지 못했다. 추가로 학생들의 주의집중을 위해 여러 가지 활동과 자료를 제시했지만 학생들이 관심이 없어 보였고 흥미를 이끌지 못했다.

구상형 2

학교 현장에서 테크놀로지 활용이 활발하게 이루어지고 있다. 테크놀로지는 장점이 많지만 동시에 테크놀로지 활용 수업에 대한 우려도 커지고 있다. 테크놀로지 활용 수업을 할 때 교사로서 유의점을 1가지 말하고, 이와 관련된 전문성을 신장하기 위한 향후 계획을 1가지 제시하시오.

구상형 3

다음 제시문의 두 교사의 관점 중 자신의 교육관에 부합하는 관점을 선택하고 그 이유를 말하시오. 이를 바탕으로 자신이 실현할 교육활동 1가지를 이야기하시오.

> A 교사 : 진리는 변합니다. 미래 사회는 빠르게 변화하고 불확실해지고 있습니다. 교육은 변화에 능동적으로 대응해야 합니다.
> B 교사 : 진리는 변하지 않습니다. 사회가 변해도 변하지 않는 것들이 존재합니다. 교육은 그런 보편적인 가치를 가르쳐야 합니다.

즉답형

다음 제시문을 읽고 면접실에 비치된 **[즉답형 질문지]**의 질문 2가지를 읽고, 각 질문에 순서대로 답하시오.

> 지민이는 평소에 성실하고 수업에 적극적으로 참여하는 학생이다. 하지만 지민이가 이번 모둠별 수행평가에 참여하지 않고 있는 것을 발견했다. 교사로서 수행평가에 참여하도록 개입해서 독려할지 평가임을 고려하여 개입하지 않고 그대로 둬야 할지 고민이 되는 상황이다.

1-1. 자신이 생각하는 교사의 역할을 말하고, 제시문 속 상황에서 어떻게 행동할 것인지 말하시오.

1-2. 위와 같이 행동했을 때 유의점을 2가지 말하시오.

2023 평가원 중등 교과

구상형 1

코로나19 이후 온라인 수업이 활성화되며 메타버스를 활용한 가상교실이 운영되고 있다. 다음 제시문의 학생 설문 결과를 읽고 메타버스 활용 수업에서 발생한 문제점 3가지를 학생별로 찾고, 이를 해결할 수 있는 방안을 3가지 말하시오.

> Q. 메타버스 활용 수업에 대한 의견을 이야기해 주세요.
>
> 학생 A : 메타버스 사용방법을 잘 모르겠어요. 들어가는 것도 어려웠어요. 저번에는 수업 중간에 갑자기 로그아웃 되었어요.
>
> 학생 B : 메타버스를 쓰니까 재밌고 흥미롭긴 해요. 근데 화면 구성이 복잡하고 혼란스러워서 뭘 배웠는지 모르겠어요.
>
> 학생 C : 메타버스가 신기하긴 했는데, 평소에 교실 수업에서 똑같이 하던 퀴즈 평가만 진행돼서 식상해요.

구상형 2

교사가 가능한 모든 학생을 칭찬해야 하는 이유를 교사의 사명과 관련지어 2가지 말하시오. 또한 제시문을 읽고 교사로서 A 학생을 칭찬하기 위한 노력 방안을 구체적으로 2가지 말하시오.

> 교사는 잘하는 학생뿐만 아니라 모든 학생에게 칭찬을 해야 한다고 배웠지만, 모든 학생을 칭찬하는 것이 현실적으로 쉽지 않다. 이번에 A 학생이 전학을 왔는데, 특별히 잘하는 것이 없어 보인다. 그렇다고 해서 A가 규칙을 어기거나 문제 행동을 일으키는 것은 아니다. 아무래도 A가 시간이 지나도 점점 발전하거나 성장하는 느낌도 없다 보니 어떤 칭찬을 해야 할지 모르겠다.

▶ 구상형 3

다음 제시문의 교사 중 자신의 교육적 가치관과 일치하는 교사를 선택하고 이유를 말하시오. 또한, 이를 바탕으로 자신이 실현할 교사상에 대해 이야기하시오.

> A 교사 : 학생의 성취는 사회경제적 배경에 따라서 결정된다고 생각합니다. 따라서 배경에 따른 격차를 없앨 수 있도록 이를 지원하는 것이 중요하다고 생각합니다.
> B 교사 : 학생의 성취는 개인의 재능과 노력에 따라 결정된다고 생각합니다. 따라서 학생이 잠재력과 재능을 발전시키고 개발하도록 지원하는 것이 중요하다고 생각합니다.

▶ 즉답형

다음 제시문을 읽고 면접실에 비치된 [즉답형 질문지]의 질문 3가지를 읽고, 각 질문에 순서대로 답하시오.

> A 교사와 B 교사는 평소 친밀한 사이였다. 최근 학교가 탄소중립 중점학교로 지정되면서 탄소저감 사업 활동에 대한 의견 차이로 갈등이 생겨 관계가 나빠진 상황이다. A 교사는 학생 참여 중심의 이벤트 수업으로 진행하자 주장하고, B 교사는 모든 교과와 연계하여 교과수업으로 진행하자 주장하고 있다. A 교사는 자신의 방식이 더 효율적이라고 생각해서 이번에는 꼭 자신의 의견대로 추진하고 싶은데 어떻게 이야기해야 할까 고민하고 있다.

1-1. 제시문 속 상황에서 내가 A 교사라면 어떻게 행동할 것인지 답하시오.

1-2. 위에서 한 답변대로 행동했을 때 유의할 점을 답하시오.

1-3. 내가 A, B 교사를 중재해야 하는 제3자의 입장이라면 어떻게 중재할 것인지 답하시오.

2022 평가원 중등 교과

▶ 구상형 1

제시문 속 각 학생이 가지는 동기적 특성을 1가지씩 말하고 각 학생들에게 적절한 과제를 하나씩 제시하시오.

> 첫 수업에서 교사가 '이번 학기에 수업을 통해서 무엇을 얻고 싶은지'에 대해 물었고, 학생들은 다음과 같이 대답하였다.
>
> 학생 A : 제가 열심히 노력해서 좋아하는 과목 점수도 올리고 싶고 자신감도 갖고 싶어요.
> 학생 B : 저는 선생님이 정해주는 과제보다 제가 관심 있는 과제를 직접 정하고 싶어요.
> 학생 C : 저는 많은 친구들과 함께 공부할 때 좋아요. 혼자 하면 재미가 없어요.

▶ 구상형 2

코로나19 장기화로 인해 학습 결손이 커지고 기초학력이 부진한 학생들이 늘어나고 있다. 기초학력이 부족한 학생을 지도할 때 교사에게 필요한 인성적 자질과 전문적 자질을 각각 1가지씩 제시하고, 그러한 자질을 기르기 위해 앞으로 어떤 노력을 할 것인지 구체적인 방안을 1가지씩 이야기하시오.

▶ 구상형 3

교사의 SNS 활동에 대한 두 교사의 대화를 읽고 자신의 가치관에 비추어 선호하는 교사의 입장을 선택하고 그 이유를 1가지 말하시오. 선택한 입장이 학교 조직문화에 끼칠 영향을 고려하여 유의점을 1가지 말하시오.

> A 교사 : 법이 허용하는 범위 내에서 교사가 SNS를 하는 것은 개인의 자유입니다. SNS 활동하는 것이 제약을 받아서는 안 된다고 생각합니다.
> B 교사 : 교육활동과 관계없는 지나친 SNS 활동은 통제해야 한다고 생각합니다. 교사 품위 차원에서 바람직하지 않다고 생각합니다.

▶ 즉답형

다음 제시문을 읽고 면접실에 비치된 **[즉답형 질문지]**의 질문 3가지를 읽고, 각 질문에 순서대로 답하시오.

> Q. 학생을 얼마나 신뢰해야 할까요?
>
> A 교사 : 무조건으로 교사는 학생을 신뢰해야 합니다.
>
> B 교사 : 교사가 무조건으로 학생을 신뢰하는 것은 비교육적일 수 있습니다.

1-1. 두 교사 중 자신이 선호하는 교사를 선택하고 그 이유를 말하시오.

1-2. 자신이 선택한 교사의 입장에서 유의해야 할 점을 말하시오.

1-3. 학생과 바람직한 신뢰 관계를 형성하기 위한 방안을 제시하시오.

2021 평가원 중등 교과

▶ 구상형 1

다음 제시문를 읽고 학생들이 겪고 있는 어려움을 각각 하나씩 제시하고, 담임교사라면 어떻게 해결할지 각각 하나씩 제시하시오.

> 민수 : A 과목이 흥미가 있는데, 인원수가 적어서 내신 성적이 안 나올 것 같아요.
> 수지 : 진로를 생각하면 B 과목을 들어야 하는데, 암기할 것이 많아서 망설여져요.

▶ 구상형 2

다음은 최 교사의 교직일기이다. 최 교사가 가진 자질 2가지를 설명하고 앞으로 교사가 된다면 그러한 자질을 함양하기 위한 노력을 각각 설명하시오.

> 선우는 의기소침하고 매사에 소극적인 학생이다. 선우를 관찰하다가 학교 음악회에 참여해 볼 것을 권유했다. 그랬더니 선우가 적극적으로 참여하고 긍정적으로 인간관계를 가지는 것 같다. 선우에 대해 관찰하고 고민했던 부분이 틀리지 않았다는 생각에 뿌듯하다. 그런데 한편으로 너무 선우에게만 집중하고 있는 것은 아닌지, 다른 학생들을 놓치는 건 아닌지 걱정되기도 한다.

▶ 구상형 3

제시문의 세 교사 중 본인의 교사상에 근거하여 가장 중요하다고 생각하는 가치가 무엇인지 선택하고 이유를 제시하시오. 또한 자신의 교사상을 통해 학생을 교육했을 때, 기대할 수 있는 학생의 모습을 제시하시오.

> A 교사 : 학생이 기초학력을 잘 함양하도록 하는 것이 중요하다.
> B 교사 : 학생의 자신감을 길러주는 것이 중요하다.
> C 교사 : 학생들이 원만한 교우관계를 맺도록 하는 것이 중요하다.

즉답형

다음 제시문을 읽고 면접실에 비치된 **[즉답형 질문지]**의 질문 3가지를 읽고, 각 질문에 순서대로 답하시오.

> 김 교사는 온라인 콘텐츠를 제작하고 활용하는 능력이 우수하다. 부장교사는 온라인 수업 관련 업무를 김 교사에게 모두 할당하였다. 김 교사는 온라인 수업 관련 업무를 처리하느라 자신의 수업 지도나 생활지도에 지장이 생겼지만 아무 이야기도 하지 않았다. 그러던 중 동료교사들이 온라인 콘텐츠 대해 김 교사에게 조언을 구하였고, 김 교사는 "이것은 제 일이 아닌데요."라고 대답하며 거절했다. 김 교사는 동료교사들과 관계가 서먹해졌다.

1-1. 당신이 김 교사라면 왜 그렇게 행동했는지, 김 교사의 입장에서 말하시오.

1-2. 김 교사의 행동을 교직 윤리적 측면에서 비판하시오.

1-3. 당신이 김 교사라면 제시문의 상황에서 동료교사에게 어떻게 대처할 것인지 말하시오.

2020 평가원 중등 교과

▶ 구상형 1

다음은 수행평가에 대한 학생 피드백이다. 여기에서 드러난 수행평가의 문제점을 3가지 찾고, 각각의 해결 방안을 제시하시오.

> 학생 A : 수업 시간에 하긴 하지만, 수행평가가 너무 많아요.
> 학생 B : 과목별로 다 합하면 오늘만 4개예요.
> 학생 C : 이게 뭐 하는 건지 모르겠네요. 그냥 선택형 시험이 좋아요.

▶ 구상형 2

다음 상황에서 교사에게 필요한 자질을 2가지 말하고, 그 자질과 관련한 향후 노력을 각 1가지씩 제시하시오.

> 우리 반 현우는 지각과 결석이 잦은 학생이다. 어제도 역시 지각을 했다. 걱정되는 마음에 "현우야, 지각하지 마. 너 때문에 선생님이 너무 힘들어. 계속 지각하고 학교에 결석하면 출석일수가 부족해서 유급될 수도 있어."라고 말해주었다. 그런데 현우는 오늘도 보란 듯이 지각을 하였다.

▶ 구상형 3

교육현장에서 ㉠과 ㉡에 해당하는 사례를 한 가지씩 제시하고, ㉠ 또는 ㉡과 관련하여 본인이 추구하는 교육관을 말하시오.

> ㉠ 말을 물가로 끌고 갈 수는 있으나 억지로 물을 먹일 수는 없다. 스스로 물을 먹도록 해야 한다.
> ㉡ 말을 물가로 데려가서 억지로 물을 먹도록 해야 한다.

▶ 즉답형

다음 제시문을 읽고 면접실에 비치된 **[즉답형 질문지]**의 질문 2가지를 읽고, 각 질문에 순서대로 답하시오.

> 부장교사 A : 저는 얼굴을 마주 보고 소통하는 것을 좋아합니다. 업무 관련 내용도 역시 만나서 이야기하는 것을 선호합니다.
>
> 부장교사 B : 저는 메신저로 소통하는 것이 좋습니다. 요즘은 디지털 시대잖아요. 업무 관련 이야기 역시 메신저로 하는 것을 선호합니다.

1-1. 두 부장교사 중 본인이 선호하는 교사와 그 이유를 말하시오.

1-2. 자신이 선호하지 않는 부장교사와 함께 일을 하면서 갈등이 발생하였을 때 어떻게 대처할 것인지 말하시오.

2019 평가원 중등 교과

▶ **구상형 1**

다음 수업 상황에서 문제점 2가지를 찾고, 각 문제점에 대해 교사가 할 수 있는 즉각적인 대처 방안을 1가지씩 말하시오.

> 평소 수업태도가 좋지 않은 두 학생이 수업을 듣지 않고 소란을 피우고 있다. 김 교사는 말로 제지를 하였으나 얼마 지나지 않아 두 학생이 또 잡담을 하여 수업을 방해하고 있다. 김 교사가 두 학생에게 가서 타이르고 있는데, 평소 수업태도가 좋았던 민수가 "선생님, 다른 반보다 진도도 느린데 그냥 수업이나 해요!" 하고 짜증을 내며 불만을 토로했다.

▶ **구상형 2**

다음을 읽고 1) 전보 신청을 할 것인지 하지 않을 것인지 이유를 들어서 말하고, 2) 전보 신청 유무를 떠나서 다음과 같이 변화된 상황이 되었을 때 어떤 마음가짐으로 교육에 임할 것인지 말하시오.

> 통일이 된지 3년이 지났다. 함경도에 교사 수가 부족하다.

※ 전출 신청 유무에 따라 면접 평가 점수가 나뉘지 않습니다.

▶ **구상형 3**

다음 글을 읽고 1) 인간과 로봇 중 학교 수업을 누가 해야 한다고 생각하는지 자신의 교육관에 따른 이유를 설명하시오. 2) 그러한 교육을 실시할 때 학생을 어떻게 성장하도록 지도할 것인지 자신의 교육관과 결부하여 말하시오.

> 제4차 산업혁명으로 인한 기술발달은 학교 교육에 상당한 변화를 가져올 것으로 예상된다. 최근에는 대화하는 로봇이 등장했다. 앞으로는 수업을 로봇이 할 수도 있다는 주장도 제기되고 있다. 이러한 기술 발달을 반기는 교사들이 있는 반면, 다른 교사는 로봇이 상용화되면 학교가 붕괴될 것이라고 걱정하는 우려의 목소리도 있다.

▶ 즉답형

다음 제시문을 읽고 면접실에 비치된 **[즉답형 질문지]**의 질문 3가지를 읽고, 각 질문에 순서대로 답하시오.

> A 교사는 동료교사와의 사이도 좋지 않고, 소통도 거의 하지 않는다. 교재 연구도 충실히 하지 않지만 임기응변 능력과 현란한 말솜씨로 항상 수업에 대한 학생의 만족도가 높다.
>
> 반면, B 교사는 동료교사와 사이도 좋고, 소통도 잘한다. 교재 연구를 열심히 하지만 지루한 수업방법 때문에 수업에 대한 학생들의 만족도가 낮다.

1-1. 두 교사 중 성실성의 측면에서 자신과 같은 교사를 고르고 자신의 경험에 의거하여 말하시오.

1-2. 자신이 선택한 교사를 교사의 역할, 임무 측면에서 비판하시오.

1-3. 당신이 A, B 교사 중 한 명과 협력수업을 한다면 누구와 함께 할 것인가?

2018 평가원 중등 교과

구상형 1

담임교사는 A와의 상담을 통해 A가 학교생활 측면에서 문제를 겪고 있음을 확인하였다. 제시문의 내용을 통해 A에게 문제가 발생한 원인을 2가지 제시하고 이에 대한 해결 방안을 원인과 관련하여 제시하시오.

> 학생 A는 다문화 가정의 학생이다. A는 아직 한국말에 대한 사용능력이 서툴고 친구를 사귀기 위한 방식이 원래 살던 나라와 많이 달라 친구와의 관계에서 어려움을 겪고 있다. 또한 먼저 말을 걸거나 다가가는 것에 대해 어려움을 가지고 있는 성격이다.

구상형 2

다음은 김 교사의 수업에 대한 학생들의 반응을 나타낸 것이다. 학생들의 의견을 종합하여 1) 김 교사에게 필요한 교사의 자질을 1가지 제시하시오. 2) 자신이 이러한 자질을 갖추기 위해 지금까지 해온 노력에 대해 이야기하시오. 3) 자신이 교사가 된다면 앞으로 어떠한 노력을 할지 향후 계획을 서술하시오.

> - 수업에서 모든 학생들에게 골고루 관심을 주지 않는다.
> - 잘하는 학생들만 참여하고 못하는 학생들은 참여하지 않아 스트레스를 받는다.
> - 프로젝트 학습을 진행하면 흥미는 있지만 수업이 끝나고 난 후 무엇을 배웠는지 잘 모르겠다.
> - 시험에 나오는 중요한 내용 위주로 선생님이 수업을 해주셨으면 좋겠다.

구상형 3

다음은 최 교사와 박 교사의 대화를 나타낸 것이다. 제시문을 읽고 1) 자신이 생각하는 학습자의 인간관에 대해 이야기하시오. 2) 박 교사의 주장에 찬성 혹은 반대의 입장을 말하고 자신의 교육관을 들어 설명하시오.

> 최 교사는 박 교사와 교원평가에 대한 이야기를 나누게 되었다. 대화에서 박 교사는 교원평가에 시험을 통한 학생들의 성적 향상도를 반영해야 한다고 말하였다. 박 교사는 교사에게 필요한 능력 중 학생의 성적 향상이 가장 중요도가 높다고 주장하고 있다.

▶ 즉답형

다음 제시문을 읽고 면접실에 비치된 **[즉답형 질문지]**의 질문 3가지를 읽고, 각 질문에 순서대로 답하시오.

> 연구 부장교사는 업무량이 많아 융합교육과정을 구성하기 위한 과정에서 신임교사인 최 교사의 의견을 묻지 않고 일을 진행하였다. 최 교사는 자신이 모르는 것을 물어보는 것이 연구 부장교사가 진행하는 일에 방해가 되거나 시간을 빼앗을 것 같아 걱정하여 연구 부장교사가 진행하는 일을 그대로 받아들이는 상황이다.

1-1. 본인이 연구 부장교사라고 생각하고, 위의 제시문과 같이 행동한 원인을 이야기하시오.

1-2. 제시문의 연구 부장교사에게 필요한 인성관을 이야기하시오.

1-3. 자신이 신임교사 최 교사라면 어떻게 대처할 것인지 이야기하시오.

중등 비교과(2025-2018)

2025 평가원 중등 비교과

▶ 구상형 1

다음 제시문을 읽고 학생들이 겪고 있는 어려움을 각각 1가지씩 말하고, 이에 대해 교사로서 지원할 수 있는 학생 지도 방안을 각각 1가지씩 제시하시오.

> 학생 A : 저는 뭐가 되고 싶은지 고민해 본 적이 없어요. 미래를 생각하면 답답하고 막막해요.
> 학생 B : 저는 진로가 딱히 없어요. 그래서 부모님께서 하라는 진로로 나가려고요.
> 학생 C : 저는 누군가를 도와주는 데 적성이 있는 것 같아요. 그런데 관련 직업이 뭐가 있는지 찾아보는 게 귀찮아요.

▶ 구상형 2

최근 가짜 뉴스에 속는 사람이 많고, 학생들의 SNS 허위 사실 유포 등 다양한 문제가 발생하고 있다. 이에 대한 학생 지도 방안 1가지와 이와 관련된 전문성 신장을 위해 교사로서 노력할 방안을 1가지 말하시오.

▶ 구상형 3

두 교사 중 자신의 생각과 비슷한 교사의 입장을 선택하고 그 이유를 제시하시오. 또한, 학교와 지역 사회가 서로 협력한 사례가 있다면 1가지 말하시오.

> A 교사 : 학교의 계획 수립과 운영은 교내 구성원이 정하고, 지역 사회의 자원을 활용해서 교육 활동에 도움이 되도록 해야 해요.
> B 교사 : 학교의 계획 수립과 운영은 교내 구성원뿐만 아니라 지역 사회 인사들도 함께 참여시키고, 학교의 자원을 지역 사회에 제공해야 해요.

▶ 즉답형

다음 제시문을 읽고 면접실에 비치된 **[즉답형 질문지]**의 질문 2가지를 읽고, 각 질문에 순서대로 답하시오.

> A 교사는 책임감을 갖고 행정 업무를 성실히 수행하는 교사이다. 하지만 이제는 학생 지도 업무 맡으며 교직 생활의 초심을 찾아가고 싶다. 하지만 동료 교사들은 행정 업무에 공백이 생길 것을 우려해 이전의 행정 업무를 그대로 맡아 달라고 요청했다.

1-1. 내가 A 교사라면 다음 상황에서 어떻게 행동할 것인지 말하고, 그 이유를 제시하시오.

1-2. 내가 업무 분장을 하는 교사라면, A에게 기존 업무를 맡길 것인지 말하시오.

2024 평가원 중등 비교과

▶ **구상형 1**

자신의 과목에 대한 비교과 특강을 하고 있는 중, 다음과 같은 동기 문제가 발생하였다. 아래의 학생들이 겪고 있는 동기 문제와 이에 대한 지도 방안을 학생별로 각각 1가지씩 제시하시오.

> 학생 A : 저는 이 진로로 가고 싶은데 제가 잘 해낼 수 있을지 모르겠어요.
> 학생 B : 저는 1인 방송인이나 프로게이머가 되고 싶은데 이 특강과는 관련이 없어요.

▶ **구상형 2**

다음 제시문의 상황에서 학생들에게 필요한 구체적 지도 방안 1가지와 이와 관련된 전문성 향상 계획을 1가지 말하시오.

> 학생들에게 스마트기기가 보급되었다. 그렇지만 학생들은 수업 시간의 학습 목적 외에 쉬는 시간과 점심 시간에도 스마트기기를 사용한다. 스마트기기 과의존 학생이 많아 교사로서 어떻게 지도해야 할지 고민이 된다.

▶ **구상형 3**

다음 제시문의 두 교사의 관점 중 자신의 교육관에 부합하는 관점을 선택하고 그 이유를 말하시오. 이를 바탕으로 자신이 실현할 교육활동 1가지를 이야기하시오.

> A 교사 : 진리는 변합니다. 미래 사회는 빠르게 변화하고 불확실해지고 있습니다. 교육은 변화에 능동적으로 대응해야 합니다.
> B 교사 : 진리는 변하지 않습니다. 사회가 변해도 변하지 않는 것들이 존재합니다. 교육은 그런 보편적인 가치를 가르쳐야 합니다.

▶ 즉답형

다음 제시문을 읽고 면접실에 비치된 **[즉답형 질문지]**의 질문 2가지를 읽고, 각 질문에 순서대로 답하시오.

> 지민이는 평소에 성실하고 수업에 적극적으로 참여하는 학생이다. 하지만 지민이가 이번 모둠별 수행평가에 참여하지 않고 있는 것을 발견했다. 교사로서 수행평가에 참여하도록 개입해서 독려할지 평가임을 고려하여 개입하지 않고 그대로 둬야 할지 고민이 되는 상황이다.

1-1. 자신이 생각하는 교사의 역할을 말하고, 제시문 속 상황에서 어떻게 행동할 것인지 말하시오.

1-2. 위와 같이 행동했을 때 유의점을 2가지 말하시오.

2023 평가원 중등 비교과

▶ **구상형 1**

다음과 같은 문제가 지속될 시 A 학생에게 나타날 수 있는 문제점 2가지와 문제를 해결할 수 있는 방안 2가지를 말하시오.

> A 학생은 학업 성적이 낮고, 말도 별로 없으며 친구가 없다. A 학생은 김 교사를 쉬는 시간마다 찾아와서 본인이 겪고 있는 어려움을 자주 이야기했다. 처음에는 김 교사는 A 학생을 안쓰럽게 여겨 A 학생의 말을 다 들어주었지만 사사건건 휴일에도 장문의 메시지를 보내는 행동으로 인해 불편함을 느끼고 있다. 하지만 A 학생은 자신의 이야기를 들어주는 사람이 선생님밖에 없다고 이야기를 했다.

▶ **구상형 2**

최근 학교에서는 협력적 조직문화가 강조되고 있다.

2-1. 자신이 갖고 있는 인성적 자질과 전문적 자질을 각각 1가지씩 말하고 각각의 자질을 위해 한 노력을 말하시오.

2-2. 향후 가져야 할 자질을 각각 1가지씩 말하고 자질을 향상하기 위한 노력을 말하시오.

▶ **구상형 3**

다음 제시문의 교사 중 자신의 교육적 가치관과 일치하는 교사를 선택하고 이유를 말하시오. 또한, 이를 바탕으로 자신이 실현할 교사상에 대해 이야기하시오.

> A 교사 : 학생의 성취는 사회경제적 배경에 따라서 결정된다고 생각합니다. 따라서 배경에 따른 격차를 없앨 수 있도록 이를 지원하는 것이 중요하다고 생각합니다.
> B 교사 : 학생의 성취는 개인의 재능과 노력에 따라 결정된다고 생각합니다. 따라서 학생이 잠재력과 재능을 발전시키고 개발하도록 지원하는 것이 중요하다고 생각합니다.

즉답형

다음 제시문을 읽고 면접실에 비치된 [즉답형 질문지]의 질문 3가지를 읽고, 각 질문에 순서대로 답하시오.

> A 교사와 B 교사는 평소 친밀한 사이였다. 최근 학교가 탄소중립 중점학교로 지정되면서 탄소저감 사업 활동에 대한 의견 차이로 갈등이 생겨 관계가 나빠진 상황이다. A 교사는 학생 참여 중심의 이벤트 수업으로 진행하자 주장하고, B 교사는 모든 교과와 연계하여 교과수업으로 진행하자 주장하고 있다. A 교사는 자신의 방식이 더 효율적이라고 생각해서 이번에는 꼭 자신의 의견대로 추진하고 싶은데 어떻게 이야기해야 할까 고민하고 있다.

1-1. 제시문 속 상황에서 내가 A 교사라면 어떻게 행동할 것인지 답하시오.

1-2. 위에서 한 답변대로 행동했을 때 유의할 점을 답하시오.

1-3. 내가 A, B 교사를 중재해야 하는 제3자의 입장이라면 어떻게 중재할 것인지 답하시오.

2022 평가원 중등 비교과

구상형 1

다음 제시문을 읽고 A 학생의 정서적인 문제점 1가지를 말하고 필요한 교사의 지도 방안 2가지를 제시하시오.

> A 학생 : 예전에는 공부를 열심히 했었는데 이제는 수업도 듣기 싫고 체육활동도 싫고 아무것도 하기 싫어요. 거기다 성적도 떨어지니까 동아리 활동도 하기 싫어요.
> B 교사 : 무슨 일이 있었니?
> A 학생 : 모든 일에 계속 실패하기만 하고, 부모님도 계속 화내시고 최근에는 성적 때문에 혼났어요. 계속 이러니까 이제 모든 게 하기 싫어요.

구상형 2

학교에서 교사의 인성교육은 갈수록 중요성이 커지고 있다. 아래 물음에 답하시오.

2-1. 교과 교사라도 인성교육을 해야 하는 이유를 1가지 제시하시오.

2-2. 자신의 교과가 인성교육에서 가진 장점을 말하시오.

2-3. 향후 교직생활에서 인성교육 시 필요한 자질과 구체적인 노력 방안을 말하시오.

구상형 3

교사의 SNS 활동에 대한 두 교사의 대화를 읽고 자신의 가치관에 비추어 선호하는 교사의 입장을 선택하고 그 이유를 1가지 말하시오. 선택한 입장이 학교 조직문화에 끼칠 영향을 고려하여 유의점을 1가지 말하시오.

> A 교사 : 법이 허용하는 범위 내에서 교사가 SNS를 하는 것은 개인의 자유입니다. SNS 활동하는 것이 제약을 받아서는 안 된다고 생각합니다.
> B 교사 : 교육활동과 관계없는 지나친 SNS 활동은 통제해야 한다고 생각합니다. 교사 품위 차원에서 바람직하지 않다고 생각합니다.

즉답형

다음 제시문을 읽고 면접실에 비치된 [즉답형 질문지]의 질문 3가지를 읽고, 각 질문에 순서대로 답하시오.

> Q. 학생을 얼마나 신뢰해야 할까요?
>
> A 교사 : 무조건으로 교사는 학생을 신뢰해야 합니다.
>
> B 교사 : 교사가 무조건으로 학생을 신뢰하는 것은 비교육적일 수 있습니다.

1-1. 두 교사 중 자신이 선호하는 교사를 선택하고 그 이유를 말하시오.

1-2. 자신이 선택한 교사의 입장에서 유의해야 할 점을 말하시오.

1-3. 학생과 바람직한 신뢰 관계를 형성하기 위한 방안을 제시하시오.

2021 평가원 중등 비교과

▶ **구상형 1**

다음 제시문에서 유미가 가진 정서적 문제와 행동적 문제를 각 1가지씩 말하고, 각 문제에 대한 지도 방안을 1가지씩 말하시오.

> 교사 : (유미의 팔에 붕대가 감겨 있는 것을 보고) 유미야, 어떻게 하다 다쳤니?
> 학생 : 공모전에서 떨어져서 화가 나서 책상을 내리쳐서 다쳤어요. 사실 탈락한 것이 창피해서 학교에도 오기 싫어서 안 왔어요. 살면서 처음으로 이렇게 열심히 했는데, 실패하니까 아무것도 하고 싶지 않아요. 앞으로 어떤 것도 할 수 없을 것만 같아요.

▶ **구상형 2**

다음 제시문을 읽고 김 교사가 현재 가지고 있는 자질 1가지와 향후 갖춰야 할 자질 1가지를 말하고, 본인이 해당 자질을 갖추기 위해 노력해 온 것을 각 1가지씩 말하시오.

> 김 교사는 학생들과 많은 시간을 같이 보내며 학생에게 관심을 가지고 원만한 관계를 형성하기 위해 노력한다. 그러나 지나치게 격의 없이 대하는 학생들에게 상처 받기도 한다. 또 김 교사는 협업을 선호하여 동료교사들이 업무에 어려움을 겪으면 협력하려고 하고, 자신도 협력을 요청한다. 하지만 동료교사들은 이런 김 교사를 부담스러워하기도 한다.

▶ **구상형 3**

제시문의 세 교사 중 본인의 교사상에 근거하여 가장 중요하다고 생각하는 가치가 무엇인지 선택하고 이유를 제시하시오. 또한 자신의 교사상을 통해 학생을 교육했을 때, 기대할 수 있는 학생의 모습을 제시하시오.

> A 교사 : 학생이 기초학력을 잘 함양하도록 하는 것이 중요하다.
> B 교사 : 학생의 자신감을 길러주는 것이 중요하다.
> C 교사 : 학생들이 원만한 교우관계를 맺도록 하는 것이 중요하다.

▶ **즉답형**

다음 제시문을 읽고 면접실에 비치된 [즉답형 질문지]의 질문 3가지를 읽고, 각 질문에 순서대로 답하시오.

> 김 교사는 온라인 콘텐츠를 제작하고 활용하는 능력이 우수하다. 부장교사는 온라인 수업 관련 업무를 김 교사에게 모두 할당하였다. 김 교사는 온라인 수업 관련 업무를 처리하느라 자신의 수업지도나 생활지도에 지장이 생겼지만 아무 이야기도 하지 않았다. 그러던 중 동료교사들이 온라인 콘텐츠에 대해 김 교사에게 조언을 구하였고, 김 교사는 "이것은 제 일이 아닌데요."라고 대답하며 거절했다. 김 교사는 동료교사들과 관계가 서먹해졌다.

1-1. 당신이 김 교사라면 왜 그렇게 행동했는지, 김 교사의 입장에서 말하시오.

1-2. 김 교사의 행동을 교직 윤리적 측면에서 비판하시오.

1-3. 당신이 김 교사라면 제시문의 상황에서 동료교사에게 어떻게 대처할 것인지 말하시오.

2020 평가원 중등 비교과

▶ **구상형 1**

다음 제시문을 읽고 학생들의 문제점을 2가지 말하고, 이에 대한 지도 방안을 각 1가지씩 말하시오.

> 학생들과 교외봉사활동을 하고 있다. 하지만 학생들은 봉사활동의 목적을 이해하지 못하고 시끄럽게 떠들고 장난을 친다. 매번 봉사활동에 지각을 하고 시간만 채우면 된다는 식으로 임하고 있다.

▶ **구상형 2**

다음 A 교사와 B 교사 중 본인과 더 가깝다고 생각하는 교사를 선택하고, 그러한 교사가 되기 위해 노력해 온 점 3가지를 말하시오.

> A 교사와 B 교사는 모두 비교수 교과 교사이다. A 교사는 비교수 교사는 수업보다는 학생 생활지도에 더욱 힘써야 한다고 생각한다. 반면, B 교사는 비교수 교사라도 수업을 위해 노력해야 한다고 생각한다.

▶ **구상형 3**

교육현장에서 ㉠과 ㉡에 해당하는 사례를 한 가지씩 제시하고, ㉠ 또는 ㉡과 관련하여 본인이 추구하는 교육관을 말하시오.

> ㉠ 말을 물가로 끌고 갈 수는 있으나 억지로 물을 먹일 수는 없다. 스스로 물을 먹도록 해야 한다.
> ㉡ 말을 물가로 데려가서 억지로 물을 먹도록 해야 한다.

▶ 즉답형

다음 제시문을 읽고 면접실에 비치된 **[즉답형 질문지]**의 질문 2가지를 읽고, 각 질문에 순서대로 답하시오.

> 부장교사 A : 저는 얼굴을 마주 보고 소통하는 것을 좋아합니다. 업무 관련 내용도 역시 만나서 이야기하는 것을 선호합니다.
>
> 부장교사 B : 저는 메신저로 소통하는 것이 좋습니다. 요즘은 디지털 시대잖아요. 업무 관련 이야기 역시 메신저로 하는 것을 선호합니다.

1-1. 두 부장교사 중 본인이 선호하는 교사와 그 이유를 말하시오.

1-2. 자신이 선호하지 않는 부장교사와 함께 일을 하면서 갈등이 발생하였을 때 어떻게 대처할 것인지 말하시오.

2019 평가원 중등 비교과

▶ **구상형 1**

제시문에서 찾을 수 있는 문제점과 해결 방안을 각각 1가지씩 말하시오.

> 주변 학교들에 비해 대학 진학률이 낮게 나온 고등학교가 있다. 이에 학교운영위원회에서 교과내용을 보충할 수 있는 교과 방과후 학교 프로그램을 개설하기로 했다. 그러나 학생들은 진로탐색에 더 관심을 가지고 있는 상황이라서 교과 위주의 방과후 학교 프로그램에 불만이 있는 상황이다.

▶ **구상형 2**

독서토론 동아리를 운영하기 위해 담당교사에게 의사소통 역량이 무엇보다도 중요하다. '의사소통 역량'을 기르기 위해 본인이 지금까지 한 노력과 그 노력으로 인해 배운 점을 1가지씩 말하고, 독서토론 동아리 운영 시 부족한 점을 보완하는 방법을 1가지 말하시오.

▶ **구상형 3**

다음 글을 읽고 1) 인간과 로봇 중 학교 수업을 누가 해야 한다고 생각하는지 자신의 교육관에 따른 이유를 설명하시오. 2) 그러한 교육을 실시할 때 학생을 어떻게 성장하도록 지도할 것인지 자신의 교육관과 결부하여 말하시오.

> 제4차 산업혁명으로 인한 기술발달은 학교 교육에 상당한 변화를 가져올 것으로 예상된다. 최근에는 대화하는 로봇이 등장했다. 앞으로는 수업을 로봇이 할 수도 있다는 주장도 제기되고 있다. 이러한 기술 발달을 반기는 교사들이 있는 반면, 다른 교사는 로봇이 상용화되면 학교가 붕괴될 것이라고 걱정하는 우려의 목소리도 있다.

즉답형

다음 제시문을 읽고 면접실에 비치된 [즉답형 질문지]의 질문 3가지를 읽고, 각 질문에 순서대로 답하시오.

> A 교사는 동료교사와의 사이도 좋지 않고, 소통도 거의 하지 않는다. 교재 연구도 충실히 하지 않지만 임기응변 능력과 현란한 말솜씨로 항상 수업에 대한 학생의 만족도가 높다.
> 반면, B 교사는 동료교사와 사이도 좋고, 소통도 잘한다. 교재 연구를 열심히 하지만 지루한 수업방법 때문에 수업에 대한 학생들의 만족도가 낮다.

1-1. 두 교사 중 성실성의 측면에서 자신과 같은 교사를 고르고 자신의 경험에 의거하여 말하시오.

1-2. 자신이 선택한 교사를 교사의 역할, 임무 측면에서 비판하시오.

1-3. 당신이 A, B 교사 중 한 명과 협력수업을 한다면 누구와 함께 할 것인가?

2018 평가원 중등 비교과

▶ **구상형 1**

다음 상황을 읽고 A 학생이 화가 난 이유를 학생의 입장에서 말하고, 당신이 김 교사라면 A 학생을 어떻게 지도할 것인지 2가지 말하시오.

> A 학생이 화가 나서 김 교사에게 와서 이렇게 말했다. "담임 선생님이 제 휴대폰을 강제로 뺏어가서 진짜 화나요. 그리고 사사건건 간섭해요. 가뜩이나 요즘 학교에 오기도 싫은데, 선생님이 일일이 간섭하니까 진짜 싫어요." A 학생은 급기야 담임교사의 험담과 욕설을 하기 시작했다.

▶ **구상형 2**

다음 상황에서 강 교사가 가장 먼저 조치할 사항과 그와 관련된 교사의 자질을 2가지 말하시오.

> 운동장에 몇 명의 학생들이 웅성웅성 모여 있어서 가까이 가보니 학생들끼리 갈등이 발생한 것으로 보였다. 강 교사는 행정업무가 많이 밀려있어 바쁘지만 이대로 지나쳐서는 안 된다는 생각이 들었다.

▶ **구상형 3**

다음은 최 교사의 교단일지 중 일부이다. 1) 자신의 학습자에 대한 인간관을 설명하시오. 그리고 2) 박 교사의 의견에 대해 찬성 혹은 반대하는지를 이유를 들어 설명하시오.

> 외국에는 학생 성적 향상도를 교원 평가에 반영하는 사례가 있다. 이를 근거로 박 교사는 학생 성적 결과를 교원 평가에 반영해야 한다고 주장한다. 하지만 나의 생각은 다르다. 그것을 실시하게 된다면 학생을 정보의 창고로만 보게 되고, 그들의 개인적인 가치를 판단하기 어려워질 것이다.

▶ **즉답형**

다음 제시문을 읽고 면접실에 비치된 **[즉답형 질문지]**의 질문 3가지를 읽고, 각 질문에 순서대로 답하시오.

> 연구 부장교사는 업무량이 많아 융합교육과정을 구성하기 위한 과정에서 신임교사인 최 교사의 의견을 묻지 않고 일을 진행하였다. 최 교사는 자신이 모르는 것을 물어보는 것이 연구 부장교사가 진행하는 일에 방해가 되거나 시간을 빼앗을 것 같아 걱정하여 연구 부장교사가 진행하는 일을 그대로 받아들이는 상황이다.

1-1. 본인이 연구 부장교사라고 생각하고, 위의 제시문과 같이 행동한 원인을 이야기하시오.

1-2. 제시문의 연구 부장교사에게 필요한 인성관을 이야기하시오.

1-3. 자신이 신임교사 최 교사라면 어떻게 대처할 것인지 이야기하시오.

드디어 나만의 음식을 만들어 보는 시간이 왔습니다.
그동안의 학습을 통해 준비한 재료와 기출문제 연습을 통해 얻은 감각으로
평가원 실전 모의고사를 풀어보도록 합시다.
STEP 4에서는 출제 빈도가 높으며 현재 교육계에서 다루어지고 있는 뜨거운 주제들을 문제로 담았습니다.
실제 시험장에서 이 주제들을 만났을 때 어떤 내용을 중심으로 답변해야 할지에 대해 연습이 가능할 것입니다.
모든 문제를 실전처럼 풀어보셔야 실전 감각을 익힐 수 있습니다.

STEP
04
Recipe

평가원 실전 모의고사

실진 모의고사 (1회~50회)

공립교사 임용후보자 선정경쟁시험 2차 심층면접   1회

[구상형 1번] 다음 제시문의 상황에서 담임 교사로서 A 학생과 학급 학생들에 대한 지도 방안을 각각 2가지씩 말하시오.

> 학급 단체 대화방에 A 학생의 얼굴이 합성된 우스꽝스러운 영상이 올라왔다. 많은 학생들이 해당 영상에 재미있다는 반응을 보였고, 일부 학생은 이를 다른 반 친구들에게도 공유하였다. 당사자인 A 학생은 아무 말 없이 대화방을 나간 뒤, 다음 날에는 학교에 오기 싫다며 미인정 결석을 하였다.

[구상형 2번] 제시문 속 학생들의 발언을 통해 추론할 수 있는 학급 내 문제점을 말하고, 담임 교사로서 해결 방안을 2가지 제시하시오.

> －고교학점제 시행 이후 학급에 관한 학생들의 의견 중 일부－
> 학생 1 : 고민이 있어도 담임 선생님께서 나를 아실까 싶어서 쉽게 말씀을 드리기가 어려워요.
> 학생 2 : 반에서 친해지고 싶은 친구들이 있는데 선택 과목이 모두 달라서 친해질 기회가 없어요.

[구상형 3번] 두 교사 중 자신의 생각과 비슷한 교사의 입장을 선택하고 그 이유를 말하시오. 또한, AI 활용 수업에서 학생의 주도성과 사고력을 높일 수 있는 방안을 1가지 제시하시오.

> A 교사 : AI에 지나치게 의존하다 보면 학생들은 스스로 생각하는 힘을 기르기 어려워집니다. 4차 산업 시대에는 자신만의 창의적인 사고와 표현 역량이 더욱 중요하다고 생각합니다.
> B 교사 : AI는 학생들이 스스로 질문하고 판단하는 힘을 기르는 훌륭한 도구입니다. 사용자의 역량에 따라 결과물의 질이 달라지므로 정확한 판단을 통해 효율적인 사용법을 익혀야 합니다.

[즉답형 제시문] 다음 제시문을 읽고, 면접실에 비치된 [즉답형 질문지]의 질문에 대해 순서대로 답하시오.

> 최근 학년 단위로 휴대전화 사용을 제한하는 생활지도를 시행한 뒤, 한 학부모가 특정 교사가 학생에게 공개적으로 주의를 줘 창피를 줬다며 민원을 제기하였다. 이에 대해 학년 회의에서 A 교사는 오해를 풀기 위해 먼저 상황을 해명하고, 학생과 학부모에게 사과하는 태도가 필요하다고 주장했다. 반면 B 교사는 교사의 판단에 따른 지도였으므로, 교사의 권위를 지키기 위해 정중하지만 단호한 입장 표명이 필요하다고 맞섰다.

공립교사 임용후보자 선정경쟁시험 2차 심층면접 1회

[즉답형 질문지]

> 최근 학년 단위로 휴대전화 사용을 제한하는 생활지도를 시행한 뒤, 한 학부모가 특정 교사가 학생에게 공개적으로 주의를 줘 창피를 줬다며 민원을 제기하였다. 이에 대해 학년 회의에서 A 교사는 오해를 풀기 위해 먼저 상황을 해명하고, 학생과 학부모에게 사과하는 태도가 필요하다고 주장했다. 반면 B 교사는 교사의 판단에 따른 지도였으므로, 교사의 권위를 지키기 위해 정중하지만 단호한 입장 표명이 필요하다고 맞섰다.

4-1. A, B 교사 중 본인의 입장에 부합하는 교사를 선택하고 그 이유를 제시하시오.

4-2. 본인이 제3자라면 A 교사와 B 교사의 의견 차이를 조율하기 위해 학년 회의에서 어떤 방식으로 의견을 정리할 것인지 말하시오.

공립교사 임용후보자 선정경쟁시험 2차 심층면접 2회

[구상형 1번] 다음 제시문에서 A 학생의 태도에 나타난 문제점을 말하고, 김 교사의 입장에서 A 학생과 다른 학생들에 대한 지도 방안을 각각 1가지씩 말하시오.

> 김 교사는 생태환경 동아리 활동에서 학생들에게 지역 주민 대상 설문조사 과제를 제시하였다. 그러나 학생 A는 해당 활동이 자신이 원하지 않는 일이라며 참여를 거부하였고 별다른 역할도 맡지 않았다. 다른 부원들에게는 참여할 생각이 없다는 말만 반복하였으며, 면담을 시도한 김 교사에게는 활동 참여는 개인의 자유인데 왜 혼나야 하는지 모르겠다며 오히려 화를 내었다.

[구상형 2번] 제시문과 같은 상황에서 교과 교사로서 취할 수 있는 문제 해결 방안 2가지를 제시하시오. 또한, 두 학생의 반응을 모두 고려하여 학급 전체의 학습 분위기를 높이기 위한 방안 1가지를 말하시오.

> 학생 1 : 학교에서 배우는 내용은 너무 쉬워요. 설명도 천천히 하시니까 자꾸 수업이 지루해져요.
> 학생 2 : 저는 학원을 안 다니는데 간략하게만 설명을 해주셔서 수업을 따라가기 어려워요.

[구상형 3번] 두 교사 중 자신의 평가관에 부합하는 교사를 선택하고 그 이유를 말하시오. 또한, 선택한 평가 방식에 관한 전문성을 기르기 위해 향후 어떠한 노력을 기울일 것인지 1가지 말하시오.

> A 교사 : 성취 기준에 따라 채점 기준을 명확히 제시하고, 학생들에게 객관적인 기준을 안내하는 것이 공정한 평가를 위해 가장 중요합니다.
> B 교사 : 학생의 변화와 노력, 성장 과정을 함께 반영하는 평가가 필요합니다. 이러한 평가가 학생들에게 더 깊은 성찰을 유도할 수 있습니다.

[즉답형 제시문] 다음 제시문을 읽고, 면접실에 비치된 **[즉답형 질문지]**의 질문에 대해 순서대로 답하시오.

> 김 교사는 학급 독서 프로젝트의 일환으로, 학생들이 제작한 영상 콘텐츠를 학교 홈페이지에 탑재하고자 하였다. 그러나 교감은 완성도가 낮은 영상을 외부에 공개하면 학교 이미지에 부정적인 영향을 줄 수 있다며 이를 반대하였다. 반면, 김 교사는 학생들이 직접 기획하고 제작한 과정을 존중하며, 그 결과를 공유하는 것이 교육적으로 의미 있는 경험이라고 판단하였다.

공립교사 임용후보자 선정경쟁시험 2차 심층면접 2회

[즉답형 질문지]

> 김 교사는 학급 독서 프로젝트의 일환으로, 학생들이 제작한 영상 콘텐츠를 학교 홈페이지에 탑재하고자 하였다. 그러나 교감은 완성도가 낮은 영상을 외부에 공개하면 학교 이미지에 부정적인 영향을 줄 수 있다며 이를 반대하였다. 반면, 김 교사는 학생들이 직접 기획하고 제작한 과정을 존중하며, 그 결과를 공유하는 것이 교육적으로 의미 있는 경험이라고 판단하였다.

4-1. 김 교사의 입장에서 교감을 설득할 수 있는 논리적인 이유를 2가지 말하시오.

4-2. 학생 콘텐츠를 외부에 공개할 때 발생할 수 있는 문제점 1가지와 그에 대한 예방 방안을 말하시오.

공립교사 임용후보자 선정경쟁시험 2차 심층면접 — 3회

[구상형 1번] 다음 제시문을 읽고 학생들의 학교 생활과 관련 나타날 수 있는 문제점을 2가지 제시하고, 학생들의 활동 참여를 독려하고 책임감을 높이기 위한 교사의 지도 방안을 2가지 제시하시오.

> 학교에서는 매주 '자율 동아리 활동' 시간을 운영하고 있다. 일부 학생들은 동아리 시간에 특별한 활동 계획을 세우지 않고, 모둠원끼리 모여 잡담하거나 별다른 목적 없이 시간을 보내는 경우가 많다. 동아리 지도 교사는 자율성을 존중하되, 학생들의 책임감을 높이기 위해 고민하고 있다.

[구상형 2번] 다음 제시문을 읽고 교사가 인식해야 할 디지털 시대의 교육 문제를 1가지 제시하고, 교사가 디지털 환경에 맞는 전문성을 신장하기 위해 실천할 수 있는 노력 방안을 2가지 제시하시오.

> 학교에서는 최근 디지털 매체 활용이 급격히 확산되면서, 학생들이 과제를 수행하거나 정보를 탐색할 때 AI 도구, 인터넷 자료를 광범위하게 활용하는 사례가 늘고 있다. 하지만 일부 학생들은 정보를 수집하는 과정에서 주체적으로 판단하거나 비판적으로 검토하는 노력이 부족해 보이는 모습도 나타나고 있다. 교사들은 이러한 변화를 체감하고 있으며, 변화하는 디지털 환경 속에서 지도 방법을 고민하고 있다.

[구상형 3번] 다음 제시문의 교사 중 본인이 더 공감하는 입장을 선택하고 그 이유를 제시하시오. 또한, 선택한 입장을 바탕으로 학교 현장에서 실천할 수 있는 구체적인 교육활동을 1가지 제시하시오.

> A 교사 : 고교학점제와 사회 변화에 맞추어 학교는 다양한 선택과 맞춤형 진로 지원을 강화해야 한다.
> B 교사 : 급격한 변화에도 학교는 학생들의 기본 생활 습관과 공동체 정신을 지키는 역할이 중심이 되어야 한다.

[즉답형 제시문] 다음 제시문을 읽고, 면접실에 비치된 **[즉답형 질문지]**의 질문에 대해 순서대로 답하시오.

> 고등학교 2학년 선택 과목 수업을 맡은 김 교사는, 일부 학생들이 수업시간에서 보이는 수업 태도에 문제가 있다고 생각하여 담임교사에게 협조를 요청했다. 그러나 담임교사는 "수업 시간 문제는 각 교사가 알아서 해결해야지, 내가 따로 간섭할 건 없다."라고 말하며 관심을 보이지 않았다. 이후에도 해당 학생들의 태도는 개선되지 않고 있다.

공립교사 임용후보자 선정경쟁시험 2차 심층면접 3회

[즉답형 질문지]

> 고등학교 2학년 선택 과목 수업을 맡은 김 교사는, 일부 학생들이 수업시간에서 보이는 수업 태도에 문제가 있다고 생각하여 담임교사에게 협조를 요청했다. 그러나 담임교사는 "수업 시간 문제는 각 교사가 알아서 해결해야지, 내가 따로 간섭할 건 없다."라고 말하며 관심을 보이지 않았다. 이후에도 해당 학생들의 태도는 개선되지 않고 있다.

4-1. 담임교사가 해당 반응을 보인 이유를 예상하고 비판하시오.

4-2. 내가 김 교사라면 담임교사에게 협조를 구할 수 있는 방안을 제시하시오.

공립교사 임용후보자 선정경쟁시험 2차 심층면접 — 4회

▶예시답안 p.60

[구상형 1번] 제시문을 읽고 학교 현장에서 에듀테크 활용 수업 관련 겪고 있는 어려움을 1가지 말하고 이를 해결하기 위한 노력 방안을 3가지 제시하시오.

> 최근 한 설문조사에서 학생들을 대상으로 조사한 결과를 발표하였다. 에듀테크 활용 수업은 학생들의 *행동적 참여를 낮추는 결과를 보였다. 교과 성적이 낮은 학생들에게는 *인지적 참여에 긍정적인 영향을 미쳤으나 교과 성적이 중간 정도인 학생들에게는 행동적 참여에 부정적인 영향을 미쳤다. 또한, 대부분 교과에서 유의미한 영향을 미치지 못했으며 수학과 과학 교과의 행동적 참여에서는 오히려 부정적인 영향을 보였다.
>
> *행동적 참여 : 학급 규칙을 지키는 등 친사회적 행동 등
> *인지적 참여 : 지식, 기능, 기술을 배우고 숙련하기 위한 학생들의 심리적 투자와 노력 등

[구상형 2번] 학생들에게 독서 교육이 필요한 이유를 1가지 말하시오. 또한, 제시문을 읽고 교사로서 학생들의 독서 활성화를 위한 노력 방안을 구체적으로 2가지 말하시오.

> 최근 학교에 태블릿을 활용하여 공부, 독서를 하는 학생들이 급격히 증가했다. 이전에는 종이 책, 종이 잡지만이 독서의 영역이라고 생각하였다면, 최근 조사 결과에서는 학생들이 웹툰, 웹진, 소셜미디어 등도 모두 독서의 영역으로 인식하고 있는 것으로 나타났다. 또한 오디오북, 챗북 등도 독서에 해당한다고 응답한 비율이 적지 않아 독서의 개념과 범위에 대한 인식이 변하고 있는 것으로 나타났다.

[구상형 3번] 다음 제시문의 두 교사의 관점 중 자신의 가치관에 비추어 선호하는 교사를 선택하고 이유를 말하시오. 또한, 이를 바탕으로 자신이 실현할 교사상에 대해 이야기하시오.

> A 교사 : 교사는 누구보다도 시대의 흐름을 가장 빠르게 적극적으로 받아들여야 합니다.
> B 교사 : 교사는 느리더라도 숙고하여 신중하게 시대의 흐름을 받아들여야 합니다.

[즉답형 제시문] 다음 제시문을 읽고, 면접실에 비치된 [즉답형 질문지]의 질문에 대해 순서대로 답하시오.

> 찬영이는 평소 수업 시간에 주로 잠을 자거나 수업과 무관한 행동을 하는 학생이다. 어느 날 찬영이가 공부를 열심히 해보고 싶다고 김 교사를 찾아왔고, 김 교사는 필요한 책을 제공하거나 공부법을 알려주는 등 따로 시간을 내어 최대한 많은 도움을 주고자 노력했다. 하지만 김 교사는 일주일 뒤 찬영이가 평소와 똑같은 모습으로 행동하는 것을 보았다. 김 교사는 다시 열심히 해보자고 찬영이를 독려할지, 시간을 두고 찬영이를 지켜볼지 고민이 되었다.

공립교사 임용후보자 선정경쟁시험 2차 심층면접 4회

[즉답형 질문지]

> 찬영이는 평소 수업 시간에 주로 잠을 자거나 수업과 무관한 행동을 하는 학생이다. 어느 날 찬영이가 공부를 열심히 해보고 싶다고 김 교사를 찾아왔고, 김 교사는 필요한 책을 제공하거나 공부법을 알려주는 등 따로 시간을 내어 최대한 많은 도움을 주고자 노력했다. 하지만 김 교사는 일주일 뒤 찬영이가 평소와 똑같은 모습으로 행동하는 것을 보았다. 김 교사는 다시 열심히 해보자고 찬영이를 독려할지, 시간을 두고 찬영이를 지켜볼지 고민이 되었다.

4-1. 자신이 생각하는 교사의 역할을 말하고, 제시문 속 상황에서 어떻게 행동할 것인지 말하시오.

4-2. 위와 같이 행동했을 때 유의점을 2가지 말하시오.

공립교사 임용후보자 선정경쟁시험 2차 심층면접 5회

▶예시답안 p.61

[구상형 1번] 다음은 박 교사가 3월에 학급 학생들을 대상으로 상담을 진행한 내용의 일부이다. 제시문의 각 학생들에 대한 구체적 지도 방안을 1가지씩 제시하고, 상담 내용을 종합적으로 고려하여 전체 학급 대상의 지도 방안을 1가지 말하시오.

> - 다솜 : 저는 방송연예특성화 고등학교에 가고 싶었는데 부모님이 반대하셔서 인문계 고등학교로 왔어요. 제가 원해서 온 학교가 아니라 학교에 오는 게 싫어요.
> - 혜인 : 저는 겉으로는 티가 안나는데, 사실 집중력이 많이 부족해요. 여태까지는 그럭저럭 괜찮은 성적을 받았지만 고등학교 생활은 처음이라 많이 불안해요.
> - 지연 : 다른 친구들은 벌써 단짝을 만든 것 같은데 저만 친구가 없는 것 같아요. 이미 친해진 애들 사이에 굳이 끼는 게 눈치가 보여요.

[구상형 2번] 우리나라의 교육이념인 '홍익인간(弘益人間)'은 인성교육의 중요성을 전제한다. 인성교육에 필요한 교사의 역량 2가지를 말하고, 해당 역량들을 가정과 연계하여 어떻게 교육활동으로 실현할 것인지 각각 1가지씩 말하시오.

[구상형 3번] 다음 제시문의 교사 중 자신의 가치관에 비추어 더 선호하는 교사를 선택하고 그 이유를 말하시오. 또한, 선택한 입장을 중심으로 향후 교사로서 전문성을 기를 수 있는 방안을 2가지 제시하시오.

> 임 교사 : 에듀테크 기술은 학생들에게 신선함을 제공합니다. 4차 산업혁명이라는 시대의 흐름을 수용하여 신기술을 교육에 도입해 진보된 교수법을 적용하는 것이 중요합니다.
> 김 교사 : 교육은 고전적인 방식을 통해서도 효과적으로 이루어질 수 있습니다. 학생들의 시선을 사로잡기 위해서는 수업을 이끌어나가는 교사의 강의 전달력이 가장 중요합니다.

[즉답형 제시문] 다음 제시문을 읽고, 면접실에 비치된 [즉답형 질문지]의 질문에 대해 순서대로 답하시오.

> 김 교사는 우연히 자신의 반 학생인 수지가 SNS에 김 교사를 조롱하는 게시글을 올렸다는 사실을 알게 되었다. 김 교사가 자신의 수업 태도를 지적한 것이 기분이 나쁘다는 내용이었다. 김 교사는 한 차례 수지를 불러 잘못된 행동을 고칠 것을 말하였으나 이후에도 수지의 태도는 나아지지 않았다. 오히려 수지가 김 교사를 비방하는 게시글을 올리는 횟수는 더욱 많아졌다.

공립교사 임용후보자 선정경쟁시험 2차 심층면접 5회

[즉답형 질문지]

> 김 교사는 우연히 자신의 반 학생인 수지가 SNS에 김 교사를 조롱하는 게시글을 올렸다는 사실을 알게 되었다. 김 교사가 자신의 수업 태도를 지적한 것이 기분이 나쁘다는 내용이었다. 김 교사는 한 차례 수지를 불러 잘못된 행동을 고칠 것을 말하였으나 이후에도 수지의 태도는 나아지지 않았다. 오히려 수지가 김 교사를 비방하는 게시글을 올리는 횟수는 더욱 많아졌다.

4-1. 자신이 생각하는 생활지도의 가장 중요한 원칙을 말하고, 제시문 속의 김 교사라면 어떻게 행동할 것인지 말하시오.

4-2. 위와 같이 행동했을 때의 유의점을 말하시오.

공립교사 임용후보자 선정경쟁시험 2차 심층면접 | 6회

▶예시답안 p.63

[구상형 1번] 김 교사는 학생 대상으로 학교생활에 관한 설문조사를 진행하던 중, 다음과 같은 관계 문제를 발견하였다. 아래 학생들이 겪고 있는 관계 문제와 이에 대한 지도 방안을 학생별로 각각 1가지씩 제시하시오.

> A 학생 : 학교에서 친구들이 혹시 저를 싫어할까 봐 걱정이 많이 돼요. 왕따가 되고 싶지 않아요.
> B 학생 : 우리 반 담임 선생님을 바꿔주세요. 아는 것도 없으면서 너무 꼰대 같고 답답해요.

[구상형 2번] 다음 제시문을 읽고 미래교육을 위해 교사에게 필요한 자세 1가지와 이와 관련된 전문성 향상 계획을 1가지 말하시오.

> 2022 개정 교육과정은 '포용성과 창의성을 갖춘 주도적인 사람으로 성장'하는 것에 중점을 두고 개발되었다. 특히, 학생들이 미래 대응을 위한 기초 소양 및 역량을 함양하도록 교육을 강화하였다. 이러한 상황에서 교사들에게 다양한 자세가 요구되고 있다.

[구상형 3번] 다음 제시문의 교사 중 본인의 교사상에 근거하여 가장 중요하다고 생각하는 가치가 무엇인지 선택하고 이유를 제시하시오. 이를 바탕으로 자신이 실현할 교육활동 1가지를 이야기하시오.

> A 교사 : 학생이 자기주도성을 함양하도록 하는 것이 중요합니다.
> B 교사 : 학생이 창의와 혁신을 함양하도록 하는 것이 중요합니다.
> C 교사 : 학생이 포용성과 시민성을 함양하도록 하는 것이 중요합니다.

[즉답형 제시문] 다음 제시문을 읽고, 면접실에 비치된 [즉답형 질문지]의 질문에 대해 순서대로 답하시오.

> 이 교사는 동학년에서 생활지도 방식이 독특하기로 유명하다. 평소에 선생님들이 이 교사에게 학급 학생들의 잘못된 생활 태도에 대한 지도를 요청하면, 이 교사는 학급 자율성을 존중하자는 말을 하며 이에 불쾌한 기색을 보였다. 하루는 박 교사가 복도를 지나가다 이 교사의 반에서 학생들이 다투는 것을 목격하였고, 박 교사는 이 상황의 개입 여부가 고민스러웠다.

공립교사 임용후보자 선정경쟁시험 2차 심층면접 6회

[즉답형 질문지]

　이 교사는 동학년에서 생활지도 방식이 독특하기로 유명하다. 평소에 선생님들이 이 교사에게 학급 학생들의 잘못된 생활 태도에 대한 지도를 요청하면, 이 교사는 학급 자율성을 존중하자는 말을 하며 이에 불쾌한 기색을 보였다. 하루는 박 교사가 복도를 지나가다 이 교사의 반에서 학생들이 다투는 것을 목격하였고, 박 교사는 이 상황의 개입 여부가 고민스러웠다.

4-1. 자신이 생각하는 교사의 역할을 말하고, 자신이 박 교사라면 제시문 속 상황에서 어떻게 행동할 것인지 말하시오.

4-2. 위와 같이 행동했을 때 유의점을 2가지 말하시오.

공립교사 임용후보자 선정경쟁시험 2차 심층면접　7회

[구상형 1번] 다음은 신규교사 이 교사의 교단일기이다. 다음 내용을 읽고 이 교사의 문제점을 2가지 말하시오. 또 자신이 이 교사라면 이러한 어려움을 어떻게 해결할 것인지 3가지 제시하시오.

> 우리 반은 하루도 조용히 지나가는 일이 없다. 오늘은 A 학생이 와서 B 학생에게 뺨을 맞았다고 했다. 자초지종을 들어보니 수업이 끝난 후 운동장에서 놀다가 서로 싸우게 된 것이었다. 제발 싸우더라도 학교 밖에서 싸웠으면 좋겠다. 나에게 구구절절하게 이야기하는 것도 싫고, 그냥 117에 신고하거나 집에 가서 부모님께 얘기하고 알아서 해결했으면 좋겠다. 안 그래도 수업과 업무로 바쁜데, 이런 일까지 생기니까 너무 지친다.

[구상형 2번] 다음 제시문을 읽고 최 교사에게 부족한 자질 2가지와 앞으로 교사가 된다면 해당 자질을 함양하기 위해 어떠한 노력을 기울일 것인지 1가지씩 말하시오.

> 최 교사는 요즘 한창 이슈가 되고 있는 '인공지능 활용 수업'에 대해 회의적이다. 매번 새로운 수업 이론이나 수업 방법이 등장하는데 '학생들의 배움을 위한 수업'이 아니라 '새로운 이론을 적용하기 위한 수업'을 하는 것 같다는 생각이 들기 때문이다. 오늘도 학생들이 "다른 교과에서는 인공지능 활용 수업을 해요. 선생님도 해주세요."라고 했지만 최 교사는 여전히 해오던 방식대로 수업을 진행했다.

[구상형 3번] 다음 중 자신의 교육관에 부합하는 것을 고르고, 그 이유를 자신의 교육관과 관련지어 말하시오.

> ㉠ 미래사회에서는 로봇 교사가 인간을 대체하고 학교는 사라질 것이다.
> ㉡ 미래사회에서는 인간 교사에 의한 교육과 학교의 역할이 더욱 중요해질 것이다.

[즉답형 제시문] 다음 제시문을 읽고, 면접실에 비치된 [즉답형 질문지]의 질문에 대해 순서대로 답하시오.

> A 부장교사는 매번 부원들을 모아서 부서 회의를 진행한다. 부장 회의에서 나온 모든 내용을 부원들에게 전달하고, 학교생활에서 힘든 점은 없는지 살피느라 매주 회의가 한 시간 이상 이루어진다.
> B 부장교사는 부장 회의에서 언급된 이야기 중, 꼭 전달해야 할 내용이 있을 때만 부서 회의를 진행한다. 직접 모이는 일은 한 달에 한 번 정도이고, 업무 외에 개인적인 이야기를 하는 시간은 거의 없다.

공립교사 임용후보자 선정경쟁시험 2차 심층면접 7회

[즉답형 질문지]

> A 부장교사는 매번 부원들을 모아서 부서 회의를 진행한다. 부장 회의에서 나온 모든 내용을 부원들에게 전달하고, 학교생활에서 힘든 점은 없는지 살피느라 매주 회의가 한 시간 이상 이루어진다.
> B 부장교사는 부장 회의에서 언급된 이야기 중, 꼭 전달해야 할 내용이 있을 때만 부서 회의를 진행한다. 직접 모이는 일은 한 달에 한 번 정도이고, 업무 외에 개인적인 이야기를 하는 시간은 거의 없다.

4-1. 두 교사 중 자신이 선호하는 부장교사를 선택하고 경험에 근거하여 그 이유를 말하시오.

4-2. 자신이 선택하지 않은 부장교사에게 필요한 인성적 자질을 제시하시오.

4-3. 자신이 선택한 부장교사와 일하게 될 때 유의해야 할 점을 말하시오.

공립교사 임용후보자 선정경쟁시험 2차 심층면접 | 8회

[구상형 1번] 다음 제시문을 읽고 학생과의 관계에서 각 교사들이 겪고 있는 어려움을 1가지씩 찾고, 이에 대한 해결 방안을 각각 1가지씩 제시하시오.

> ㄱ. 김 교사는 수업 시간 핸드폰 사용 문제로 고민이 많다. 학생들이 수업 시간에 몰래 핸드폰으로 게임을 하거나 장난을 쳐도 지도할 방법이 마땅히 없어 답답하다.
> ㄴ. 이 교사는 학생들로부터 받은 피드백을 어떻게 해석해야 할지 혼란스럽다. 누구는 너무 쉽다, 누구는 너무 어렵다고 하니, 어느 장단에 맞춰야 할지 매번 고민된다.
> ㄷ. 박 교사는 수업에서 자는 학생이 너무 많아 고민스럽다. 옆 반 최 교사의 수업에서는 그렇게 웃음이 넘치던 아이들이 박 교사의 수업에서는 반응이 없다.

[구상형 2번] 교사의 전문성 신장이 필요한 이유를 2가지 말하시오. 또한, 자신에게 필요한 전문적 자질을 1가지 제시하고 이를 향상하기 위한 구체적 노력 방안을 2가지 말하시오.

[구상형 3번] 자신의 가치관에 비추어 선호하는 입장을 고르고 이유를 제시하시오. 또한, 선택한 입장이 미래 교육에 미칠 영향을 고려하여 유의점을 이야기하시오.

> 학생이 인공지능을 사용하여 작문 수행평가 과제를 제출했다는 것을 인지한 상황이다.
> ① 인공지능을 활용하여 작문을 할 때도 개인의 사고력이 필요하므로 과제로 인정해야 한다.
> ② 스스로 생각하여 과제를 해결하는 것이 의미가 있으므로 해당 과제를 인정할 수 없다.

[즉답형 제시문] 다음 제시문을 읽고, 면접실에 비치된 [즉답형 질문지]의 질문에 대해 순서대로 답하시오.

> A 교사와 B 교사는 평소에도 사이가 좋지 않다. 학년 특색 활동을 정하기 위한 동학년 회의가 있었다. 금방 끝날 것 같았던 회의에서 두 사람의 주장이 팽팽하게 맞서고 있는 상황이다.
> A 교사 : 몇 년째 해오던 활동이 있으니, 수정 없이 그대로 진행하는 편이 좋을 것 같아요.
> B 교사 : 작년 학생들과 올해 학생들이 다르니, 학생 성향을 고려하여 새롭게 진행합시다.

공립교사 임용후보자 선정경쟁시험 2차 심층면접 8회

[즉답형 질문지]

> A 교사와 B 교사는 평소에도 사이가 좋지 않다. 학년 특색 활동을 정하기 위한 동학년 회의가 있었다. 금방 끝날 것 같았던 회의에서 두 사람의 주장이 팽팽하게 맞서고 있는 상황이다.
>
> A 교사 : 몇 년째 해오던 활동이 있으니, 수정 없이 그대로 진행하는 편이 좋을 것 같아요.
> B 교사 : 작년 학생들과 올해 학생들이 다르니, 학생 성향을 고려하여 새롭게 진행합시다.

4-1. 두 교사 중 본인이 선호하는 교사를 선택하고, 그 이유를 말하시오.

4-2. 본인이 선택하지 않은 교사 입장에서 왜 위와 같이 이야기했을지 말하시오.

4-3. 본인이 동학년 회의에 참석한 동료교사라면 이 문제를 어떻게 해결했을지 이야기하시오.

공립교사 임용후보자 선정경쟁시험 2차 심층면접 | 9회

▶예시답안 p.68

[구상형 1번] 다음 내용을 읽고 김 교사가 겪고 있는 어려움의 이유를 2가지 말하시오. 또 자신이 김 교사라면 이 상황에서 문제를 어떻게 해결할 것인지 3가지 제시하시오.

> 김 교사는 일련의 사건들로 인해 교직 생활에 회의감을 느끼고 있다. 최근 김 교사의 학급인 A 학생과 B 학생 간의 갈등 사안을 중재했는데, 김 교사는 A 학생에게 "네가 이런 식으로 하니까 친구들이 다 너랑 안 놀려고 하는 거야."라고 말했다. 이 사실을 전해 들은 A 학생의 보호자가 학교에 전화를 하여 "담임 선생님의 말 때문에 우리 애가 상처를 받았어요."라고 말하며 김 교사를 아동학대로 신고하겠다고 소리를 질렀다.

[구상형 2번] 다음 제시문을 읽고 박 교사에게 부족한 자질 2가지를 설명하고, 자신이 교사가 된다면 그러한 자질을 함양하기 위해 어떠한 노력을 할 것인지 말하시오.

> 박 교사는 대학원 박사 과정 중에 있다. 특히 이번 학기는 논문을 작성해야 하기 때문에 학급 생활지도를 소홀히 하며 논문 주제 외의 수업 준비는 거의 하지 않고 있다. 이로 인해 박 교사의 학급은 교우관계나 기본 생활 습관에 관한 문제가 자주 발생하며, 학기 초에 비해 학업 성취도도 크게 떨어졌다.

[구상형 3번] 다음 중 자신의 생각에 더 부합하는 것을 고르고, 그 이유를 자신의 교육관과 관련지어 말하시오.

> ㉠ 저는 학생참여형 협동학습을 선호합니다.
> ㉡ 저는 교사 중심의 강의식 수업을 선호합니다.

[즉답형 제시문] 다음 제시문을 읽고, 면접실에 비치된 [즉답형 질문지]의 질문에 대해 순서대로 답하시오.

> A 부장교사는 학교 업무에 있어 원리 원칙을 중요시한다. 매뉴얼을 엄격하게 준수하고 조금 시간이 많이 걸리더라도 규정대로 업무를 진행한다. 반면, B 부장교사는 효율성과 자율성을 바탕으로 업무를 수행한다. 매뉴얼과 조금 다르더라도 빠르고 효율적인 방법으로 일을 하는 것을 선호한다.

공립교사 임용후보자 선정경쟁시험 2차 심층면접 9회

[즉답형 질문지]

> A 부장교사는 학교 업무에 있어 원리 원칙을 중요시한다. 매뉴얼을 엄격하게 준수하고 조금 시간이 많이 걸리더라도 규정대로 업무를 진행한다. 반면, B 부장교사는 효율성과 자율성을 바탕으로 업무를 수행한다. 매뉴얼과 조금 다르더라도 빠르고 효율적인 방법으로 일을 하는 것을 선호한다.

4-1. 두 교사 중 자신이 선호하는 부장교사를 선택하고 그 이유를 말하시오.

4-2. 자신이 선택한 부장교사와 일할 때 예상되는 단점을 제시하시오.

4-3. 자신이 선택하지 않은 부장교사와 일하게 될 때 유의해야 할 점을 말하시오.

공립교사 임용후보자 선정경쟁시험 2차 심층면접 10회

[구상형 1번] 김 교사는 학생들을 대상으로 프로젝트 수업을 진행하고 있다. 다음 제시문을 읽고, 학생들이 수업에서 겪고 있는 어려움을 각각 1가지씩 찾고, 이에 대한 해결 방안을 각각 2가지씩 제시하시오.

> 학생 A : 태블릿 PC 사용법과 자료 검색 방법을 잘 몰라서 조원들에게 도움이 되지 않는 느낌이에요.
> 학생 B : 다른 조 친구들이 저희 조 발표에 집중하지 않아서 발표하는 내내 기분이 좋지 않았어요.
> 학생 C : 수업은 즐거웠는데, 막상 공부를 하려고 하면 수업 시간에 뭘 배웠는지 떠오르지 않아요.

[구상형 2번] 학생들에게 자아 존중감이 중요한 이유를 교육의 목적과 관련하여 설명하시오. 또한, 제시문 속 학생 A를 지도하기 위해 최 교사에게 필요한 자질을 2가지 언급하고 그중, 1가지를 골라 향후 노력 방안을 1가지 제시하시오.

> 최 교사의 반 학생인 A는 학기 초 교우 관계 조사 시, 학급에서 친한 친구가 없다고 응답하였으며 다른 학생들에 비해 학업 성적이 좋지 않다는 것에 주눅들어 있다.
> [A와 최 교사의 상담 중]
> A : 공부를 잘 하고 싶은데 방법도 잘 모르겠고, 이런 고민을 나눌 수 있는 친구가 없다는 것도 속상해요. 모든 면에서 남들보다 부족하다는 생각이 드는데 저는 참 별로인 사람인 것 같아요.

[구상형 3번] 다음 두 교사의 대화를 읽고, 자신의 가치관에 비추어 선호하는 교사의 입장을 선택하고 그 이유를 말하시오. 또한, 선택한 입장을 바탕으로 향후 학생들의 생활지도를 어떻게 할 것인지 구체적인 방안을 1가지 제시하시오.

> A 교사 : 학생들 모두에게 엄격하고 공정하게 규칙을 적용해야 합니다. 문제 행동에 대해 즉시 책임을 묻는다면 학생들이 경각심을 갖고 규칙을 지키고자 노력할 것입니다.
> B 교사 : 학생들의 자율적 판단능력을 존중해야 합니다. 학생들에게 반성할 수 있는 기회를 줌으로써 자신을 성찰하며 스스로 성장할 수 있도록 도울 수 있습니다.

[즉답형 제시문] 다음 제시문을 읽고, 면접실에 비치된 **[즉답형 질문지]**의 질문에 대해 순서대로 답하시오.

> 부장교사 A는 부원들의 의견을 전혀 묻지 않는다. 몇 년째 같은 업무를 맡고 있는 익숙한 일이라는 생각에 혼자 결정한 다음, 부서원들에게 이를 통보하는 방식으로 업무를 진행하므로 업무 속도가 빠르다. 부장교사 B는 해당 업무에 대한 경험이 전무하며 모든 안건에 대해 부서원들의 의견을 수렴하여 최종 결정을 내린다. 부서원 전체의 의견을 묻고 회의를 통해 이를 조율을 하기 때문에 시간이 오래 걸린다.

공립교사 임용후보자 선정경쟁시험 2차 심층면접 10회

[즉답형 질문지]

> 부장교사 A는 부원들의 의견을 전혀 묻지 않는다. 몇 년째 같은 업무를 맡고 있는 익숙한 일이라는 생각에 혼자 결정한 다음, 부서원들에게 이를 통보하는 방식으로 업무를 진행하므로 업무 속도가 빠르다. 부장교사 B는 해당 업무에 대한 경험이 전무하며 모든 안건에 대해 부서원들의 의견을 수렴하여 최종 결정을 내린다. 부서원 전체의 의견을 묻고 회의를 통해 이를 조율을 하기 때문에 시간이 오래 걸린다.

4-1. 두 교사 중 자신이 선호하는 부장교사를 선택하고 그 이유를 말하시오.

4-2. 자신이 선택하지 않은 부장교사가 보완해야 하는 태도는 무엇인지 말하시오.

4-3. 자신이 선택한 부장교사와 일을 할 시 대처 방안을 말하시오.

공립교사 임용후보자 선정경쟁시험 2차 심층면접 — 11회

[구상형 1번] 김 교사는 학생들을 대상으로 학생자치와 관련한 설문조사를 진행하는 중, 다음과 같은 문제를 발견하였다. 아래 학생들이 겪고 있는 문제의 원인을 3가지 말하고 이를 해결하기 위한 방안 각각 1가지씩 제시하시오.

> Q. 우리 학교 학생자치에 대한 의견을 이야기해 주세요.
> 학생 A : 학급 회의를 안 한지 오래된 것 같아요. 학기 초에 한 번 했던 것 같은데 그 이후로 없었던 것 같아요.
> 학생 B : 어차피 회의해봤자 선생님의 의견이 가장 중요한데 회의를 왜 하는지 잘 모르겠어요.
> 학생 C : 매번 단순 다수결로만 진행되니까 인기 있는 친구 의견으로 결과가 나오는 것 같아요.

[구상형 2번] 다음 제시문을 읽고 교사로서 아래의 학생들을 지도해야 하는 이유를 1가지 말하시오. 또한, 올바른 디지털 기기 활용 문화를 만들기 위한 구체적 노력 방안을 2가지 말하시오.

> 학교에 1인 1디지털 기기가 보급되고 학생과 교사 모두 수업 시간에 이를 활용하는 것에 익숙해지기 시작했다. 에듀테크를 활용한 다양한 방식의 수업이 가능해졌지만, 전자기기를 수업과 무관하게 사용하는 학생들이 점차 생겨났다. 이에 교사가 주의를 주자, 학생들은 학생 인권을 이야기하며 지도를 거부하는 상황이다.

[구상형 3번] 다음 제시문의 두 교사의 관점 중 자신의 가치관에 비추어 선호하는 교사를 선택하고 이유를 말하시오. 또한, 이를 바탕으로 자신이 실현할 교육활동 1가지를 이야기하시오.

> A 교사 : 미래사회에는 교사의 개별 교과 전문성이 더욱 중요해질 것입니다. 자신의 교과 전문성을 바탕으로 학생들에게 적절한 학습을 지원하는 역할이 강조될 것입니다.
> B 교사 : 미래사회에는 교사의 소통 및 협력 능력이 더욱 중요해질 것입니다. 소통을 통해 필요한 자원을 적재적소에 배분하고, 학생들의 정서를 지원하는 역할이 강조될 것입니다.

[즉답형 제시문] 다음 제시문을 읽고, 면접실에 비치된 [즉답형 질문지]의 질문에 대해 순서대로 답하시오.

> 김 교사는 올해 교육청에서 새롭게 추진하는 사업을 맡게 되었다. 평소에도 혼자서 무리 없이 업무를 해왔던 김 교사는 다른 지역의 예시를 참고해 2학년 담임교사들의 협조를 계획에 포함하여 업무를 진행하였다. 이를 알게 된 2학년 부장 박 교사는 왜 담임교사들과 상의 없이 업무를 진행했냐며 화를 냈고, 김 교사의 업무를 도와줄 수 없다는 강경한 입장을 내세웠다.

공립교사 임용후보자 선정경쟁시험 2차 심층면접 11회

[즉답형 질문지]

> 김 교사는 올해 교육청에서 새롭게 추진하는 사업을 맡게 되었다. 평소에도 혼자서 무리 없이 업무를 해왔던 김 교사는 다른 지역의 예시를 참고해 2학년 담임교사들의 협조를 계획에 포함하여 업무를 진행하였다. 이를 알게 된 2학년 부장 박 교사는 왜 담임교사들과 상의 없이 업무를 진행했냐며 화를 냈고, 김 교사의 업무를 도와줄 수 없다는 강경한 입장을 내세웠다.

4-1. 김 교사의 관점에서 김 교사가 왜 그렇게 업무를 처리했을지 이유를 말하시오.

4-2. 박 교사의 관점에서 위와 같은 입장을 내세운 이유를 말하시오.

4-3. 자신이 2학년 담임교사라면 위와 같은 상황을 어떻게 중재할 것인지 답하시오.

공립교사 임용후보자 선정경쟁시험 2차 심층면접 | 12회

[구상형 1번] 제시문을 읽고 각 학생들이 겪고 있는 어려움을 말하고, 교사로서 해당 어려움을 도울 수 있는 방안을 각각 1가지씩 제시하시오.

> 학생 A : 친구들은 다 말랐는데 저만 너무 뚱뚱한 것 같아요. 건강검진을 했을 때 표준체중이라고 나왔는데 제가 표준이라니 말도 안 돼요.
> 학생 B : 이번에 시험을 쳤는데 지난 번보다 평균이 2점이나 떨어졌어요. 열심히 하려고 해도 공부에 집중도 잘 안 되고, 제가 실패자처럼 느껴져요.
> 학생 C : 친구들이 모두 저를 피하는 것 같아요. 왠지 뒤에서도 제 이야기를 하는 것 같아 학교에 나오기 싫은데 억지로 나오고 있는 거예요.

[구상형 2번] 인공지능을 필두로 한 기술의 발전과 변화가 교육에도 많은 영향을 미치고 있다. 인공지능 융합교육을 실시할 때 교사에게 필요한 인성적·전문적 자질을 1가지씩 제시하시오. 또한, 해당 자질들을 기르기 위한 향후 구체적 노력 방안을 1가지씩 말하시오.

[구상형 3번] 다음 두 교사의 생각을 읽고, 자신의 교육관에 비추어 더 선호하는 교사의 입장을 선택하고 그 이유를 말하시오. 또한, 앞서 선택한 입장과 본인의 교육관을 토대로 향후 지향하는 수업과 평가 방식을 설명하시오.

> 김 교사 : 학생 자치를 적극 지원하고, 교사는 이에 최소한으로 개입해야 합니다.
> 이 교사 : 학생 자치는 최소화하고, 교사의 결정권을 더욱 늘려야 합니다.

[즉답형 제시문] 다음 제시문을 읽고, 면접실에 비치된 [즉답형 질문지]의 질문에 대해 순서대로 답하시오.

> 부장교사 A는 교육 혁신에 관심이 많다. 새로운 에듀테크가 현장에 도입될 때마다 다른 교사들에게 함께 수업 적용 방안을 연구해 보자며 정보와 자료를 공유한다. 또한, 교사들의 창의성과 자율성을 존중하고 수업 방법의 다양한 시도와 실험을 격려한다.
> 부장교사 B는 전통적인 교육 방법을 고수한다. 새로운 방식을 시도하기보다는 이미 안정적으로 사용되고 있는 교육 방식을 선호한다. 평소 규정과 지침을 중요시하며 수업에서의 새로운 시도와 실험으로 발생할 수 있는 문제들에 대해 염려한다.

공립교사 임용후보자 선정경쟁시험 2차 심층면접 12회

[즉답형 질문지]

부장교사 A는 교육 혁신에 관심이 많다. 새로운 에듀테크가 현장에 도입될 때마다 다른 교사들에게 함께 수업 적용 방안을 연구해 보자며 정보와 자료를 공유한다. 또한, 교사들의 창의성과 자율성을 존중하고 수업 방법의 다양한 시도와 실험을 격려한다.

부장교사 B는 전통적인 교육 방법을 고수한다. 새로운 방식을 시도하기보다는 이미 안정적으로 사용되고 있는 교육 방식을 선호한다. 평소 규정과 지침을 중요시하며 수업에서의 새로운 시도와 실험으로 발생할 수 있는 문제들에 대해 염려한다.

4-1. 두 부장교사 중에 본인이 선호하는 부장교사를 선택하고, 그 이유를 말하시오.

4-2. 자신이 선택한 부장교사와 함께 일을 한다고 했을 때 유의할 점을 말하시오.

4-3. 자신이 선택하지 않은 부장교사와 함께 일을 하면서 갈등이 발생하였을 때 어떻게 대처할 것인지 말하시오.

공립교사 임용후보자 선정경쟁시험 2차 심층면접   13회

[구상형 1번] 다음 제시문을 읽고 학생들이 겪고 있는 어려움을 1가지씩 말하고 담임교사로서 학생들을 지도할 수 있는 방안을 각각 1가지씩 말하시오.

> 바다 : A 과목은 제가 가장 자신 있고 좋아하는 과목인데 선생님이 마음에 들지 않아요. 수업 내용도 재미없고 그 시간에 혼자서 A 과목을 공부하면 더 잘할 수 있을 것 같아요.
> 수연 : B 과목은 정말 어떻게 공부해야 할지 모르겠어요. 재밌을 것 같아서 선택했는데 수업이 하나도 이해가 안 되고 제 실력이 쌓이지 않으니까 재미도 없어요.

[구상형 2번] 다음 제시문을 읽고 김 교사에게 부족한 역량을 2가지 이야기하시오. 또한 부족한 역량을 향상하기 위해 김 교사에게 필요한 노력 방안 2가지를 제시하시오.

> 김 교사는 AI 교과서가 도입된다는 소식에 불만이 많다. 직전에 도입된 디지털 교과서도 아직 완벽하게 적응되지 않은 것 같은데, 이제는 AI 교과서라니 막막하기만 하다. 김 교사는 '어차피 아이들은 AI 교과서와 상관없이 배우던 대로 배우게 될 거야. 딴짓하는 애들만 늘어나고 다 쓸모 없는 짓이야.'라고 생각했다.

[구상형 3번] 학교폭력에 대한 두 교사의 대화를 읽고, 자신과 입장이 같은 교사를 선택하고 그 이유를 말하시오. 또한, 선택한 입장이 교육현장에 끼칠 영향을 고려하여 유의점을 1가지 말하시오.

> A 교사 : 학교에서 사건이 발생했을 때는 절차대로 바로 진행하는 것이 좋다고 생각합니다. 자칫 엉뚱하게 교사에게 피해가 올 수 있기 때문입니다.
> B 교사 : 학교는 교육공간이므로 교사의 교육적인 자세가 중요하다고 생각합니다. 절차도 중요하지만 교사가 적극적으로 중재하여 문제를 교육적으로 해결해야 합니다.

[즉답형 제시문] 다음 제시문을 읽고, 면접실에 비치된 [즉답형 질문지]의 질문에 대해 순서대로 답하시오.

> 김 교사는 다른 교사들에 비해 상대적으로 많은 업무량 때문에 불만이 많다. 업무를 하느라 수업이나 생활지도에 지장이 생길 때마다 스트레스를 받다 보니 요즘에는 업무를 대충하고 있다. 이러한 상황을 부장교사에게 이야기하였지만, 부장교사는 "학교 업무는 더 잘할 수 있는 사람에게 더 많이 돌아가는 거야."라고 말하며 오히려 김 교사가 능력이 좋은 것이라고 웃어 넘겼다.

공립교사 임용후보자 선정경쟁시험 2차 심층면접 13회

[즉답형 질문지]

> 김 교사는 다른 교사들에 비해 상대적으로 많은 업무량 때문에 불만이 많다. 업무를 하느라 수업이나 생활지도에 지장이 생길 때마다 스트레스를 받다 보니 요즘에는 업무를 대충하고 있다. 이러한 상황을 부장교사에게 이야기하였지만, 부장교사는 "학교 업무는 더 잘할 수 있는 사람에게 더 많이 돌아가는 거야."라고 말하며 오히려 김 교사가 능력이 좋은 것이라고 웃어 넘겼다.

4-1. 부장교사가 위와 같이 이야기한 이유를 부장교사 입장에서 설명하시오.

4-2. 제시문의 김 교사에게 필요한 인성관을 이야기하시오.

4-3. 자신이 김 교사라면 내년 업무 배정과 관련하여 어떤 의견을 제시할 것인지 이야기하시오.

공립교사 임용후보자 선정경쟁시험 2차 심층면접 | 14회

▶예시답안 p.75

[구상형 1번] 제시문에 나타난 문제상황을 3가지 말하고, 담임교사로서 문제를 어떻게 해결할 것인지 문제상황에 대한 해결방안을 1가지씩 제시하시오.

> 학급에서 기초학력부진 학생 A가 수업에 집중하지 못하고 산만한 행동을 지속적으로 보였다. 이에 B 학생은 수업 분위기를 흐린다며 A 학생을 지적하였고, 두 학생 사이에 다툼이 발생하였다. 이후 B 학생의 학부모는 학습 방해를 이유로 A 학생을 특수 학급으로 분리해 달라고 담임 교사에게 요구하였다. 반면 A 학생의 보호자는 아이를 낙인찍지 말라며 강하게 반대하였다.

[구상형 2번] 다음 상황에서 교사에게 요구되는 역량은 무엇인지 제시하고 앞으로 이와 관련하여 수업 전문성을 키워갈 앞으로의 노력을 구체적으로 말하시오.

> 최근 정서·행동에 어려움을 겪는 학생이 수업 도중 자주 자리를 이탈하거나 물건을 던지는 행동을 보인다. 교사는 이 학생을 비난하거나 강제로 제압하지 않고, 상황을 관찰하고 개입 시기를 조절하며 수업을 지속하려 노력하였다. 그러나 일부 학생과 학부모는 수업 진행이 원활하지 않다는 불만을 제기하고 있다.

[구상형 3번] 다음 중 자신의 교육관에 가까운 교사를 선택하고, 그 이유를 제시하시오. 또한, 해당 입장을 반영하여 학교에서 실제로 운영할 수 있는 수업지도, 생활지도 계획을 1가지씩 제시하시오.

> A 교사 : 다문화 학생이라 하더라도 또래 학생들과 동일한 기준과 기대를 적용해야 한다.
> B 교사 : 다문화 학생의 언어, 문화적 배경을 충분히 이해하고 적응 기간을 고려한 맞춤형 접근이 필요하다.

[즉답형 제시문] 다음 제시문을 읽고, 면접실에 비치된 [즉답형 질문지]의 질문에 대해 순서대로 답하시오.

> 박 교사는 학년 활동에 필요한 물품을 구입하고자 행정실에 학교 예산을 신청하였다. 그러나 행정실에서는 해당 학년의 예산이 이미 소진되어, 다른 학년에 우선권이 있다고 답변하였다. 이에 박 교사는 과거 유사한 상황에서 예산 사용이 허가된 사례를 확인하고, 형평성에 대한 문제를 제기하였다. 이 과정에서 박 교사와 행정실 직원 간에 갈등이 발생하였다.

공립교사 임용후보자 선정경쟁시험 2차 심층면접 14회

[즉답형 질문지]

> 박 교사는 학년 활동에 필요한 물품을 구입하고자 행정실에 학교 예산을 신청하였다. 그러나 행정실에서는 해당 학년의 예산이 이미 소진되어, 다른 학년에 우선권이 있다고 답변하였다. 이에 박 교사는 과거 유사한 상황에서 예산 사용이 허가된 사례를 확인하고, 형평성에 대한 문제를 제기하였다. 이 과정에서 박 교사와 행정실 직원 간에 갈등이 발생하였다.

4-1. 자신이 박 교사라면 해당 상황에서 어떻게 대응할 것인지 말하시오.

4-2. 교육활동 중 행정실의 협조를 구하는 과정에서 교사에게 요구되는 태도는 무엇인지 말하고, 그 이유를 말하시오.

공립교사 임용후보자 선정경쟁시험 2차 심층면접 | 15회

[구상형 1번] 다음 제시문을 읽고 학생들이 겪고 있는 어려움을 각각 1가지씩 제시하고, 이를 해결하기 위한 구체적인 해결 방안을 각각 1가지씩 제시하시오.

> 학생 A : 선생님, 저는 공부에 소질이 없는데 노력해 봤자 소용이 있을까요? B만큼 잘할 게 아니면 공부는 시간 낭비인 것 같아요.
> 학생 B : 선생님, 대학은 왜 가는 걸까요? 공부를 잘하면 좋다고 해서 열심히 하고는 있는데 제가 무엇을 원하는지 잘 모르겠어요.
> 학생 C : AI가 발달하면 일자리가 다 사라진다는데 굳이 공부를 열심히 할 필요가 있을까요?

[구상형 2번] 다음 제시문을 읽고 학습자의 주도성을 강조하는 수업을 진행할 때 교사로서 유의점을 1가지 말하고, 이와 관련된 전문성을 신장하기 위한 향후 계획을 1가지 제시하시오.

> OECD 2030 학습 나침반의 '학생주도성'과 더불어 교실 수업에서 '학습자의 주도성'이 강조되고 있다. 학생이 배움의 주체자로서 주도적으로 학습하고 성찰하며 상호 협력을 통해 함께 성장해나가는 수업이 이루어져야 한다는 것이 주된 내용이다. 이렇게 주도적으로 배움을 이끌어나가는 경험을 통해 학생들은 삶에서 주어지는 문제들을 해결할 수 있는 능력을 갖게 된다.

[구상형 3번] 다음 제시문의 교사 중 자신의 가치관에 비추어 더 선호하는 교사를 선택하고 그 이유를 말하시오. 또한, 선택한 입장을 바탕으로 본인이 교사로서 노력할 방안에 대해 이야기하시오.

> 김 교사 : 교육의 발전은 교사 개인의 발전에서 출발한다고 생각합니다. 교사 개인의 흥미와 적성을 바탕으로 자신이 원하는 분야를 발전시키기 위해 부단히 노력해야 합니다.
> 이 교사 : 교육의 발전은 공동체의 발전과 맞닿아 있습니다. 학교의 문제점을 해결하여 궁극적으로 공동체의 발전을 도모할 수 있도록 교사는 학교 전반에 관심을 가져야 합니다.

[즉답형 제시문] 다음 제시문을 읽고, 면접실에 비치된 [즉답형 질문지]의 질문에 대해 순서대로 답하시오.

> 학기말 전환기 프로그램을 두고 박 교사와 이 교사 사이에 의견 다툼이 발생했다. 박 교사는 전년도에 했던 방식을 그대로 활용하여 학생 개별 주제 탐구 수업을 진행하자고 제안했다. 반면, 이 교사는 AI를 활용한 과목융합 모둠 수업을 새롭게 시도해 보자고 제안했다.

공립교사 임용후보자 선정경쟁시험 2차 심층면접 15회

[즉답형 질문지]

> 학기말 전환기 프로그램을 두고 박 교사와 이 교사 사이에 의견 다툼이 발생했다. 박 교사는 전년도에 했던 방식을 그대로 활용하여 학생 개별 주제 탐구 수업을 진행하자고 제안했다. 반면, 이 교사는 AI를 활용한 과목융합 모둠 수업을 새롭게 시도해 보자고 제안했다.

4-1. 두 교사의 의견 중 자신이 선호하는 수업을 선택하고 이유를 말하시오.

4-2. 4-1에서 본인이 선택한 수업을 진행할 때의 유의점을 2가지 말하시오.

공립교사 임용후보자 선정경쟁시험 2차 심층면접 | 16회

[구상형 1번] 제시문에 나타난 문제상황을 2가지 말하고 담임교사로서 문제를 어떻게 해결할 것인지 각 2가지씩 제시하시오.

> 진로 수업 시간, A 학생은 "저는 하고 싶은 것도 없고, 그것을 찾는 것도 싫어요."라며 활동에 참여하지 않았다. 이에 다른 학생들도 억지로 발표하고 싶지 않다며 수업에 소극적인 태도를 보였다. 발표가 시작되자, 명확한 진로를 설정한 학생들의 발표를 본 일부 학생들은 오히려 수업에 대한 흥미를 더 잃어갔다.

[구상형 2번] 다음 상황에서 교사에게 요구되는 자질은 무엇인지 제시하고 앞으로 어떤 방향으로 해당 자질이나 역량을 키워갈 것인지 구체적으로 말하시오.

> 최근 교육청에서는 인공지능 및 에듀테크를 활용한 수업을 강조하며, 교사의 디지털 활용 역량 강화를 요구하고 있다. 하지만 교사 내부에서는 "기술이 교육을 대체하는 건 아니지 않나?", "너무 빠른 변화에 부담스럽다."는 의견도 있다.

[구상형 3번] 다음 중 자신의 학생관에 가까운 교사를 선택하고, 그 이유를 아동 발달 이해 및 교육관과 관련지어 말하시오. 또한, 해당 학생관을 반영한 수업 및 생활지도 계획을 1가지씩 제시하시오.

> A 교사 : 학생은 현재의 모습 자체로 완성된 존재이며, 어른의 잣대로 아이를 판단하거나 변화시키려 하기보다 지금을 존중해야 한다.
> B 교사 : 학생은 성장 가능성을 지닌 존재이며, 교사는 적절한 개입과 자극을 통해 아이가 더 나은 방향으로 발달할 수 있도록 도와야 한다.

[즉답형 제시문] 다음 제시문을 읽고, 면접실에 비치된 [즉답형 질문지]의 질문에 대해 순서대로 답하시오.

> 김 교사는 교실에서 학생 주도 프로젝트 활동을 기획하여, 팀별로 문제를 해결하거나 탐구하는 수업을 운영하였다. 그러나 일부 학부모는 "요즘 수업은 교사가 안 가르치고 학생들끼리 알아서 하라는 식이다.", "에듀테크 기기를 활용한다고 하는데 정작 아이는 뭘 배웠는지 모르겠다."고 불만을 제기했다.

공립교사 임용후보자 선정경쟁시험 2차 심층면접 16회

[즉답형 질문지]

> 김 교사는 교실에서 학생 주도 프로젝트 활동을 기획하여, 팀별로 문제를 해결하거나 탐구하는 수업을 운영하였다. 그러나 일부 학부모는 "요즘 수업은 교사가 안 가르치고 학생들끼리 알아서 하라는 식이다.", "에듀테크 기기를 활용한다고 하는데 정작 아이는 뭘 배웠는지 모르겠다."고 불만을 제기했다.

4-1. 자신이 김 교사라면, 위와 같은 학부모의 반응에 어떻게 대응할 것인지 말하시오.

4-2. 에듀테크나 AI 기반 수업을 진행할 때 교사가 유의해야 할 점을 말하고 그 이유를 제시하시오.

공립교사 임용후보자 선정경쟁시험 2차 심층면접 17회

[구상형 1번] 다음 제시문을 읽고 학생들이 겪고 있는 어려움을 각각 1가지씩 제시하고, 담임교사로서 각 학생들에게 도움을 줄 수 있는 방안을 1가지씩 제시하시오.

> 학생 A : 선생님 저는 작가가 되고 싶어요. 학교 수업은 작가가 되는 것과 전혀 관련이 없는 것 같아서 학교에서 무의미하게 흘려보내는 시간이 아까워요.
> 학생 B : 1학년 때 친하게 지내던 친구가 두 명 있었어요. 2학년 때 저만 다른 반이 되었는데 점점 둘만 어울리는 시간이 많아져서 저만 외딴 섬에 있는 것 같은 느낌이 들어요.
> 학생 C : 저는 잘하는 게 없어요. 공부에는 전혀 재능이 없는데 부모님께서는 계속 대학은 나와야 한다면서 공부를 하라고 하세요. 공부 때문에 스트레스 받아서 요즘 너무 힘들어요.

[구상형 2번] 다음 제시문을 읽고 박 교사에게 필요한 자질을 2가지 이야기하시오. 본인이 교사가 된다면 그러한 자질을 기르기 위해 어떤 노력을 할 것인지 구체적인 방안을 1가지씩 이야기하시오.

> 박 교사는 점심시간에 반 학생들 간에 싸움이 일어났다는 사실을 알게 되었으나 이를 대수롭지 않게 여겼다. 다음날 학부모로부터 박 교사가 학생들의 싸움에 아무런 조치를 취하지 않고 연락도 되지 않았음을 질타하는 항의 전화가 왔다. 박 교사는 앞으로는 주의하겠다고 답하였지만, 아이들이 싸운 것이 자기 잘못도 아니고 여전히 자신은 잘못한 것이 없다고 생각한다.

[구상형 3번] 다음과 같은 상황에서 자신의 가치관에 비추어 입장을 선택하고 이유를 말하시오. 선택한 입장이 학생자치에 끼칠 영향을 고려하여 유의점을 1가지 말하시오.

> 학급회의에서 다수결에 따라서 규칙이 정해졌다.
> [핸드폰을 걷지 말고 쉬는 시간에 핸드폰을 자유롭게 사용하자.]
> ① 학생들이 회의를 통해 만든 규칙이니 인정하고 이를 준수해야 한다.
> ② 학교의 역할을 생각했을 때, 해당 규칙은 교사 차원의 재검토가 필요하다.

[즉답형 제시문] 다음 제시문을 읽고, 면접실에 비치된 **[즉답형 질문지]**의 질문에 대해 순서대로 답하시오.

> 김 교사는 학교에서 관심 분야와 연령대가 비슷한 친한 선생님들과 함께 전문적학습공동체를 운영하고 싶다는 생각이 들었다. 부장교사에게 이 의견을 전달하자 부장교사는 다른 선생님들께도 알렸느냐고 물었고, 김 교사는 마음이 맞는 선생님들끼리 소수로 운영하고자 한다고 답했다. 그러자 부장교사는 전체 선생님들을 대상으로 참여하고 싶은 분들이 있는지 물어보라고 조언하였다. 김 교사는 그럴 바엔 하지 않는 게 더 낫겠다는 생각이 들었다.

공립교사 임용후보자 선정경쟁시험 2차 심층면접 17회

[즉답형 질문지]

> 김 교사는 학교에서 관심 분야와 연령대가 비슷한 친한 선생님들과 함께 전문적학습공동체를 운영하고 싶다는 생각이 들었다. 부장교사에게 이 의견을 전달하자 부장교사는 다른 선생님들께도 알렸느냐고 물었고, 김 교사는 마음이 맞는 선생님들끼리 소수로 운영하고자 한다고 답했다. 그러자 부장교사는 전체 선생님들을 대상으로 참여하고 싶은 분들이 있는지 물어보라고 조언하였다. 김 교사는 그럴 바엔 하지 않는 게 더 낫겠다는 생각이 들었다.

4-1. 부장교사가 위와 같이 이야기한 이유를 부장교사 입장에서 설명하시오.

4-2. 김 교사에게 필요한 태도를 이야기하시오.

4-3. 자신이 김 교사라면 전문적학습공동체 구성을 어떻게 할 것인지 이야기하시오.

공립교사 임용후보자 선정경쟁시험 2차 심층면접 | 18회

[구상형 1번] 다음 제시문을 읽고, 학생이 겪고 있는 어려움을 2가지 말하고, 각각의 어려움을 해결하기 위한 교사의 지도 방안을 1가지씩 제시하시오.

> 요즘 뭐가 맞는 건지 잘 모르겠어요. 저는 실습도 해보고 빨리 기술 배워서 취업하고 싶은데, 부모님은 그냥 무조건 인문계 고등학교에 가라고만 하세요. 대화를 해보려고 해도, 제가 뭘 말하면 다 틀렸다고만 하셔서 이제는 그냥 듣는 척만 해요. 선생님이라면 어떻게 하실 건가요? 제가 여기서 뭘 더 해야 하는 걸까요?

[구상형 2번] 제시문의 학생들이 겪는 어려움에 따른 교사의 생활지도 방안 1가지를 제시하고, 교사로서 전문성을 신장하기 위한 노력 1가지를 제시하시오.

> 학생 1 : 선생님은 항상 친구들끼리 잘 해결하라고만 하세요. 근데 저희끼리 해결 못할 때도 있잖아요.
> 학생 2 : 친구가 저한테 상처 주는 말을 했는데, 선생님은 그냥 "다툼은 누구나 할 수 있어." 하고 넘기셨어요.

[구상형 3번] 다음 두 교사의 입장 중 자신과 더 부합하는 입장을 선택하고, 그 이유를 제시하시오. 또한, 해당 입장을 반영하여 학급 운영에서 실천할 수 있는 활동 사례를 1가지 제시하시오.

> A 교사 : 학생들의 다양성과 개성을 있는 그대로 인정해주는 것이 중요합니다.
> B 교사 : 학생에게 바람직한 모델을 보여주고, 이를 자연스럽게 따라올 수 있도록 이끌어야 합니다.

[즉답형 제시문] 다음 제시문을 읽고, 면접실에 비치된 **[즉답형 질문지]**의 질문에 대해 순서대로 답하시오.

> 김 교사는 선택과목 수업을 맡고 있다. 어느 날 수업 시간에 태블릿을 활용하던 도중, 영수가 화면을 내려놓고 이어폰을 낀 채 무언가를 보고 있었다. 김 교사가 다가가 "지금 뭐 하는 거니?"라고 물었더니, 영수는 "과제 다 했는데 그냥 쉬고 있었어요."라고 대답했다. 수업 후 김 교사는 학년 부장교사에게 조언을 구했지만, 부장은 "요즘 애들 조용히만 있어도 다행이지, 그런 것까지 일일이 지적하면 수업하기 더 어려워져요."라고 말했다.

공립교사 임용후보자 선정경쟁시험 2차 심층면접 18회

[즉답형 질문지]

> 김 교사는 선택과목 수업을 맡고 있다. 어느 날 수업 시간에 태블릿을 활용하던 도중, 영수가 화면을 내려놓고 이어폰을 낀 채 무언가를 보고 있었다. 김 교사가 다가가 "지금 뭐 하는 거니?"라고 물었더니, 영수는 "과제 다 했는데 그냥 쉬고 있었어요."라고 대답했다. 수업 후 김 교사는 학년 부장교사에게 조언을 구했지만, 부장은 "요즘 애들 조용히만 있어도 다행이지, 그런 것까지 일일이 지적하면 수업하기 더 어려워져요."라고 말했다.

4-1. 자신이 김 교사라면, 해당 상황에서 학생을 어떻게 지도할 것인지 말하시오.

4-2. 자신이 학년 부장교사라면, 김 교사에게 어떤 조언을 해줄 수 있을지 말하시오.

공립교사 임용후보자 선정경쟁시험 2차 심층면접　19회

▶ 예시답안 p.83

[구상형 1번] 다음 제시문에서 학생들이 겪는 문제 상황의 공통 원인을 말하고, 제시문 속 3가지 문제에 대한 김 교사의 지도 방안을 각각 1가지씩 말하시오.

> 김 교사의 반 학생인 가영이는 아침에 늘 지각한다. 밤새 핸드폰을 하다가 새벽에 잠들어 알람이 울리는 소리를 못 들었다는 것이 가영이의 변명이었다. 김 교사가 학급 학생들을 대상으로 설문조사를 한 결과, 대부분의 학생들이 스마트폰이 없으면 불안함을 느끼고 실제 스마트폰의 진동이 울리지 않았음에도 진동이 온 것 같은 느낌을 받은 적이 있다고 답했다. 김 교사가 학생들에게 A4용지 한 장 분량의 읽기 자료를 나눠주자, 학생들은 너무 길고 어렵다며 다음에는 요약본이나 짧은 동영상으로 자료를 달라고 했다.

[구상형 2번] 'Today a reader, tomorrow a leader'라는 격언처럼, 책은 학생들이 미래 인재로 성장하도록 이끄는 나침반이 될 수 있다. 이러한 관점에서 독서 교육에 필요한 교사의 역량 2가지와 향후 학생들을 대상으로 진행하고 싶은 독서 프로그램 2가지를 말하시오.

[구상형 3번] 제시문의 교사 중 본인의 교육관에 근거하여 더 선호하는 교사의 입장을 선택하고 이유를 말하시오. 또한, 선택한 입장을 바탕으로 교직에 임할 때의 유의점을 2가지 제시하시오.

> 정 교사 : 교사의 본질은 '학생들을 교육하는 사람'입니다. 교육 외의 다른 업무를 배제하여 가르치는 일에 집중할 수 있는 환경을 만들어야 합니다.
> 한 교사 : 교사는 학교 조직의 일원으로 행정 업무를 피할 수는 없습니다. 이를 효과적으로 수행하여 학교가 잘 운영될 수 있도록 하는 것도 교사의 몫입니다.

[즉답형 제시문] 다음 제시문을 읽고, 면접실에 비치된 **[즉답형 질문지]**의 질문에 대해 순서대로 답하시오.

> 박 교사의 반 서율이는 우울증으로 인해 대인관계에 어려움이 있으며 가정 형편이 어렵다. 박 교사는 사제동행 프로그램의 일환으로 서율이와 주기적인 상담을 하였으며 서율이에게 학용품과 문제집을 사주었다. 서율이의 상황에 대해 알지 못하는 반 학생들이 박 교사가 서율이를 편애한다고 학급 여론을 조성하였다. 한 학부모는 박 교사에게 전화를 걸어, '우리 애도 마음이 여리고 학교생활에 도움이 필요하다.'라고 말하며 편애에 대한 불만을 직접적으로 토로했다.

공립교사 임용후보자 선정경쟁시험 2차 심층면접 19회

[즉답형 질문지]

> 박 교사의 반 서율이는 우울증으로 인해 대인관계에 어려움이 있으며 가정 형편이 어렵다. 박 교사는 사제동행 프로그램의 일환으로 서율이와 주기적인 상담을 하였으며 서율이에게 학용품과 문제집을 사주었다. 서율이의 상황에 대해 알지 못하는 반 학생들이 박 교사가 서율이를 편애한다고 학급 여론을 조성하였다. 한 학부모는 박 교사에게 전화를 걸어, '우리 애도 마음이 여리고 학교생활에 도움이 필요하다.'라고 말하며 편애에 대한 불만을 직접적으로 토로했다.

4-1. 박 교사가 학부모의 불만에 즉각적으로 대처할 수 있는 방안과 학급 분위기 개선을 위해 할 수 있는 노력을 각각 2가지씩 말하시오.

4-2. 사제동행 프로그램을 실시할 때의 유의점을 2가지 말하시오.

공립교사 임용후보자 선정경쟁시험 2차 심층면접 | 20회

[구상형 1번] 다음은 김 교사가 수업에 대해 학생들에게 피드백을 받은 내용이다. 이를 통해 알 수 있는 수업의 문제점을 3가지 말하고, 해당 문제를 해결하기 위한 방안을 각각 1가지씩 제시하시오.

> [수업에서 겪고 있는 어려움이나 불편한 점을 솔직하게 말해주세요.]
> 학생 A : 수업 시간에 배우는 내용들이 너무 쉬워서 지루해요. 더 어려운 문제들도 풀어보고 싶어요.
> 학생 B : 수업 시간에 보여주시는 영상들이 재미는 있는데, 수업과 어떤 관련이 있는지 잘 모르겠어요.
> 학생 C : 저는 수업을 열심히 듣는 편인데 주위 친구들이 수업을 잘 안들으니까, 저까지 집중이 안 돼요.

[구상형 2번] 다음 제시문을 읽고, 담임교사로서 조 교사에게 필요한 자질을 2가지 말하시오. 또한, 향후 본인이 교사로서 해당 자질들을 기르기 위해 어떠한 노력을 할 것인지 각각 1가지씩 제시하시오.

> 학급 반장 선거가 있는 날이었다. 조 교사는 학생들에게 당일 아침에 공지를 하였고 입후보할 의향이 있는 학생들은 점심시간 전까지 알려달라고 말했다. 반장 선거 당일까지 아무도 선거에 출마하지 않아, 작년에 반장을 맡았던 학생들을 강제 입후보시켰다. 이튿날 조 교사는 우연히 반장 선거에 출마하고 싶었는데 너무 갑작스러워 기회를 놓쳤다는 학생들의 대화를 듣게 되었다.

[구상형 3번] 제시문의 A, B 교사 중 자신의 교육관에 더 부합하는 교사를 선택하고 그 이유를 제시하시오. 또한, 해당 입장에서 학생들과 관계를 맺기 위한 구체적 방안을 1가지 제시하시오.

> A 교사 : 교사는 학생들과 소통하기 위해 학생들의 문화를 파악하고 있어야 합니다.
> B 교사 : 교사는 학생들이 본받고 싶은 바람직한 모델링의 대상이 되어야 합니다.

[즉답형 제시문] 다음 제시문을 읽고, 면접실에 비치된 [즉답형 질문지]이 질문에 대해 순서대로 답하시오.

> 동학년 담임들이 모여 현장체험학습 장소를 정하는 안건으로 회의를 진행했다. 부장교사인 최 교사는 선생님들께 의견을 내달라고 말했다. 신규교사인 김 교사는 교육적으로 의미가 있는 장소가 좋을 것 같다는 생각에 학생들이 공예 체험을 할 수 있는 장소를 제안했다. 그러자 박 교사는 "아직 김 선생이 잘 몰라서 그래. 원래 그런 날은 아이들을 놀게 해주는 게 최고야."라고 말하며 김 교사의 의견에 반박했다. 김 교사는 박 교사의 발언에 불쾌함을 느꼈다.

공립교사 임용후보자 선정경쟁시험 2차 심층면접 20회

[즉답형 질문지]

> 동학년 담임들이 모여 현장체험학습 장소를 정하는 안건으로 회의를 진행했다. 부장교사인 최 교사는 선생님들께 의견을 내달라고 말했다. 신규교사인 김 교사는 교육적으로 의미가 있는 장소가 좋을 것 같다는 생각에 학생들이 공예 체험을 할 수 있는 장소를 제안했다. 그러자 박 교사는 "아직 김 선생이 잘 몰라서 그래. 원래 그런 날은 아이들을 놀게 해주는 게 최고야."라고 말하며 김 교사의 의견에 반박했다. 김 교사는 박 교사의 발언에 불쾌함을 느꼈다.

4-1. 김 교사가 박 교사의 발언에 불쾌함을 느낀 이유를 말하시오.

4-2. 박 교사에게 부족한 인성적 자질을 말하시오.

4-3. 부장교사의 입장에서 원만하게 회의를 이끌어나갈 수 있는 방안을 말하시오.

공립교사 임용후보자 선정경쟁시험 2차 심층면접 | 21회

▶ 예시답안 p.87

[구상형 1번] 다음은 김 교사의 학급 학생들이 학급 회의의 문제점에 대해 발언한 내용이다. 각 문제에 대한 해결 방안을 1가지씩 제시하고, 학급 학생들의 자치 역량을 키울 수 있는 방안을 2가지 말하시오.

> 학생 A : 매번 같은 주제로 회의를 하니까, 학급 회의가 정말 학급에 도움이 되는지 잘 모르겠어요.
> 학생 B : 학급 회의를 통해 친구들과 함께 결정한 내용들이 실제로는 잘 지켜지지 않는 것 같아요.
> 학생 C : 학급 회의에서 제 의견을 말하고 싶은데, 몇몇 학생들이 발언 기회를 독점하고 있어요.

[구상형 2번] 다음 제시문을 바탕으로 교사로서 학생들과 소통하는 것의 중요성을 1가지 말하고, 제시문의 학생 A에 대한 지도 방안을 3가지 말하시오.

> A는 수업 시간에는 주로 엎드려 있으며 점심시간에도 교실에서 늘 혼자 스마트폰 게임을 한다. 담임인 이 교사는 어느날 A가 아무런 말도 없이 학급 단체 대화방을 나간 것을 확인하였다. 다시 A를 대화방에 초대를 하였지만, A는 곧바로 대화방을 나갔다. A는 자신은 쓸모가 없는 존재라고 상태 메시지를 변경한 채 다음날 미인정 결석을 하였다.

[구상형 3번] 다음 두 교사의 생각을 읽고, 자신의 교육관에 비추어 더 선호하는 교사의 입장을 선택하고 그 이유를 말하시오. 또한, 해당 입장을 실현하기 위해 필요한 자질과 그러한 자질을 향상하기 위한 노력 방안을 1가지씩 말하시오.

> 최 교사 : 교사는 학생들이 학교에서의 다양한 경험을 통해 넓은 범위에서 고른 성장을 할 수 있도록 안내해야 합니다.
> 윤 교사 : 교사는 학생들의 특기와 적성을 파악하여 각자의 소질과 능력 발현에 초점을 둔 교육을 실천해야 합니다.

[즉답형 제시문] 다음 제시문을 읽고, 면접실에 비치된 **[즉답형 질문지]**의 질문에 대해 순서대로 답하시오.

> 교사 A와 교사 B는 학기 초 교과 협의회에서 수행평가 방식에 대해 상반된 입장을 보였다.
> 교사 A : 학생들이 수행하는 과정을 평가하는 것이 수행평가의 목적 아닌가요? 저는 개인별 과제를 통해 학생 개개인의 수행 과정을 좀 더 자세히 살펴볼 수 있다고 생각합니다.
> 교사 B : 학생들은 모둠별 과제를 통해 다른 학생들과 더욱 많은 교류를 할 수 있습니다. 함께 과제를 해 나가는 과정을 관찰함으로써 총체적 수행 능력을 평가할 수 있어요.

공립교사 임용후보자 선정경쟁시험 2차 심층면접 21회

[즉답형 질문지]

> 교사 A와 교사 B는 학기 초 교과 협의회에서 수행평가 방식에 대해 상반된 입장을 보였다.
> 교사 A : 학생들이 수행하는 과정을 평가하는 것이 수행평가의 목적 아닌가요? 저는 개인별 과제를 통해 학생 개개인의 수행 과정을 좀 더 자세히 살펴볼 수 있다고 생각합니다.
> 교사 B : 학생들은 모둠별 과제를 통해 다른 학생들과 더욱 많은 교류를 할 수 있습니다. 함께 과제를 해 나가는 과정을 관찰함으로써 총체적 수행 능력을 평가할 수 있어요.

4-1. 교사 A, B 중 자신의 평가관에 부합하는 교사를 고르고 그 이유를 말하시오.

4-2. 교사 B가 말한 과제 수행 방식의 문제점과 그 해결 방안을 각각 2가지씩 말하시오.

4-3. 교사 A, B의 입장을 모두 고려하여 효과적으로 수행평가를 운영할 수 있는 방안을 말하시오.

공립교사 임용후보자 선정경쟁시험 2차 심층면접 | 22회

▶ 예시답안 p.89

[구상형 1번] 다음 제시문은 A 학생이 쓴 일기의 일부이다. 이를 읽고 A 학생에게 예상되는 어려움을 3가지 말하고, 이에 대해 담임교사로서 A 학생을 지원할 수 있는 방안을 각각 1가지씩 제시하시오.

> 학교에 가는 게 귀찮다. 나만 빼고 우리 반 친구들은 다 친한 것 같다. 집에 있으면 방에서 컴퓨터랑 스마트폰만 한다. 집 밖으로 나가는 것도 재미없고, 주말에도 집에 혼자 있다. 가족과 같이 밥 먹는 것도 싫다. 몸을 움직이지 않으니까 밥도 먹고 싶지 않고 괜히 여기저기 아픈 것 같다. 어제는 아버지가 정신차리라면서 화를 내셨다. 내 마음을 너무 몰라주시는 것 같아 눈물만 난다.

[구상형 2번] 다음 제시문의 상황에서 성공적인 AI 디지털교과서 도입을 위해 교사에게 필요한 자질 1가지와 본인이 해당 자질을 향상하기 위한 노력을 1가지 말하시오.

> 교육부는 '모두를 위한 맞춤 교육'을 실현하기 위한 '디지털 기반 교육혁신 방안'을 발표했다. 주요 내용을 살펴보면, 2025년부터 수학·영어·정보 교과에 AI 디지털교과서를 도입키로 했다. 2015 개정교육과정 시기에 만들어진 디지털교과서는 활용률이 높지 않았다. 그 이유는 '다른 자료들과 크게 다르지 않아서', '학생들의 호기심을 자극할 수 있을 만큼 효과적이지 못해서', '디지털교과서 활용 방법을 몰라서', '학생들에게 디지털기기 활용에 따른 부작용이 우려되어서' 순으로 나타났다.

[구상형 3번] 제시문의 교사 중 본인의 교육관에 근거하여 더 선호하는 교사상을 선택하고 이유를 말하시오. 또한, 선택한 입장을 바탕으로 앞으로 교육현장에서 실현하고자 하는 구체적인 교육 방안을 제시하시오.

> ㉠ 교사는 정원사이다. 학생은 나무처럼 수동적으로 자라는 존재이고, 교사는 정원사로서 학생에게 물과 영양, 햇빛을 제공하고 다듬어주며 이들을 길러낸다.
> ㉡ 교사는 목자이다. 학생은 양떼와 같이 능동적으로 초원을 뛰놀면서 자라는 존재이고, 교사는 목자로서 학생이 스스로 삶의 방향을 설정해갈 수 있도록 지원한다.

[즉답형 제시문] 다음 제시문을 읽고, 면접실에 비치된 [즉답형 질문지]의 질문에 대해 순서대로 답하시오.

> 2년차 교사인 김 교사는 최근 있었던 업무분장 때문에 고민이 많다. 근무하는 학교의 근무 연수가 많은 순서대로 원하는 업무를 고르는 방식으로 업무분장을 결정하다보니 2년차 교사인 김 교사는 제일 마지막에 업무를 고르게 되었고, 가장 피하고 싶었던 업무를 맡게 되었다.

공립교사 임용후보자 선정경쟁시험 2차 심층면접 22회

[즉답형 질문지]

2년차 교사인 김 교사는 최근 있었던 업무분장 때문에 고민이 많다. 근무하는 학교의 근무연수가 많은 순서대로 원하는 업무를 고르는 방식으로 업무분장을 결정하다보니 2년차 교사인 김 교사는 제일 마지막에 업무를 고르게 되었고, 가장 피하고 싶었던 업무를 맡게 되었다.

4-1. 자신이 생각하는 교사로서 가장 중요한 자질을 말하고, 언급한 자질을 바탕으로 제시문 속 상황에서 어떻게 행동할 것인지 말하시오.

4-2. 위와 같이 행동했을 때 유의점을 2가지 말하시오.

공립교사 임용후보자 선정경쟁시험 2차 심층면접 | 23회

[구상형 1번] 제시문에서 김 교사와 학생 A의 문제점을 각각 1가지씩 말하고, 각 문제에 대한 해결 방안을 1가지씩 말하시오.

> 김 교사는 전반적으로 수업 분위기가 어수선한 가운데, 특히 목소리가 큰 학생 A를 지목하여 주의를 주었다. 그러자 A 학생은 "다른 애들도 떠드는데 왜 저한테만 뭐라고 하세요? 아, 짜증나."라고 하였다. 다른 학생들은 모두 김 교사를 쳐다보았고, 김 교사는 어떻게 해야 할지 난감했다.

[구상형 2번] 다음 상황에서 이 교사가 가장 먼저 조치할 사항을 2가지 말하고, 문제해결에 필요한 역량과 해당 역량을 갖추기 위해 본인이 지금까지 해온 노력을 1가지씩 말하시오.

> 이 교사는 학생들이 하교한 오후 시간에 학교 운동장에서 축구를 하고 있던 학생들이 경기 중 욕을 하며 싸우는 소리를 듣게 되었다. 창문으로 내다보니, 학생들이 뒤엉켜 주먹질을 하고 있었다. 이 교사는 곧 퇴근이라 마음이 급했지만, 운동장의 학생들을 그대로 두면 큰일이 일어날 수도 있겠다는 생각이 들었다.

[구상형 3번] 다음 두 교사의 생각을 읽고, 자신의 교육관에 비추어 더 선호하는 교사의 입장을 선택하고 그 이유를 말하시오. 또한 이를 바탕으로 자신이 실현하고 싶은 교사상을 제시하시오.

> 최 교사 : 이번 체육대회는 학교 예산으로 행사 전문 업체를 불러서 진행하면 좋겠습니다.
> 박 교사 : 행사 전문 업체보다는 교사들이 직접 프로그램을 구성하고 기획해서 진행하면 좋겠습니다.

[즉답형 제시문] 다음 제시문을 읽고, 면접실에 비치된 [즉답형 질문지]의 질문에 대해 순서대로 답하시오.

> 부장교사인 김 교사는 학교에서 맡은 업무가 많으며 이외에도 학교 밖에서 진행하는 교육 연구나 교원학습공동체 등 다양한 교육활동을 하고 있다. 개인 사유로 김 교사가 조퇴를 자주 하는 바람에, 같은 부서의 신규교사인 박 교사가 김 교사의 업무를 대신하는 상황이 많다. 박 교사는 수업 준비를 하고 학교 업무를 따라가기도 벅찬데 부장교사의 업무까지 도와야 하는 상황이 부담스럽게 느껴졌다.

공립교사 임용후보자 선정경쟁시험 2차 심층면접 23회

[즉답형 질문지]

> 부장교사인 김 교사는 학교에서 맡은 업무가 많으며 이외에도 학교 밖에서 진행하는 교육 연구나 교원학습공동체 등 다양한 교육활동을 하고 있다. 개인 사유로 김 교사가 조퇴를 자주 하는 바람에, 같은 부서의 신규교사인 박 교사가 김 교사의 업무를 대신하는 상황이 많다. 박 교사는 수업 준비를 하고 학교 업무를 따라가기도 벅찬데 부장교사의 업무까지 도와야 하는 상황이 부담스럽게 느껴졌다.

4-1. 부장교사가 제시문과 같이 행동한 이유를 말하시오.

4-2. 제시문의 부장교사에게 필요한 인성 자질을 말하시오.

4-3. 자신이 신규교사 박 교사라면 위 상황에서 대처할 것인지 말하시오.

공립교사 임용후보자 선정경쟁시험 2차 심층면접 | 24회

[구상형 1번] 다음 제시문을 통해 알 수 있는 김 교사의 문제점을 1가지 말하시오. 또한, 향후 이와 같은 문제의 재발 방지 방안을 2가지 제시하시오.

> "어제 오후에 학교폭력 담당 선생님으로부터 우리 아이가 같은 반 학생으로부터 학교폭력으로 신고당했다는 연락을 받았어요. 이야기를 들어보니 사소한 일이던데, 이렇게 학교폭력으로 신고까지 당할 정도였으면 담임 선생님께서 학부모에게 진작 연락했어야 하는 거 아닌가요? 그리고 담임 선생님께서는 왜 학생들 간 중재를 제대로 못하고 일이 이렇게 커지도록 놔두셨나요?"

[구상형 2번] 다음 제시문을 읽고 박 교사의 문제점 2가지를 말하고, 박 교사에게 필요한 자질을 2가지와 그 이유를 제시하시오.

> 박 교사는 생태전환교육에 관심이 많다. 학급에서도 학생들에게 환경을 살리는 일들을 함께 실천하도록 독려하고 있다. 여름철, 겨울철에도 냉·난방기 가동을 엄격하게 제한하며 학생들에게 부채 사용하기, 옷 여러 겹으로 껴입기 등 환경을 보호할 수 있는 방안을 실천하도록 한다. 이에 대해 학생들은 박 교사에게 불만을 갖고 있다.

[구상형 3번] 다음 중 미래사회에서 학생에게 가장 중요하다고 생각하는 것을 1가지 고르고, 그 이유를 자신의 교육관과 연결 지어 말하시오.

> ㉠ 인공지능 활용 능력
> ㉡ 문제해결 능력
> ㉢ 사회성 및 공감 능력

[즉답형 제시문] 다음 제시문을 읽고, 면접실에 비치된 **[즉답형 질문지]**의 질문에 대해 순서대로 답하시오.

> 교장선생님께서 주말에 있을 학생자치회와 학부모회 행사인 '나눔 한마당'에 전체 교사들이 나와서 행사 진행에 협조하라고 하셨다. A 교사는 '당연히 나와야 한다.'는 입장이고, B 교사는 '나오지 않아도 된다.'는 입장이다.

공립교사 임용후보자 선정경쟁시험 2차 심층면접 24회

[즉답형 질문지]

> 교장선생님께서 주말에 있을 학생자치회와 학부모회 행사인 '나눔 한마당'에 전체 교사들이 나와서 행사 진행에 협조하라고 하셨다. A 교사는 '당연히 나와야 한다.'는 입장이고, B 교사는 '나오지 않아도 된다.'는 입장이다.

4-1. 두 교사 중 자신의 생각과 부합하는 교사를 고르고 그 이유를 말하시오.

4-2. 자신이 선택하지 않은 교사에게 필요한 자질과 그 자질을 함양할 수 있는 방안을 제시하시오.

4-3. 자신이 선택하지 않은 교사에게 협력을 요청한다면 어떻게 말할 수 있을지 시연하시오.

공립교사 임용후보자 선정경쟁시험 2차 심층면접 | 25회

[구상형 1번] 다음 제시문의 상황을 바탕으로 일부 학생들의 태도에서 드러나는 문제점을 1가지 말하고, 김 교사의 입장에서 수업 분위기를 안정적으로 형성하기 위한 방안을 2가지 제시하시오.

> 신규 교사인 김 교사는 수업 중 일부 학생들의 산만한 태도와, 이로 인해 다른 학생들이 불편함을 호소하는 상황으로 어려움을 겪고 있다. 학생들에게 주의를 주자, 일부 학생은 "다른 선생님은 무서운데, 선생님은 편해서 그래요."라며 김 교사의 말을 가볍게 넘겼다. 이후에도 김 교사는 수업 분위기 개선을 위해 노력했으나, 몇몇 학생은 여전히 수업 규칙을 잘 따르지 않고 있다.

[구상형 2번] 현재 교육계는 학생 수 감소와 함께 4차 산업혁명 시대를 맞이하여 교육의 방향 전환이 요구되고 있다. 이와 관련하여, 4차 산업혁명 시대에 교사가 갖추어야 할 역량을 1가지 말하고, 소규모 학교의 교사로서 학생들에게 유의미한 교육을 제공하기 위한 방안을 2가지 제시하시오.

[구상형 3번] 다음 제시문을 읽고, 두 교사 중 자신의 입장에 더 가까운 교사를 선택하고 그 이유를 말하시오. 또한, 교권 회복과 학생 인권의 균형을 고려할 때 학교 차원에서 실천할 수 있는 방안을 1가지 말하시오.

> A 교사 : 교사의 정당한 생활지도가 위축되고 있습니다. 교권 회복을 위해서는 학생 지도에 있어 보다 엄정하고 단호한 대응이 필요하다고 생각합니다.
> B 교사 : 교사도 학생도 학교에서 존중받아야 합니다. 서로의 권리를 이해하고 존중하는 문화를 만드는 것이 근본적인 해결책이라고 생각합니다.

[즉답형 제시문] 다음 제시문을 읽고, 면접실에 비치된 **[즉답형 질문지]**의 질문에 대해 순서대로 답하시오.

> 김 교사는 담임을 맡고 있는 A 학생이 여러 교과에서 최소 성취 수준에 미달한 사실을 확인하고, 교육과정에 따라 방과 후 보충 지도를 안내하였다. 그러나 A 학생의 어머니는 A가 그날 컨디션이 좋지 않아 시험을 잘 못 본 것이라며 보충 지도를 거부하였고, 차라리 학원에 보내겠다는 입장을 밝혔다. 김 교사는 예상치 못한 학부모의 반응에 난처함을 느꼈다.

공립교사 임용후보자 선정경쟁시험 2차 심층면접 25회

[즉답형 질문지]

> 김 교사는 담임을 맡고 있는 A 학생이 여러 교과에서 최소 성취 수준에 미달한 사실을 확인하고, 교육과정에 따라 방과 후 보충 지도를 안내하였다. 그러나 A 학생의 어머니는 A가 그날 컨디션이 좋지 않아 시험을 잘 못 본 것이라며 보충 지도를 거부하였고, 차라리 학원에 보내겠다는 입장을 밝혔다. 김 교사는 예상치 못한 학부모의 반응에 난처함을 느꼈다.

4-1. 김 교사의 입장에서 학부모의 반응에 대해 어떠한 방식으로 대응할 것인지 말하고, 그 이유를 설명하시오.

4-2. 학습 결손 학생의 학습 지원을 위해 평소 학부모의 신뢰를 높이기 위한 방안 1가지를 말하시오.

공립교사 임용후보자 선정경쟁시험 2차 심층면접 26회

[구상형 1번] 다음 제시문을 읽고 학생들이 겪고 있는 어려움을 2가지 말하고, 교사로서 학생들을 도울 수 있는 방안 2가지를 제시하시오.

> A 학생 : 학교를 굳이 다녀야 하는 이유가 뭘까요? 학교에서 배운 것들을 나중에 쓸 일도 없다는데 학교에 있는 것 자체가 시간 낭비처럼 느껴져요.
> B 학생 : 친구들과 사이좋게 지낼 필요 있을까요? 어차피 혼자 사는 세상인데 괜히 다른 사람 눈치를 보고 살 바에는 혼자 지내는 편이 더 좋아요.

[구상형 2번] 다음 제시문을 읽고 이 교사에게 가장 필요한 자질을 1가지 말하고, 해당 역량을 향상하기 위해 자신이 해 온 노력과 향후 자질 향상을 위한 계획을 각각 1가지씩 말하시오.

> 이 교사는 퇴근시간을 훌쩍 넘겨서까지 일하는 동료교사들을 보면 전혀 이해가 되지 않는다. 어차피 교육과정에 따라 정해진 내용만 충실히 가르치면 되는데, 굳이 개인 시간을 더 써가면서 수업 연구를 하는 모습이 신기할 따름이다. 학생들도 학교에 크게 기대하는 것이 없어 보이는데 저렇게 한다고 누가 알아주겠냐는 생각이 가장 크다.

[구상형 3번] 교육현장에서 ㉠과 ㉡에 해당하는 사례를 1가지씩 제시하고, ㉠ 또는 ㉡과 관련하여 본인이 추구하는 교육관을 말하시오.

> ㉠ 태양을 만져보지 않아도 뜨겁다는 것을 알 수 있다.
> ㉡ 강을 거슬러 헤엄치는 자가 강물의 세기를 안다.

[즉답형 제시문] 다음 제시문을 읽고, 면접실에 비치된 **[즉답형 질문지]**의 질문에 대해 순서대로 답하시오.

> 교직원 회의에서 한 안건에 대한 결론이 나지 않자, 부서별로 의견을 종합하여 최종 결정을 하기로 협의하였다. 부장교사는 신규교사인 박 교사에게 별도로 의견을 묻지 않고 부서 의견을 제출하였다.
> 박 교사가 자신은 아직 의견을 말하지 않았다고 하자, 부장교사는 "모두에게 가장 편한 방향으로 의견을 제출하였으니, 박 교사에게도 해가 될 게 없어요."라고 말했다.

공립교사 임용후보자 선정경쟁시험 2차 심층면접 26회

[즉답형 질문지]

> 교직원 회의에서 한 안건에 대한 결론이 나지 않자, 부서별로 의견을 종합하여 최종 결정을 하기로 협의하였다. 부장교사는 신규교사인 박 교사에게 별도로 의견을 묻지 않고 부서 의견을 제출하였다.
> 박 교사가 자신은 아직 의견을 말하지 않았다고 하자, 부장교사는 "모두에게 가장 편한 방향으로 의견을 제출하였으니, 박 교사에게도 해가 될 게 없어요."라고 말했다.

4-1. 제시문 속 부장교사의 발언에 담긴 의도를 추론하여 말하시오.

4-2. 부장교사에게 필요한 인성적 자질을 말하시오.

4-3. 본인이 부장교사라면 위의 상황에서 어떻게 대처했을지 말하시오.

공립교사 임용후보자 선정경쟁시험 2차 심층면접 | 27회

[구상형 1번] 다음은 김 교사가 학기 초에 학생들로부터 받은 기초상담자료의 내용이다. A~C 학생들이 겪고 있는 교우 관계 문제에 대한 공통적인 해결 방안을 1가지 언급하고 개별 학생에 대한 해결 방안을 각각 1가지씩 제시하시오.

> A : 제가 무슨 행동을 할 때마다 눈치를 주는 친구들이 있어요. 신경을 안 쓰려고 해도 계속 신경이 쓰여요.
> B : 친한 친구들이 있는데, 저만 다른 반이 되었어요. 내성적인 편이라 친구들에게 먼저 다가가는 게 힘들어요.
> C : 작년에 같은 반이었는데 다투고 난 뒤 어색해진 친구가 같은 반이 되었어요. 올해 그 친구와 불편하지 않게 지내고 싶어요.

[구상형 2번] 다음 제시문을 읽고, 박 교사에게 부족한 자질을 2가지 말하고 향후 본인이 교사가 되었을 때 언급한 자질을 기르기 위해 어떠한 노력을 할 것인지 각각 1가지씩 제시하시오.

> 박 교사는 에듀테크에 익숙하지 않아 교사 중심의 강의식 수업을 진행하고 있지만 말솜씨가 좋아 학생들에게 수업이 재미있다는 평가를 받는다. 그러나 매번 수업과 무관한 사담으로 정해진 분량을 끝내지 못해 시험 직전에 급하게 진도를 나간다. 하루는 학생 A가 박 교사에게 박 교사가 담당하는 과목의 공부 방법에 관해 상담을 요청했다. 박 교사는 개인 시간을 빼앗기기 싫다는 생각에 공부 방법은 담임 선생님께서 더 잘 아실 거라고 말하며 A를 돌려보냈다.

[구상형 3번] 제시문의 A, B 두 교사 중 자신의 교육관에 맞는 교사를 고르고, 선택한 입장을 바탕으로 향후 시험 문항들의 난이도를 어떻게 정할 것인지 말하시오.

> A 교사 : 학생들의 실력차를 변별하기 위해서는 고차원적 사고를 요하는 어려운 문제가 필요합니다.
> B 교사 : 모든 시험 문제는 수업 시간에 배운 내용으로 충분히 풀 수 있는 적당한 난이도여야 합니다.

[즉답형 제시문] 다음 제시문을 읽고, 면접실에 비치된 [즉답형 질문지]의 질문에 대해 순서대로 답하시오.

> 최 교사와 임 교사는 동학년 동교과를 가르친다. 두 교사는 학기 초 교과 협의회를 통해 수행평가의 배점과 평가기준에 관해 협의를 마쳤으며 학기 말에 수행평가 점수를 교차 확인하는 중이었다. 최 교사는 평가 전 학생들에게 평가기준을 미리 공지하였으며 이에 따라 수행평가를 채점했지만, 임 교사는 협의 내용과 다르게 수행평가를 채점하였다. 최 교사가 이에 문제를 제기하였으나 임 교사는 "어차피 학생들은 구체적인 배점을 모르니, 이번에는 그냥 넘어갑시다."라고 말했다.

공립교사 임용후보자 선정경쟁시험 2차 심층면접 27회

[즉답형 질문지]

> 최 교사와 임 교사는 동학년 동교과를 가르친다. 두 교사는 학기 초 교과 협의회를 통해 수행평가의 배점과 평가기준에 관해 협의를 마쳤으며 학기 말에 수행평가 점수를 교차 확인하는 중이었다. 최 교사는 평가 전 학생들에게 평가기준을 미리 공지하였으며 이에 따라 수행평가를 채점했지만, 임 교사는 협의 내용과 다르게 수행평가를 채점하였다. 최 교사가 이에 문제를 제기하였으나 임 교사는 "어차피 학생들은 구체적인 배점을 모르니, 이번에는 그냥 넘어갑시다."라고 말했다.

4-1. 임 교사에게 부족한 인성적·전문적 자질을 각각 1가지씩 말하시오.

4-2. 제시문의 상황에서 최 교사가 취할 수 있는 대처 방안을 2가지 말하시오.

4-3. 평가에서 교사 간 절차와 방법에 관한 합의가 중요한 이유를 말하시오.

공립교사 임용후보자 선정경쟁시험 2차 심층면접 | 28회

▶ 예시답안 p.97

[구상형 1번] 다음 제시문을 읽고 학생이 보이는 인식에서 나타나는 교육적 문제를 인지적 측면과 사회적 측면에서 1가지씩 제시하고, 교사로서 도울 수 있는 지도 방안을 각각 1가지씩 말하시오.

> 쉬는 시간에 한 학생이 AI 활용법 관련 동아리 홍보를 듣고 나서 혼잣말하는 것을 듣게 되었다. "솔직히 이제 AI가 다 해주는데 굳이 힘들게 공부할 필요 있나?" 옆에 있던 다른 학생도 이에 호응하며 말에 끼어들었다. "맞아! 같이 모둠 활동하고 동아리 하는 것도 이제 너무 피곤해. 그냥 각자 조용히 할 거 하고 집에 가는 게 더 효과적일 것 같은데."

[구상형 2번] 최근 학교 현장에서는 정서적 불안이나 위기 행동을 보이는 학생의 수가 증가하고 있다. 이러한 상황에서 교사로서 학생을 지도할 때 유의해야 할 점을 2가지 말하고, 관련된 전문성을 신장하기 위한 방안을 1가지씩 제시하시오.

[구상형 3번] 다음 두 교사의 입장 중 자신과 더 부합하는 입장을 선택하고, 그 이유를 제시하시오. 또한, 해당 입장을 반영하여 교사로서 만들어가고 싶은 학교문화를 위한 구체적 실천 방안을 1가지 제시하시오.

> A 교사 : 학교는 학생들이 예측 가능한 규칙 안에서 안정감을 느끼도록 구조화된 공간이어야 합니다. 교사는 방향을 제시하고 기준을 세워주는 존재입니다.
> B 교사 : 학교는 예측 불가능한 삶을 함께 배워가는 공간입니다. 교사도 때로는 경계를 허물고 학생과 함께 만들어가는 과정이 필요합니다.

[즉답형 제시문] 다음 제시문을 읽고, 면접실에 비치된 **[즉답형 질문지]**의 질문에 대해 순서대로 답하시오.

> 최 교사는 회의에 참여해 수업과 업무 사례를 공유하고 의견을 나누는 것이 중요하다고 생각한다. 하지만 최 교사가 속한 부서의 부장교사는 "회의는 어차피 형식적인데, 자료만 내가 전달하고 메신저로 이야기해서 시간 아끼는 게 낫지 않겠어?"라며 회의를 별도로 개최하지 않고 있다. 최 교사는 그 태도가 지속될 경우 생길 수 있는 문제에 대해 우려하고 있다.

공립교사 임용후보자 선정경쟁시험 2차 심층면접 28회

[즉답형 질문지]

> 최 교사는 회의에 참여해 수업과 업무 사례를 공유하고 의견을 나누는 것이 중요하다고 생각한다. 하지만 최 교사가 속한 부서의 부장교사는 "회의는 어차피 형식적인데, 자료만 내가 전달하고 메신저로 이야기해서 시간 아끼는 게 낫지 않겠어?"라며 회의를 별도로 개최하지 않고 있다. 최 교사는 그 태도가 지속될 경우 생길 수 있는 문제에 대해 우려하고 있다.

4-1. 최 교사의 입장에서 예상되는 문제점을 제시하시오.

4-2. 자신이 최 교사라면 어떻게 대처할 것인지 말하시오.

4-3. 위와 같이 행동했을 때 유의점을 말하시오.

공립교사 임용후보자 선정경쟁시험 2차 심층면접 | 29회

[구상형 1번] 다음 제시문의 상황에서 일부 학생들의 문제점을 1가지 지적하고, 교과 교사와 담임 교사로서의 해결 방안을 각각 1가지씩 제시하시오.

> 최근 김 교사는 수행평가와 관련해 고민이 많다. 일부 학생들이 수행평가 당일 의도적으로 인정결석을 사용한 뒤, 부족한 준비를 보완해 재시험에 응시하고 더 좋은 성적을 받는다는 제보가 있었기 때문이다. 김 교사는 정해진 기한 안에 성실히 수행평가를 준비한 학생들이 오히려 불이익을 받고 있는 건 아닐까 하는 생각이 들었다.

[구상형 2번] 제시문 속 학생들의 발언을 고려하여 생성형 인공지능(AI)을 활용한 수업 방안과 평가 계획을 1가지씩 말하시오.

> 학생 1 : 선생님께서 수업 시간에 설명하신 내용이랑 AI가 설명한 내용이랑 다른데, 저는 AI의 설명이 더 믿음이 가요.
> 학생 2 : AI가 작성해준 수행평가 내용을 그대로 외워서 시험을 치렀는데, 검증에는 한계가 있으니 문제가 없을 거라는 생각이 들어요.

[구상형 3번] 두 교사 중 자신의 생각과 비슷한 교사의 입장을 선택하고 그 이유를 제시하시오. 또한, 학생 안전과 교육적 효과를 모두 고려한 체험학습 운영 방안을 1가지 제시하시오.

> A 교사 : 학교 밖 체험 활동은 교사의 부담이 큽니다. 학생들의 안전을 챙기느라 오히려 수업 준비나 교육 활동에 집중하기 어렵습니다.
> B 교사 : 학교 밖 체험 활동은 학생들이 새로운 경험을 통해 배움의 가치를 내면화할 수 있는 기회입니다. 다양한 배움의 기회를 제공하는 것은 교사의 책무입니다.

[즉답형 제시문] 다음 제시문을 읽고, 면접실에 비치된 **[즉답형 질문지]**의 질문에 대해 순서대로 답하시오.

> A 교사는 에듀테크를 활용한 새로운 수업 방식을 도입하여 학생들에게 재미있는 수업을 진행한다는 호평을 받고 있다. 동교과인 B 교사는 강의식 위주로 최대한 학생들에게 간결하게 내용을 전달하려 노력하는데 B 교사가 담당하는 학생들이 B 교사에게 A 교사와 같은 수업 방식을 요구하고 있다.

공립교사 임용후보자 선정경쟁시험 2차 심층면접 29회

[즉답형 질문지]

> A 교사는 에듀테크를 활용한 새로운 수업 방식을 도입하여 학생들에게 재미있는 수업을 진행한다는 호평을 받고 있다. 동교과인 B 교사는 강의식 위주로 최대한 학생들에게 간결하게 내용을 전달하려 노력하는데 B 교사가 담당하는 학생들이 B 교사에게 A 교사와 같은 수업 방식을 요구하고 있다.

4-1. 자신이 B 교사라면 다음 상황에서 어떻게 행동할 것인지 말하고, 그 이유를 제시하시오.

4-2. A 교사의 수업 방식에 한계가 있다면 어떻게 보완할 수 있을지 말하고, 그 이유를 제시하시오.

공립교사 임용후보자 선정경쟁시험 2차 심층면접 | 30회

[구상형 1번] 다음 제시문에서 각 학생들이 겪고 있는 어려움을 1가지씩 말하고, 이를 해결할 수 있는 교수학습 방안을 2022 개정 교육과정의 특성을 반영하여 각각 1가지씩 이야기하시오.

> 광수 : 미래에는 현재 직업의 절반이 사라진다고 하는데 저는 지금 이렇게 공부하는 것이 맞는지 잘 모르겠어요. 학교를 굳이 다녀야 할까요?
> 영자 : 태블릿을 사용해서 수업하는 것 좀 안 하면 안 될까요? 사용법도 잘 모르겠고 배우려니 너무 어려워서 그냥 선생님 설명만 듣는 게 더 편해요.
> 상철 : 저는 단순 암기가 제일 좋아요. 과제도 혼자 하는 것이 가장 편하고요. 선생님들께서 열심히 도와주시는 것은 알지만 이것저것 복잡한 것은 안했으면 좋겠어요.

[구상형 2번] 최근 수업에서 인공지능을 통해 효과적인 학습을 도모하고자 하는 시도가 늘어나고 있다. 인공지능 활용 교육에서 교사의 역할 2가지를 제시하고, 이를 위해 교사에게 필요한 역량과 본인이 그러한 역량을 갖추기 위해 해 온 노력을 각각 1가지씩 말하시오.

> 학생 1 : 학교에서 배우는 내용은 너무 쉬워요. 설명도 천천히 하시니까 자꾸 수업이 지루해져요.
> 학생 2 : 저는 학원을 안 다니는데 간략하게만 설명을 해주셔서 수업을 하셔서 따라가기 어려워요.

[구상형 3번] 다음 두 교사의 대화를 읽고, 자신의 가치관에 비추어 선호하는 교사의 입장을 선택하고 그 이유를 말하시오. 또한, 해당 입장이 학교 교육 공동체 문화에 끼칠 영향을 고려하여 유의점을 1가지 말하시오.

> A 교사 : 교권과 학생 인권은 균형을 이뤄야한다고 생각합니다. 따라서 어느 것에 우선순위를 두기보다 조화롭게 유지될 수 있는 방안을 마련해야 합니다.
> B 교사 : 교육할 수 있는 권리를 제대로 보장받아야 자연스럽게 학생 인권도 신장된다고 생각합니다. 교권 및 교육활동 보호를 통해 교사로서의 자존감을 확보하는 것이 중요합니다.

[즉답형 제시문] 다음 제시문을 읽고, 면접실에 비치된 [즉답형 질문지]의 질문에 대해 순서대로 답하시오.

> 김 교사는 수업시간에 참여하지 않는 학생들을 크게 신경 쓰지 않는다. 학기 초에는 여러 차례 수업 참여를 유도해 보았지만, 학생들에게 큰 변화가 생기지 않자 이내 포기하였다. 어느 날 부장교사인 이 교사가 김 교사의 수업 장면을 목격한 후, 김 교사에게 왜 자는 학생들을 깨우지 않았냐고 물었다. 김 교사는 "수업에 참여하는 학생들만 이끌어 나가기에도 벅차네요. 수업은 제 고유 영역이니 신경 쓰지 말아주세요."라고 말하였다.

공립교사 임용후보자 선정경쟁시험 2차 심층면접 30회

[즉답형 질문지]

> 김 교사는 수업시간에 참여하지 않는 학생들을 크게 신경 쓰지 않는다. 학기 초에는 여러 차례 수업 참여를 유도해 보았지만, 학생들에게 큰 변화가 생기지 않자 이내 포기하였다. 어느 날 부장교사인 이 교사가 김 교사의 수업 장면을 목격한 후, 김 교사에게 왜 자는 학생들을 깨우지 않았냐고 물었다. 김 교사는 "수업에 참여하는 학생들만 이끌어 나가기에도 벅차네요. 수업은 제 고유 영역이니 신경 쓰지 말아주세요."라고 말하였다.

4-1. 김 교사의 입장에서 위와 같이 행동한 이유를 말하시오.

4-2. 김 교사의 행동을 교사의 역할과 관련지어 비판하시오.

4-3. 당신이 부장교사라면 제시문의 상황에서 김 교사에게 어떻게 조언할 것인지 말하시오.

공립교사 임용후보자 선정경쟁시험 2차 심층면접 | 31회

▶ 예시답안 p.101

[구상형 1번] 다음 제시문 속 A 학생의 행동이 지속될 시 나타날 수 있는 문제점을 2가지 말하고, 해당 문제에 대한 해결 방안을 2가지 말하시오.

> [A 학생 관찰 및 특성 기록일지]
> (3월) 매주 일주일에 3번 이상 지각하고 있다.
> (3월) 점심시간에 급식을 먹지 않는 일이 자주 있다.
> (3월 22일) 보호자와 전화 상담을 해보니 집에서도 주로 방에서 나오지 않는다고 한다.
> (3월 26일) 동료교사들에게 A가 수업시간에 멍하니 있거나 엎드려 있다는 이야기를 들었다.

[구상형 2번] 다음 제시문의 상황에서 학생들에게 상호존중의 문화를 교육할 때 필요한 자질 1가지와 본인이 해당 자질을 향상하기 위해 기울인 노력을 1가지 말하시오.

> 최근 학생들은 이전 세대의 학생들과 확연히 다른 특징을 보인다. 자신의 취향과 가치를 표현하고 개성을 추구하는 것에 적극적이며 특히, SNS와 같은 온라인 공간에서 생각과 감정을 공유하는 것에 익숙하다. 하지만 이러한 모습들로 인해 개인주의적인 문화가 형성되어 자칫 상호존중의 문화가 부족할 수 있다는 염려가 생겨나고 있다.

[구상형 3번] 제시문의 세 교사의 제안 중 본인의 교사상에 근거하여 함께하고 싶은 공동체를 선택하고 이유를 제시하시오. 또한, 자신의 교사상을 바탕으로 학생을 교육했을 때, 기대할 수 있는 학생의 모습을 제시하시오.

> [전문적학습공동체 제안 목록]
> 김 교사 : 에듀테크를 활용한 미래 교육 대비
> 이 교사 : 회복적 생활교육과 함께하는 공동체 회복
> 최 교사 : 독서로 완성하는 인성교육

[즉답형 제시문] 다음 제시문을 읽고, 면접실에 비치된 [즉답형 질문지]의 질문에 대해 순서대로 답하시오.

> 이 교사는 학교에서 매사에 부정적인 태도를 보이는 것으로 유명하다. 특히, 자신이 맡은 업무를 대충하거나 모른 척하는 일이 잦아 다른 선생님들이 이 교사의 업무를 대신 처리하는 일이 많다. 이번에 동료교사로서 이 교사와 함께 진행해야 할 업무가 생겼고 이러한 상황에서 이 교사에게 적극적으로 참여를 독려할지, 업무 태도를 묵인할지 고민이 되는 상황이다.

공립교사 임용후보자 선정경쟁시험 2차 심층면접 31회

[즉답형 질문지]

> 이 교사는 학교에서 매사에 부정적인 태도를 보이는 것으로 유명하다. 특히, 자신이 맡은 업무를 대충하거나 모른 척하는 일이 잦아 다른 선생님들이 이 교사의 업무를 대신 처리하는 일이 많다. 이번에 동료교사로서 이 교사와 함께 진행해야 할 업무가 생겼고 이러한 상황에서 이 교사에게 적극적으로 참여를 독려할지, 업무 태도를 묵인할지 고민이 되는 상황이다.

4-1. 자신이 생각하는 교사로서 가장 중요한 자질을 말하고, 제시문 속 상황에서 어떻게 행동할 것인지 말하시오.

4-2. 위와 같이 행동했을 때 유의점을 2가지 말하시오.

공립교사 임용후보자 선정경쟁시험 2차 심층면접 | 32회

[구상형 1번] 다음 제시문을 읽고 각 교사들이 겪고 있는 문제점을 찾고, 각 문제점에 대한 해결 방안을 1가지씩 말하시오.

> A 교사 : 디지털 기기가 보급되면서 새로운 업무가 생겼습니다. 스마트기기 충전, 고장도 제가 챙겨야 하고 기기가 있는 교실 청소는 물론 쓰레기 분리수거까지 제가 담당하고 있습니다.
> B 교사 : 수업 시간에 자는 학생을 깨웠더니 학부모님께서 입시에 필요 없는 과목인데 왜 친구들 앞에서 깨워서 모욕감을 주냐며 항의하더라고요. 어디까지 제가 눈치를 봐야 할까요?
> C 교사 : 유난히 수업에 비협조적인 학생이 있어 너무 스트레스를 받아요. 아이들도 교사가 딱히 제재할 수단이 없다는 것을 알고 있어서 날로 정도가 심해지고 있습니다.

[구상형 2번] 다음 제시문을 읽고 이 교사에게 필요한 자질을 2가지 말하시오. 또한, 본인이 교사로서 갖추고 있는 자질과 그 자질을 향후 교직에서 어떻게 활용할 수 있을지 2가지씩 제시하시오.

> 이 교사는 평소 생활지도를 잘하기 때문에 올해 3학년 담임을 맡아줄 것을 제안받았지만 이를 거절하였다. 작년에 듣기로 2학년이 문제가 많다고 들었는데 3학년 담임을 맡으라고 하는 것은 본인에게 부당한 처사라고 생각했다. 이전 2학년 담임 선생님들이 힘들어하는 모습을 옆에서 지켜봤기에 나도 그렇게 되리란 법은 없으니 절대로 담임을 맡지 않을 생각이다.

[구상형 3번] 다음과 같은 상황에서 자신의 가치관에 비추어 입장을 선택하고 이유를 말하시오. 선택한 입장이 학교문화에 미칠 영향을 고려하여 유의점을 1가지 말하시오.

> A 교사는 학교에 이번에 새로 비치된 디지털 기기를 적극적으로 활용하고 있다. 하지만 다른 선생님들을 보니 거의 활용을 못하시는 것 같다. 이와 관련해서 고민에 빠졌다.
> ① 다른 선생님들께 새로 비치된 디지털 기기 사용을 적극적으로 장려한다.
> ② 활용 여부를 자율성에 맡기고 나의 수업 준비에 조금 더 집중한다.

[즉답형 제시문] 다음 제시문을 읽고, 면접실에 비치된 **[즉답형 질문지]**의 질문에 대해 순서대로 답하시오.

> 박 교사는 최근 선배교사인 최 교사와의 관계로 고민스럽다. 최 교사는 수업 중 문제 행동을 한 학생을 박 교사에게 데려와, 박 교사가 담임으로서 해당 학생을 지도해줄 것을 요청했다. 처음에는 우리 반 학생은 내가 지도해야 한다는 생각으로 직접 지도를 하였지만, 같은 일이 반복되면서 박 교사는 수업 준비와 다른 업무 처리에 방해를 받고 있다. 선생님께서 직접 지도하시라고 말하고 싶지만, 평소에 잘해주시는 선배교사이기 때문에 이야기를 꺼내는 것이 조심스러운 상황이다.

공립교사 임용후보자 선정경쟁시험 2차 심층면접 32회

[즉답형 질문지]

> 박 교사는 최근 선배교사인 최 교사와의 관계로 고민스럽다. 최 교사는 수업 중 문제 행동을 한 학생을 박 교사에게 데려와, 박 교사가 담임으로서 해당 학생을 지도해줄 것을 요청했다. 처음에는 우리 반 학생은 내가 지도해야 한다는 생각으로 직접 지도를 하였지만, 같은 일이 반복되면서 박 교사는 수업 준비와 다른 업무 처리에 방해를 받고 있다. 선생님께서 직접 지도하시라고 말하고 싶지만, 평소에 잘해주시는 선배교사이기 때문에 이야기를 꺼내는 것이 조심스러운 상황이다.

4-1. 당신이 최 교사라면 왜 그렇게 행동했는지, 최 교사의 입장에서 말하시오.

4-2. 최 교사의 행동을 교사의 역할 측면에서 비판하시오.

4-3. 수험생 본인이 박 교사라면 제시문의 상황에서 어떻게 대처할 것인지 말하시오.

공립교사 임용후보자 선정경쟁시험 2차 심층면접 33회

[구상형 1번] 제시문의 상황에서 담임교사로서 이 사안을 어떻게 다룰 것인지 학생·학부모 상담, 생활지도 측면에서 각 1가지씩 말하시오.

> 학급에서 B 학생이 C 학생에게 "못생겼다.", "우리 반 민폐야." 등의 언어 폭력을 반복했다. 이 사실을 접한 학부모가 학교에 항의했으며, 가해 학생의 학부모는 "아이들끼리 장난인데 왜 문제 삼느냐."고 반발하고 있다.

[구상형 2번] 다음 상황에서 교사에게 요구되는 자질은 무엇인지 제시하고 앞으로 어떤 방향으로 수업 전문성을 키워갈 것인지 구체적으로 말하시오.

> 최근 김 교사의 수업에서 학생들의 참여도와 집중도가 눈에 띄게 낮아졌다. 그러던 중, 김 교사는 쉬는 시간에 학생들이 나누는 대화를 우연히 듣게 되었다. 학생들은 "교과서만 봐도 아는 내용을 반복한다.", "수업이 재미없고 외우기만 한다.", "직접 해보는 활동이 부족하다."고 말하며 수업 방식에 대한 불만을 나타냈다.

[구상형 3번] 다음 중 자신의 관점에 가까운 교사를 선택하고, 그 이유를 교육관과 관련지어 제시하시오. 또한, 그 교육관을 반영하여 학교에서 실제로 운영할 수 있는 수업, 생활지도 계획을 1가지씩 제시하시오.

> A 교사 : 모든 아이는 변화할 수 있다는 믿음으로, 끝까지 포기하지 않고 지속적으로 지도하는 것이 교사의 역할이라고 생각합니다.
> B 교사 : 변화가 어려운 학생도 있으므로, 교사에게는 학생의 현재 모습을 있는 그대로 수용하고 관계를 유지하는 태도가 필요하다고 생각합니다.

[즉답형 제시문] 다음 제시문을 읽고, 면접실에 비치된 [즉답형 질문지]의 질문에 대해 순서대로 답하시오.

> 이 교사는 학급에서 프로젝트형 수업을 운영하고 있다. 교감은 이 교사의 수업을 참관한 후 "지난번 우리 학교 전문적학습공동체에서 협의했던 대로 교사가 지식을 명확히 전달할 필요가 있다."라고 조언하며 수업 개선을 요구했다. 그러나 이 교사는 학생 주도 수업의 교육적 효과를 현장에서 분명히 체감하고 있는 상황이다.

공립교사 임용후보자 선정경쟁시험 2차 심층면접 33회

[즉답형 질문지]

　이 교사는 학급에서 프로젝트형 수업을 운영하고 있다. 교감은 이 교사의 수업을 참관한 후 "지난번 우리 학교 전문적학습공동체에서 협의했던 대로 교사가 지식을 명확히 전달할 필요가 있다."라고 조언하며 수업 개선을 요구했다. 그러나 이 교사는 학생 주도 수업의 교육적 효과를 현장에서 분명히 체감하고 있는 상황이다.

4-1. 자신이 이 교사라면 해당 상황에서 어떻게 대응할 것인지 말하시오.

4-2. 교사의 수업 자율성과 학교 조직 내 협업의 가치가 서로 충돌할 때 어떤 태도가 바람직하다고 생각하는지 말하고 그 이유를 제시하시오.

공립교사 임용후보자 선정경쟁시험 2차 심층면접 | 34회

[구상형 1번] 다음은 김 교사의 학급 학생들과 진행한 상담 내용의 일부이다. 제시문의 발언을 토대로 A, B 학생의 동기적 특성을 설명하고 각 학생들의 특성에 부합하는 동기 유발 전략을 1가지씩 말하시오.

> A : 저는 새로운 것을 알아가는 것 자체가 즐거워요. 몰랐던 것을 알게 되면서 일상을 다른 시각으로 볼 수 있다는 것이 공부의 즐거움이라고 생각해요.
> B : 저는 남들보다 높은 등수를 받으면 기분이 좋아요. 1등을 했을 때의 주위의 시선과 1등 자리를 지켜내고 싶은 생각들 때문에 공부를 더 열심히 하게 돼요.

[구상형 2번] 다음 제시문을 읽고, 윤 교사가 가지고 있는 자질을 2가지 말하시오. 또한, 향후 교사로서 앞서 언급한 자질들을 기르기 위해 어떠한 노력을 할 것인지 각각 1가지씩 말하시오.

> 1학기 기말고사가 끝이 났다. 학생들의 반응이 걱정되기는 하지만, 의미 있게 한 학기 수업을 마무리하고 싶다는 생각에 '우리말 퀴즈 대회'를 준비했다. 생각했던 것보다 많은 학생들이 즐겁게 활동에 참여해서 뿌듯한 마음이 들었다. 그런데 우리 반 A는 분명히 대부분의 문제에 답을 아는 것 같았지만 한 번 손을 들었을 때 답변 기회를 얻지 못하니 다음부터는 손을 들지 않았다. A와 개인 상담 시간 때 이 부분에 대해서 이야기를 해봐야겠다.

[구상형 3번] 제시문의 A, B 두 교사 중 자신의 입장에 부합하는 교사를 고르고, 선택한 입장을 바탕으로 20년 뒤 어떠한 교사가 되고 싶은지 말하시오.

> A 교사 : 저는 교직의 장점 중 하나가 방학이라고 생각합니다. 일과 삶의 균형을 통해서 제 자신을 꾸준히 계발시킬 수 있기 때문에 교직을 선택했습니다.
> B 교사 : 저는 학생들의 성장과 발달을 돕고 싶어서 교직을 택했습니다. 가르치는 일에 대한 사명감이 교직을 전문직으로 만드는 요인이라고 생각합니다.

[즉답형 제시문] 다음 제시문을 읽고, 면접실에 비치된 **[즉답형 질문지]**의 질문에 대해 순서대로 답하시오.

> 정 교사는 차 교사와 같은 수업을 맡고 있다. 수행평가 방식을 논의하는 자리에서 차 교사는 "저는 선생님이 하자는 대로 할게요."라고 말하였다. 정 교사는 부담스럽긴 했지만 좋은 기회라고 생각하며 자신의 생각대로 평가 계획을 작성하였다. 이후 교과 내 의사결정에서 차 교사는 매번 정 교사에게 결정을 위임했다. 연구 수업을 맡을 교사를 정하는 회의에서 차 교사는 자신의 수업은 보여줄 게 전혀 없으니 수업 장악력이 좋은 정 교사를 추천한다고 말했다. 정 교사는 결국 실리를 챙기는 것은 차 교사가 아닌가 하는 생각에 기분이 좋지 않았다.

공립교사 임용후보자 선정경쟁시험 2차 심층면접 34회

[즉답형 질문지]

> 정 교사는 차 교사와 같은 수업을 맡고 있다. 수행평가 방식을 논의하는 자리에서 차 교사는 "저는 선생님이 하자는 대로 할게요."라고 말하였다. 정 교사는 부담스럽긴 했지만 좋은 기회라고 생각하며 자신의 생각대로 평가 계획을 작성하였다. 이후 교과 내 의사결정에서 차 교사는 매번 정 교사에게 결정을 위임했다. 연구 수업을 맡을 교사를 정하는 회의에서 차 교사는 자신의 수업은 보여줄 게 전혀 없으니 수업 장악력이 좋은 정 교사를 추천한다고 말했다. 정 교사는 결국 실리를 챙기는 것은 차 교사가 아닌가 하는 생각에 기분이 좋지 않았다.

4-1. 차 교사에게 부족한 자질을 2가지 말하시오.

4-2. 자신이 정 교사라면 연구 수업을 맡을 것인지 여부를 말하시오.

4-3. 제3자의 입장에서 정 교사와 차 교사 사이의 관계를 조율할 수 있는 방안을 말하시오.

공립교사 임용후보자 선정경쟁시험 2차 심층면접 | 35회

[구상형 1번] 다음 제시문을 읽고 각 학생들이 겪고 있는 어려움을 1가지씩 말하고, 담임교사로서 각 학생들에 대한 지도 방안을 2가지씩 말하시오.

> 학생 A : 담임선생님께서 학생들을 차별하시는 것 같아요. 특정 친구들의 이름만 자주 불러주시고 공부 잘하는 학생들에게 조금 더 살갑게 대해주신다고 느꼈어요.
> 학생 B : 요즘 학교에 나오는 게 정신적으로 많이 힘들어요. 제가 최근에 지각을 많이 하고 있지만 제가 그러고 싶어서 그러는 게 아니거든요. 부모님에게는 말하지 말아주세요.
> 학생 C : 질문을 주저하게 될 때가 있어요. 다른 선생님이 설명하신 내용에 잘못된 부분에 관해 질문드리고 싶었는데 예전에 한 친구가 질문했다가 혼났던 것이 떠올라 넘어갔어요.

[구상형 2번] 교사가 모든 학생에게 관심을 가져야 하는 이유를 교사의 사명과 관련지어 2가지 말하시오. 또한, 제시문을 읽고 학생 A와 라포르를 형성하기 위한 교사로서 노력 방안을 2가지 말하시오.

> 이번에 학급 학생들을 대상으로 상담을 실시하려는데 A에 대해 아는 것이 전혀 없다. A는 평소에 수업을 열심히 듣는 것도 아니고, 학급 일에 적극적으로 참여하는 편도 아니다. 우리 반 학생인 A가 사실상 다른 반 학생들보다도 더 낯설게 느껴진다.

[구상형 3번] 제시문에서 본인의 교육관과 가장 가까운 교사를 선택하고 그 이유를 제시하시오. 또한, 선택한 교육관을 바탕으로 교육했을 때 학생들에게 미칠 수 있는 긍정적 영향을 2가지 제시하시오.

> A 교사 : 교사는 학생들에게 지식을 잘 전달하는 것이 중요해요. 학생들이 기본적인 지식을 배우고 더 나아가 전문적인 지식의 학습까지 할 수 있도록 돕는 것에 집중해야 합니다.
> B 교사 : 교사는 학생들이 타인과 관계 맺는 방법을 익히도록 하는 것이 중요해요. 관계를 맺고 그 과정에서 생기는 갈등을 해결하며 서로 잘 어울릴 수 있도록 안내해야 합니다.
> C 교사 : 학교는 학생들에게 자신감을 심어주는 것이 중요해요. 도전 기회의 장을 마련하여 학생들이 성공의 경험을 느끼고 자연스럽게 자아존중감이 완성될 수 있도록 해야 합니다.

[즉답형 제시문] 다음 제시문을 읽고, 면접실에 비치된 [즉답형 질문지]의 질문에 대해 순서대로 답하시오.

> A 교사와 B 교사는 처음 같은 학년을 맡게 되었다. 최근 학교 내에서 학교폭력 사건이 발생하여 생활지도 강화에 대한 이야기가 거론되는 과정에서 두 교사 사이에 갈등이 생겼다. A 교사는 학년 전체가 일관된 규칙으로 엄격하게 생활지도를 해야 한다고 주장하였다. B 교사는 담임교사의 입장을 반영해 개별 학급의 특성에 따라 생활지도하는 것이 좋다고 말했다. 하지만 A 교사의 주장이 워낙 강경하여 B 교사는 타협점을 찾기가 어려웠다.

공립교사 임용후보자 선정경쟁시험 2차 심층면접 35회

[즉답형 질문지]

> A 교사와 B 교사는 처음 같은 학년을 맡게 되었다. 최근 학교 내에서 학교폭력 사건이 발생하여 생활지도 강화에 대한 이야기가 거론되는 과정에서 두 교사 사이에 갈등이 생겼다. A 교사는 학년 전체가 일관된 규칙으로 엄격하게 생활지도를 해야 한다고 주장하였다. B 교사는 담임교사의 입장을 반영해 개별 학급의 특성에 따라 생활지도하는 것이 좋다고 말했다. 하지만 A 교사의 주장이 워낙 강경하여 B 교사는 타협점을 찾기가 어려웠다.

4-1. 제시문 속 상황에서 내가 B 교사라면 어떻게 행동할 것인지 답하시오.

4-2. 위의 답변대로 행동했을 때 유의할 점을 답하시오.

4-3. 내가 A, B 교사와 같은 학년에 속해있는 교사라면 동학년 회의에서 어떻게 중재할 것인지 답하시오.

공립교사 임용후보자 선정경쟁시험 2차 심층면접　36회

[구상형 1번] 다음은 최 교사의 수업일지이다. 수업일지에서 유추할 수 있는 수업설계 시의 문제점을 2가지 말하고, 그에 대한 구체적인 해결 방안을 각각 1가지씩 제시하시오.

> 수업 시간에 모둠 활동을 진행했다. 앉은 자리를 기준으로 모둠을 짰는데 한 모둠에 유난히 성적대가 낮은 학생들이 모여 있어 활동이 제대로 진행되지 않았다. 순회지도 시, 학생들에게 활동에 대한 조언을 해보았지만 다들 무기력한 표정이었다. 다른 모둠에서는 조장을 맡은 민서가 모둠 과제를 혼자 하고 있는 모습이 눈에 띄었다. 민서에게 그 이유를 물어보니, 잘하지 못하는 학생들에게 맡기는 것보다 자신이 혼자 하는 편이 훨씬 효율적이라고 답했다.

[구상형 2번] 지금의 학교는 학생의 인권과 교권이 조화를 이루는 가운데 서로의 권리와 의무를 존중하는 문화를 만들기 위해 노력하고 있다. 이러한 문화를 정착시키기 위해 교사에게 필요한 역량 2가지를 말하고, 각각의 역량을 신장시킬 수 있는 방안을 1가지씩 제시하시오.

[구상형 3번] 다음 제시문의 교사 중 자신의 가치관에 비추어 더 선호하는 교사를 선택하고 그 이유를 말하시오. 또한, 선택한 입장을 중심으로 향후 어떤 교사상을 목표로 학생들을 대할 것인지 말하시오.

> 김 교사 : 학생들은 학교에서 계획되지 않은 여러 상황들을 경험하며 자신의 성장 방향을 결정합니다. 따라서 교사가 의도하지 않았음에도 학생들이 겪는 교육 과정을 중시해야 합니다.
> 이 교사 : 학교는 학생들의 전인적 성장을 위해 최선을 다하는 공간입니다. 계획되고 설계된 교육과정을 중심으로 학생들이 다양한 분야를 폭넓게 배우고 익힐 수 있도록 노력해야 합니다.

[즉답형 제시문] 다음 제시문을 읽고, 면접실에 비치된 **[즉답형 질문지]**의 질문에 대해 순서대로 답하시오.

> ○○중학교는 학년말 프로그램으로 생태전환교육을 실시하고자 한다. 업무 담당자인 최 교사는 작년과 마찬가지로 생태전환 분야의 강사를 섭외하여 강의 소감문 쓰기를 제안하였다. 윤 교사는 올해는 작년과 다르게 학생 중심 활동이 이루어졌으면 좋겠다는 의견을 제시하였다. 이에 최 교사는 연말이라 업무가 쌓여있어 새로운 프로그램을 구상할 여유가 없다며 윤 교사의 의견에 난색을 표했다.

공립교사 임용후보자 선정경쟁시험 2차 심층면접 36회

[즉답형 질문지]

○○중학교는 학년말 프로그램으로 생태전환교육을 실시하고자 한다. 업무 담당자인 최 교사는 작년과 마찬가지로 생태전환 분야의 강사를 섭외하여 강의 소감문 쓰기를 제안하였다. 윤 교사는 올해는 작년과 다르게 학생 중심 활동이 이루어졌으면 좋겠다는 의견을 제시하였다. 이에 최 교사는 연말이라 업무가 쌓여있어 새로운 프로그램을 구상할 여유가 없다며 윤 교사의 의견에 난색을 표했다.

4-1. 자신이 생각하는 바람직한 교사의 역할을 바탕으로, 본인이 윤 교사라면 제시문 속 상황에서 어떻게 행동할 것인지 말하시오.

4-2. 위와 같이 행동했을 때, 유의해야 할 점을 2가지 말하시오.

공립교사 임용후보자 선정경쟁시험 2차 심층면접 — 37회

[구상형 1번] 다음 제시문을 읽고, 학생이 보이는 어려움을 정서 측면과 학습 측면에서 1가지씩 제시하고, 교사로서 실천할 수 있는 지도 방안을 1가지씩 말하시오.

> 제가 뭘 잘하는지 모르겠어요. 친구들은 무슨 대회다, 캠프다 하면서 계속 뭔가 하는데, 저는 그냥 뒤처지는 느낌이에요. 선생님, 진짜 저한테도 잘하는 게 있을까요? 요즘은 아예 친구들이랑도 말 섞기 싫고, 수업 시간에도 자꾸 딴 생각만 하게 돼요.

[구상형 2번] 제시문을 읽고 교사의 평가와 피드백에 학생들이 느끼는 문제점을 2가지 제시하고, 교사로서 평가 과정의 신뢰성을 높이기 위한 방안 1가지와 전문성을 신장하기 위한 노력 1가지를 제시하시오.

> 학생 1 : 같은 발표 과제인데, 저보다 덜 준비한 애가 점수가 더 높아요. 왜 그런지도 모르겠어요.
> 학생 2 : 선생님은 피드백을 점수로만 주세요. 어떤 걸 잘했고 부족했는지를 모르겠어요.

[구상형 3번] 다음 중 자신의 교육관에 가까운 교사를 선택하고, 그 이유를 제시하시오. 또한, 해당 입장을 반영하여 학교에서 실제로 운영할 수 있는 교육 활동 사례를 1가지 제시하시오.

> A 교사 : 모든 학생에게 동일한 기준을 적용해야 신뢰를 얻을 수 있습니다. 공정성이 가장 중요합니다.
> B 교사 : 같은 상황이라도 학생마다 다르게 접근해야 할 때가 있어요. 배려와 유연함이 더 필요합니다.

[즉답형 제시문] 다음 제시문을 읽고, 면접실에 비치된 **[즉답형 질문지]**의 질문에 대해 순서대로 답하시오.

> 박 교사는 프로젝트 기반 평가를 수업에 적용하고 있다. 발표 평가 후, 박 교사는 한 학생에게 "전에도 비슷했는데 발표 흐름이 명확하지 않은 것 같다."고 조언했다. 그런데 이를 들은 학생은 며칠 뒤 "제가 부족하다는 뜻으로 들려서 상처받았다."고 학부모에게 말했고 학부모는 상담 요청을 해왔다. 이에 대해 동료 교사는 "요즘 애들 피드백도 굉장히 조심해서 해야 돼. 괜히 트집 잡히면 골치 아파."라고 말했다.

공립교사 임용후보자 선정경쟁시험 2차 심층면접 37회

[즉답형 질문지]

> 박 교사는 프로젝트 기반 평가를 수업에 적용하고 있다. 발표 평가 후, 박 교사는 한 학생에게 "전에도 비슷했는데 발표 흐름이 명확하지 않은 것 같다."고 조언했다. 그런데 이를 들은 학생은 며칠 뒤 "제가 부족하다는 뜻으로 들려서 상처받았다."고 학부모에게 말했고 학부모는 상담 요청을 해왔다. 이에 대해 동료 교사는 "요즘 애들 피드백도 굉장히 조심해서 해야 돼. 괜히 트집 잡히면 골치 아파."라고 말했다.

4-1. 자신이 박 교사라면 해당 상황에서 학생과 학부모에게 어떻게 대응할 것인지 말하시오.

4-2. 자신이 동료 교사였다면, 박 교사에게 어떤 조언을 해줄 것인지 말하시오.

공립교사 임용후보자 선정경쟁시험 2차 심층면접 | 38회

▶ 예시답안 p.111

[구상형 1번] 다음은 제시문에 나타난 학생들의 진로 관련 어려움을 각각 언급하고 이를 토대로 학부모 상담을 진행할 때 각 학부모에게 조언할 내용을 각각 2가지씩 말하시오.

> A 학생 : 저는 댄서가 되고 싶어요. 유튜브에 올린 영상 반응도 좋고 얼마 전에 큰 대회에서 상도 받았어요. 그런데 부모님은 제가 공무원 같은 안정적인 직업을 갖길 바라세요.
> B 학생 : 제가 뭐가 되고 싶은지 모르겠어요. 지금 굳이 그런 것을 생각할 필요가 있나 싶어요. 딱히 제가 나중에 잘 살 것 같지도 않고 친구들이랑 같이 노는 게 지금은 제일 좋아요.

[구상형 2번] 다음 제시문을 읽고, 임 교사가 느끼는 무력감의 원인을 2가지 말하시오. 그리고 향후 본인이 교사가 되었을 때 '교사 소진'을 방지하기 위해 어떠한 노력을 할 것인지 2가지 말하시오.

> 임 교사는 얼마 전 수업 시간에 큰 소리로 떠든 A를 따로 불러 수업을 방해하는 것은 다른 학생들의 교육권을 침해하는 행동이라고 훈계하였다. 다음날 A의 학부모로부터 "왜 우리 애를 야단쳐서 기를 죽이세요."라는 메시지를 받았다. 며칠 뒤, 임 교사는 한 학교의 성적 조작 기사에 달린 교사에 대한 조롱이 가득한 댓글들을 보았다. 임 교사는 '왜 힘들게 교사가 되었을까?'하는 생각과 함께 교사로서의 무력감을 느꼈다.

[구상형 3번] 제시문의 A, B 두 교사 중 자신의 교육관과 가까운 교사를 고르고, 선택한 입장을 바탕으로 학생들의 생활지도에 어떻게 임할 것인지 말하시오.

> A 교사 : 교사는 자신의 진솔한 모습을 학생들에게 보여주어야 학생들과 진정성 있는 관계를 맺을 수 있습니다.
> B 교사 : 교사는 자신의 감정을 학생들에게 드러내서는 안 됩니다. 평정심을 유지하는 것이 교육의 첫단계라고 생각합니다.

[즉답형 제시문] 다음 제시문을 읽고, 면접실에 비치된 [즉답형 질문지]의 질문에 대해 순서대로 답하시오.

> 강 교사는 올해 4지망으로 희망한 학교폭력 업무를 배정받았다. 강 교사는 끊이지 않는 학부모 민원과 학생들과의 감정 싸움에 지쳐 다시는 해당 업무를 맡고 싶지 않다는 생각을 했다. 신학년 업무 신청 기간에 부장교사인 최 교사는 강 교사를 불러, 강 교사만 한 적임자가 없으니, 내년에도 학교폭력 업무를 맡아달라고 부탁했다. 강 교사는 이를 완곡하게 거절했으나, 최 교사는 개인보다 공동체가 우선일 때도 있는 법이라며 계속하여 강 교사를 설득했다.

공립교사 임용후보자 선정경쟁시험 2차 심층면접 38회

[즉답형 질문지]

> 강 교사는 올해 4지망으로 희망한 학교폭력 업무를 배정받았다. 강 교사는 끊이지 않는 학부모 민원과 학생들과의 감정 싸움에 지쳐 다시는 해당 업무를 맡고 싶지 않다는 생각을 했다. 신학년 업무 신청 기간에 부장교사인 최 교사는 강 교사를 불러, 강 교사만 한 적임자가 없으니, 내년에도 학교폭력 업무를 맡아달라고 부탁했다. 강 교사는 이를 완곡하게 거절했으나, 최 교사는 개인보다 공동체가 우선일 때도 있는 법이라며 계속하여 강 교사를 설득했다.

4-1. 최 교사에게 부족한 자질을 2가지 말하시오.

4-2. 자신이 강 교사라면 내년도에 학교 폭력업무를 맡을 것인지 말하시오.

4-3. 제3자의 입장에서 강 교사와 최 교사의 의견 대립을 조정할 수 있는 방안을 말하시오.

공립교사 임용후보자 선정경쟁시험 2차 심층면접 39회

[구상형 1번] 다음은 김 교사가 AI를 활용한 수업을 진행한 후, 학생들에게 받은 피드백의 내용이다. 이를 바탕으로 각 학생들이 언급한 문제점에 대한 해결 방안을 2가지씩 제시하시오.

> 학생 A : 한참 동안 고민해야 하는 어려운 내용도 AI에게 물어보니 순식간에 답을 알려줘서 '굳이 내가 힘들게 공부할 필요가 있을까?'라는 생각이 들었어요.
> 학생 B : 몇몇 아이들이 AI에게 비속어를 사용하거나 수업이랑 상관없는 농담을 하는 걸 봤는데, 그럴 때마다 신경이 쓰여서 집중에 방해가 됐어요.
> 학생 C : 같은 AI 챗봇으로 과제를 했는데, 옆에 친구가 저보다 훨씬 더 과제를 잘했더라고요. 똑같은 챗봇일 텐데 왜 결과물에서 차이가 나는지 모르겠어요.

[구상형 2번] 다음 제시문을 읽고, 물음에 답하시오.

> 국어 교과를 담당하는 박 교사는 '4차 산업혁명과 미래 사회'라는 주제로 과학 교과와 융합 수업을 계획하였다. 이론을 설명할 충분한 시간이 필요하다는 과학 교과의 요청에 따라, 국어 교과는 총 4시간의 수업 시간 중 1시간을 배정받았다. 박 교사는 미래 사회에 관한 문학 작품을 분석하던 중, 종료령이 울려 급하게 수업을 마무리하였다. 한 학생이 박 교사를 찾아와 과학 개념을 작품과 연관 지어 설명해달라고 했지만, 박 교사는 해당 개념이 생소하여 학생의 질문에 미처 답을 하지 못했다.

1) 제시문 속 융합 수업의 문제점을 2가지 말하고, 이에 대한 해결 방안을 각각 1가지씩 말하시오.
2) 박 교사에게 부족한 자질 2가지와 해당 자질들을 기르기 위해 향후 본인이 기울일 노력 방안을 1가지씩 말하시오.

[구상형 3번] 제시문의 A, B 두 교사 중 자신의 입장과 가까운 교사를 고르고 이유를 말하시오. 또한, 선택한 입장을 바탕으로 향후 학생들과 관계를 어떻게 형성해 나갈 것인지 자신의 생각을 말하시오.

> A 교사 : 교권을 확립하기 위해서는 이에 대한 법률상 명문화가 꼭 필요합니다.
> B 교사 : 수업 전문성과 일관성 있는 학생 지도로 교권은 충분히 확립될 수 있습니다.

[즉답형 제시문] 다음 제시문을 읽고, 면접실에 비치된 **[즉답형 질문지]**의 질문에 대해 순서대로 답하시오.

> 윤 교사는 자치 시간에 매주 다른 주제로 학급 프로젝트를 진행한다. 윤 교사는 학생들의 반응도 좋은 편이라고 생각하여 활동에 자부심을 느끼고 있었다. 하루는 옆 반 김 교사가 윤 교사에게 "선생님이 초임이시라 제가 말씀드리는 건데, 요즘 아이들은 그런 활동보다 조용히 자습하는 것을 더 좋아해요."라고 말하였다. 윤 교사가 익명으로 학급 학생들에게 설문조사를 한 결과, 많은 학생들이 학급 프로젝트 때문에 할 일이 너무 많아서 공부할 시간이 부족하다고 답했다.

공립교사 임용후보자 선정경쟁시험 2차 심층면접 39회

[즉답형 질문지]

> 윤 교사는 자치 시간에 매주 다른 주제로 학급 프로젝트를 진행한다. 윤 교사는 학생들의 반응도 좋은 편이라고 생각하여 활동에 자부심을 느끼고 있었다. 하루는 옆 반 김 교사가 윤 교사에게 "선생님이 초임이시라 제가 말씀드리는 건데, 요즘 아이들은 그런 활동보다 조용히 자습하는 것을 더 좋아해요."라고 말하였다. 윤 교사가 익명으로 학급 학생들에게 설문조사를 한 결과, 많은 학생들이 학급 프로젝트 때문에 할 일이 너무 많아서 공부할 시간이 부족하다고 답했다.

4-1. 윤 교사가 진행한 학급 프로젝트의 문제점을 2가지 말하시오.

4-2. 윤 교사와 김 교사에게 부족한 자질을 각각 1가지씩 말하고 그 이유를 제시하시오.

4-3. 민주적인 학급 운영의 관점에서 윤 교사가 학급 프로젝트를 개선할 수 있는 방안을 2가지 말하시오.

공립교사 임용후보자 선정경쟁시험 2차 심층면접 | 40회

[구상형 1번] 다음은 윤 교사의 수업에 관한 학생들의 피드백이다. 학생 A~C의 피드백에 나타난 윤 교사의 수업의 문제점을 3가지 말하고 각각의 문제점들을 해결하기 위한 방안을 제시하시오.

> 학생 A : 과제가 너무 어려워요. 사전 작업도 해야 하고 작성해야 하는 보고서 분량도 많아서 과연 제가 끝낼 수나 있을까 하는 생각이 들어요.
> 학생 B : 2학기가 끝나가는데 교과서의 절반밖에 배우지 못해 불안해요. 분명히 학기 초에는 교과서 내용을 전부 다루실 거라고 말씀하셨거든요.
> 학생 C : 수업 자료가 좀 오래된 것 같아요. 너무 옛날 연예인이 자료에 나오고 예시에 있는 내용도 2000년대 초반 사회 이슈가 대부분이라 공감이 잘 안 돼요.

[구상형 2번] 다음 제시문을 읽고, 박 교사에게 부족한 인성적 자질을 2가지 말하시오. 또한 자신이 박 교사라고 가정할 때, 해당 자질을 개선하기 위해 어떠한 노력을 기울일 것인지 각각 말하시오.

> 박 교사는 특정 학생들과 친근하게 지내며 수업 중에도 해당 학생들에게 주로 발문을 한다. 하루는 박 교사가 교무실에서 친한 학생들과 이야기를 나누고 있을 때, 질문을 하기 위해 찾아온 한 학생이 박 교사를 기다리다가 종이 울려 교실로 돌아갔다. 이후 박 교사는 복도에서 우연히 박 교사가 인기 관리를 하느라 다른 학생들의 질문은 받아주지 않는다는 학생들의 이야기를 듣게 되었다.

[구상형 3번] 제시문의 A, B 두 교사 중 자신의 교육관과 가까운 교사를 고르고, 선택한 입장을 바탕으로 '교사의 권위'에 대한 자신의 생각을 말하시오.

> A 교사 : 교권이 확립되기 위해서는 학생 인권을 부분적으로 제한할 수밖에 없습니다.
> B 교사 : 교권과 학생 인권은 충분히 어느 한쪽의 손해 없이 충분히 양립할 수 있습니다.

[즉답형 제시문] 다음 제시문을 읽고, 면접실에 비치된 [즉답형 질문지]의 질문에 대해 순서대로 답하시오

> 신규교사인 김 교사는 일과 중에 업무를 끝마치고 정시에 퇴근을 하는 편이며 이후 자기계발을 위해 종종 학교 밖 에듀테크 연구회 모임에 참석한다. 20년차 중견교사인 장 교사는 주로 일과 후에 업무를 정리하고 교내 배드민턴 동호회 활동을 하기 때문에 퇴근이 늦다. 부장교사인 차 교사는 부서 회의 중, "요즘 MZ 세대들은 개인주의 성향이 너무 강해. 내가 젊었을 때는 해가 떠 있을 때 집에 가본 적이 없어."라고 말하며 장 교사를 추켜세우고 상대적으로 김 교사를 폄하하였다.

공립교사 임용후보자 선정경쟁시험 2차 심층면접 40회

[즉답형 질문지]

> 신규교사인 김 교사는 일과 중에 업무를 끝마치고 정시에 퇴근을 하는 편이며 이후 자기계발을 위해 종종 학교 밖 에듀테크 연구회 모임에 참석한다. 20년차 중견교사인 장 교사는 주로 일과 후에 업무를 정리하고 교내 배드민턴 동호회 활동을 하기 때문에 퇴근이 늦다. 부장교사인 차 교사는 부서 회의 중, "요즘 MZ 세대들은 개인주의 성향이 너무 강해. 내가 젊었을 때는 해가 떠 있을 때 집에 가본 적이 없어."라고 말하며 장 교사를 추켜세우고 상대적으로 김 교사를 폄하하였다.

4-1. 차 교사의 발언에 나타난 문제점을 말하시오.

4-2. 김 교사의 입장에서 차 교사의 발언에 대해 갖게 될 수 있는 생각을 말하시오.

4-3. MZ 세대의 강점을 교직 사회에서 어떻게 적용시킬 수 있을지 말하시오.

공립교사 임용후보자 선정경쟁시험 2차 심층면접 | 41회

[구상형 1번] 다음 제시문을 읽고 학생이 겪고 있는 문제점을 2가지 제시하고, 교사로서 문제점을 해결하기 위한 지도 방안을 각각 1가지씩 말하시오.

> 체육시간이 끝나고 쉬는 시간에 한 학생이 친구들의 대화를 듣고 선생님에게 조용히 말했다. "요즘엔 SNS만 봐도 누가 잘나가는지 다 보이잖아요. 괜히 비교하게 되고 나만 뒤떨어진 느낌이 들어요." 이에 괜찮다고 이야기하는 교사에게 학생은 "요즘엔 체육시간마저 재미가 없어요. 굳이 나서서 친구들이랑 친해질 필요도 없을 것 같고 수업 듣다가 집 가는 순간이 제일 편해요."라는 반응을 보였다.

[구상형 2번] 다음 학생들의 반응을 읽고 교사로서 디지털 수업 중 몰입도 저하가 발생하는 원인을 2가지 분석하고, 이러한 상황에서 수업 몰입도를 높이기 위한 교사로서 노력 방안을 2가지 제시하시오.

> 학생 1 : "선생님 수업이 나쁜 건 아닌데, 태블릿으로 수업하면 뭔가 그냥 자료 넘겨보는 느낌이에요."
> 학생 2 : "맞아요. 자료도 많고 퀴즈도 하긴 하는데, 뭔가 그냥 지나가는 것 같고 돌이켜봤을 때 수업 내용이 잘 기억도 안 떠오르고 집중도 안 돼요."

[구상형 3번] 다음 두 교사의 입장 중 자신의 교육관과 일치하는 교사를 선택하고, 그 이유를 제시하시오. 또한, 해당 입장에서 학교가 운영될 때 유의점을 2가지 제시하시오.

> A 교사 : 학교는 학생 중심으로 운영되어야 합니다. 학생의 눈높이에서 운영되는 공간일 때 학교는 생동감이 있습니다.
> B 교사 : 학교는 교사의 전문성이 중심이 되어야 합니다. 교사는 교육적 안목과 경험을 바탕으로 학교를 이끌어야 합니다.

[즉답형 제시문] 다음 제시문을 읽고, 면접실에 비치된 [즉답형 질문지]의 질문에 대해 순서대로 답하시오.

> 중간고사가 끝난 주 수업 시간에 한 학생이 교사에게 조용히 와서 이야기했다. "A 선생님 수업 진짜 별로예요. 그냥 자료만 읽고 끝이라서 다들 자거나 다른 공부해요. 우리 반 애들도 다 똑같이 생각하고 있어요." 그 말을 들은 담임교사는 순간 당황했다. 사실 담임교사도 이전부터 A 교사의 수업 준비 태도나 수업 방식에 아쉬움을 느끼고 있었기 때문이다.

공립교사 임용후보자 선정경쟁시험 2차 심층면접 41회

[즉답형 질문지]

> 중간고사가 끝난 주 수업 시간에 한 학생이 교사에게 조용히 와서 이야기했다. "A 선생님 수업 진짜 별로예요. 그냥 자료만 읽고 끝이라서 다들 자거나 다른 공부해요. 우리 반 애들도 다 똑같이 생각하고 있어요." 그 말을 들은 담임교사는 순간 당황했다. 사실 담임교사도 이전부터 A 교사의 수업 준비 태도나 수업 방식에 아쉬움을 느끼고 있었기 때문이다.

4-1. 자신이 김 교사라면 이 상황에서 학생에게 어떻게 대응할 것인지 말하시오.

4-2. 동료교사로서 A 교사를 위해 도움을 줄 수 있는 방안을 제시하시오.

공립교사 임용후보자 선정경쟁시험 2차 심층면접 | 42회

[구상형 1번] 다음 제시문을 읽고 학생들의 문제 행동을 1가지, 학교 측의 운영 문제를 1가지 제시하고, 각 문제점을 개선하기 위한 구체적인 학생 지도 방안 및 운영 방안을 1가지씩 제시하시오.

> 학교에서는 다양한 진로 체험 프로그램을 운영하고 있다. 그러나 일부 학생들은 체험 활동을 '시간 때우기'로 인식하고 형식적으로 참여하는 경우가 많다. 실제로 최근 진행된 직업 체험 행사에서 다수의 학생들이 무성의하게 활동하거나 준비물을 준비하지 않아 혼란이 발생했다.

[구상형 2번] 다음 제시문을 읽고 교사가 수업 준비에 성실해야 하는 이유를 1가지 말하고, 교직 소명의식을 유지하고 성장하기 위해 본인이 실천할 수 있는 노력을 1가지 제시하시오.

> 김 교사는 수업 연구를 통해 좋은 수업 자료를 제작해왔지만, 최근 반복되는 업무와 낮은 보상에 회의를 느끼며 '굳이 수업 준비를 더 열심히 할 필요가 있을까?' 하는 생각을 자주 하게 되었다.

[구상형 3번] 다음 제시문의 교사 중 자신의 생각과 비슷한 교사의 입장을 선택하고 그 이유를 제시하시오. 또한, 선택한 입장을 실천하기 위해 교사가 수업이나 생활지도에서 적용할 수 있는 구체적인 방법을 1가지 제시하시오.

> A 교사 : 학생들은 실패를 경험하면서 성장해야 한다. 실패를 통해 교훈을 얻도록 도와야 한다.
> B 교사 : 학생들은 성공을 통해 성취감을 맛보며 성장해야 한다. 성공 경험을 자주 제공해야 한다.

[즉답형 제시문] 다음 제시문을 읽고, 면접실에 비치된 [즉답형 질문지]의 질문에 대해 순서대로 답하시오.

> 최 교사는 공동 프로젝트 수업을 진행하는 중 협의 없이 수업 방식을 임의로 변경하였다. 그 결과 일부 학생들은 혼란을 느꼈고, 수업 진행이 매끄럽지 못했다. 이에 대해 사후 조정 회의 자리에서 최 교사는 "나는 내 방식이 더 낫다고 생각했다."며 오히려 반박하는 태도를 보였다. 이후 프로젝트를 함께 맡은 교사들은 최 교사의 태도에 불편함을 느끼고 있다.

공립교사 임용후보자 선정경쟁시험 2차 심층면접 42회

[즉답형 질문지]

> 최 교사는 공동 프로젝트 수업을 진행하는 중 협의 없이 수업 방식을 임의로 변경하였다. 그 결과 일부 학생들은 혼란을 느꼈고, 수업 진행이 매끄럽지 못했다. 이에 대해 사후 조정 회의 자리에서 최 교사는 "나는 내 방식이 더 낫다고 생각했다."며 오히려 반박하는 태도를 보였다. 이후 프로젝트를 함께 맡은 교사들은 최 교사의 태도에 불편함을 느끼고 있다.

4-1. 자신이 프로젝트를 함께 맡은 교사라면, 위 상황에서 C 교사에게 어떻게 대응할 것인지 말하시오.

4-2. 이 상황에서 대응할 때 유의해야 할 점을 2가지 제시하시오.

공립교사 임용후보자 선정경쟁시험 2차 심층면접 | 43회

[구상형 1번] 제시문에 나타난 문제 상황을 2가지 말하고, 교사로서 이 문제를 해결할 수 있는 방안을 각각 2가지씩 제시하시오.

> 학급에서 최근 스마트 기기를 활용한 수업을 시도하고 있다. 그런데 A 학생은 "이런 수업 말고 그냥 선생님이 알려주는 강의식 수업이 더 좋아요."라고 말하며 집중하지 못하고, B 학생은 몰래 게임을 하다가 주의를 받았다. 수업 이후 일부 학생들은 "기계 쓰면 편하긴 한데 잘 모르겠다.", "선생님은 설명을 안 해주고 기계만 쓰게 한다."고 말하며 수업에 대한 불만을 드러냈다.

[구상형 2번] 다음 상황에서 김 교사에게 요구되는 역량은 무엇인지 제시하고, 그 역량을 키우기 위한 자신의 노력과 앞으로의 실천 계획을 구체적으로 말하시오.

> 김 교사는 생태환경 분야에 관심이 있어서 개인적 차원의 연구를 진행하고 있다. 하지만 일부 동료 교사는 "왜 자신의 개인적인 연구를 위해서 우리가 이렇게 해야하는 거냐."라고 반발하고, 다른 한 명은 "이런 활동은 시간 낭비."라며 회의에 소극적으로 참여하고 있다.

[구상형 3번] 자신의 교육관에 더 가까운 교사를 선택하고 그 이유를 자신의 가치관 연결지어 말하시오. 또 자신의 교육관을 반영한 수업 및 평가 운영 방식을 구체적으로 설명하시오.

> A 교사 : 교육은 학생 스스로 문제를 발견하고, 삶과 연결된 의미 있는 질문을 찾아가도록 돕는 과정이다. 과정 중심의 배움이 더 중요하다.
> B 교사 : 교육은 핵심 개념을 정확히 전달하고, 명확한 학습 목표 달성을 도와주는 과정이다. 결과에 대한 책임도 중요하다.

[즉답형 제시문] 다음 제시문을 읽고, 면접실에 비치된 [즉답형 질문지]의 질문에 대해 순서대로 답하시오.

> 정 교사는 학급의 문제 상황을 학생 자치 중심으로 해결해왔다. 그런데 최근 A 학생이 특정 친구들과 어울리지 못하고 따돌림을 당하고 있다는 사실을 파악한 몇몇 학생들이, 담임 교사에게 직접 도움을 요청하였다. 정 교사는 상황을 더 지켜보자며 우선 학생들에게 스스로 해결할 기회를 주고자 했다. 그러나 A 학생의 보호자는 "담임이 너무 방관적이다."라며 강하게 항의하였다.

공립교사 임용후보자 선정경쟁시험 2차 심층면접 43회

[즉답형 질문지]

정 교사는 학급의 문제 상황을 학생 자치 중심으로 해결해왔다. 그런데 최근 A 학생이 특정 친구들과 어울리지 못하고 따돌림을 당하고 있다는 사실을 파악한 몇몇 학생들이, 담임 교사에게 직접 도움을 요청하였다. 정 교사는 상황을 더 지켜보자며 우선 학생들에게 스스로 해결할 기회를 주고자 했다. 그러나 A 학생의 보호자는 "담임이 너무 방관적이다."라며 강하게 항의하였다.

4-1. 자신이 정 교사라면, 이 상황에서 어떻게 대응할 것인지 말하시오.

4-2. 학급 내 민감한 관계 문제나 갈등 상황이 발생했을 때, 교사가 유의해야 할 점을 2가지 말하고 그 이유를 설명하시오.

공립교사 임용후보자 선정경쟁시험 2차 심층면접 | 44회

[구상형 1번] 다음 제시문을 읽고 A 학생이 처한 어려움을 말하고 교사로서 지원할 수 있는 방안 2가지를 제시하시오. 또 A 학생과 대화할 때 유의점을 3가지 제시하시오.

> A 학생은 최근 결석이 잦고 수업 시간에도 집중하지 못하고 있다. 다른 학생들의 작은 동작에도 지나치게 놀라거나 방어적인 태도를 보이고, 하교 후 집에 가는 것을 두려워한다. 급식도 잘 먹지 않고, 밤에 잠을 못 잤다며 예민한 모습을 보인다. A 학생과 상담을 하던 중, 집에서 부모님의 말을 듣지 않는다는 이유로 보호자가 손으로 A 학생의 얼굴을 3회 때리고, "한 번만 더 이러면 죽여버리겠다."라며 위협했다는 사실을 알게 되었다.

[구상형 2번] 다음 제시문의 상황에서 학교폭력 예방을 위한 학급문화를 조성하고자 할 때 교사에게 필요한 자질 1가지를 말하고 해당 자질을 활용하여 평화로운 학급을 조성하기 위한 방안을 말하시오.

> 요즘 학생들은 욕을 하지 않으면 대화가 안 되는 것 같다. 수업을 할 때도 교실 안에서 욕설과 비속어가 난무하고 서로를 비난한다. 자신에게 특별히 해를 끼치지 않아도 심한 욕설을 할 만큼 잘못된 언어 사용이 습관화되어 있다. 이런 행동으로 상처받는 학생들이 있지만 학생들이 스스로 문제를 해결하려는 의지는 없어 보인다. 교실 내 폭언으로 인한 갈등이 학교폭력으로 이어지지 않을까 걱정이 된다.

[구상형 3번] 다음은 인공지능과 교육 불평등에 대한 입장이다. 본인의 생각에 더 가까운 교사를 고르고 이유를 말하시오. 또 교육 불평등을 해소하기 위해 공교육이 해야 할 노력을 2가지 제시하시오.

> 김 교사 : 인공지능이 교육 불평등을 해소할 것이다.
> 이 교사 : 인공지능이 교육 불평등을 강화할 것이다.

[즉답형 제시문] 다음 제시문을 읽고, 면접실에 비치된 [즉답형 질문지]의 질문에 대해 순서대로 답하시오.

> 어린이날을 맞아 운동장에서 전교생 체육대회를 하고 있었다. 그러던 중 지역 주민이 갑자기 학교를 찾아와서 행사로 인해 너무 시끄럽다며 소리를 지르면서 항의를 했다. 운동장에 있는 학생들이 이 모습을 지켜보고 있었다.

공립교사 임용후보자 선정경쟁시험 2차 심층면접 44회

[즉답형 질문지]

어린이날을 맞아 운동장에서 전교생 체육대회를 하고 있었다. 그러던 중 지역 주민이 갑자기 학교를 찾아와서 행사로 인해 너무 시끄럽다며 소리를 지르면서 항의를 했다. 운동장에 있는 학생들이 이 모습을 지켜보고 있었다.

4-1. 자신이 생각하는 교사로서 가장 중요한 자질을 말하고, 이를 바탕으로 제시문 속 상황에서 어떻게 행동할 것인지 말하시오.

4-2. 위와 같이 행동했을 때 유의점을 2가지 말하시오.

공립교사 임용후보자 선정경쟁시험 2차 심층면접 | 45회

[구상형 1번] 제시문에 나타난 문제 상황을 2가지 말하고, 박 교사의 입장에서 각 문제를 해결하기 위한 방안을 각각 1가지씩 제시하시오.

> 박 교사는 학급에서 프로젝트형 수업이 진행 중 어려움에 빠졌다. A 학생은 "나는 발표는 무조건 빼줘. 나는 말하는 게 제일 싫어."라고 말한 뒤 자리에 앉아 아무런 활동에도 참여하지 않는다. B 학생은 "내 생각이 맞잖아. 왜 자꾸 내 말대로 안 하려고 하는 거야."라고 하면서 계속해서 자신의 의견만 주장한다.

[구상형 2번] 다음 제시문을 읽고 김 교사에게 필요한 역량이나 자질을 2가지 말하시오. 또 제시문 속 A 학생의 상황을 고려할 때, 교사로서 A 학생의 자기효능감을 높이기 위해 시도할 수 있는 구체적인 방안 2가지를 말하시오.

> A 학생은 수업 시간마다 "어차피 난 못 해요.", "이건 나랑 안 맞아요."라는 말을 자주 하며 시도조차 하지 않으려는 모습을 보인다. 처음에는 교사가 격려하면 간단한 활동은 따라 하던 모습도 있었지만, 시간이 지나면서 교사의 관심에도 무덤덤한 반응을 보이고 있다. 최근에는 "선생님은 잘하는 애들만 좋아하잖아요."라는 말을 하기도 했다.

[구상형 3번] 다음 두 교사 중 자신이 더 선호하는 리더십 유형에 가까운 교사를 선택하고 그 이유를 말하시오. 또 선택한 리더십 유형을 바탕으로, 갈등 상황을 조율하거나 공동과제를 효과적으로 완수하기 위한 실천 전략을 2가지 제시하시오.

> A 교사 : 빠른 추진과 명확한 지시를 통해 구성원들에게 역할을 신속하게 분배하고, 일정에 맞게 결과물을 체계적으로 관리한다.
> B 교사 : 팀원들의 의견을 충분히 경청하고, 각자의 상황과 강점을 고려하여 역할을 유연하게 조정하며 협업을 이끈다.

[즉답형 제시문] 다음 제시문을 읽고, 면접실에 비치된 **[즉답형 질문지]**의 질문에 대해 순서대로 답하시오.

> 신규교사인 이 교사는 학생들의 질문과 토론을 중심으로 한 참여형 수업을 기획하고 있다. 하지만 선배 교사인 최 교사는 "그런 수업은 산만하기만 하고, 가르칠 건 제대로 가르쳐야지."라며 부정적인 반응을 보였다. 이 교사는 수업에 대한 신념은 있지만, 선배의 반응에 위축되어 어떻게 해야 할지 고민하고 있다.

공립교사 임용후보자 선정경쟁시험 2차 심층면접 45회

[즉답형 질문지]

> 신규교사인 이 교사는 학생들의 질문과 토론을 중심으로 한 참여형 수업을 기획하고 있다. 하지만 선배 교사인 최 교사는 "그런 수업은 산만하기만 하고, 가르칠 건 제대로 가르쳐야지." 라며 부정적인 반응을 보였다. 이 교사는 수업에 대한 신념은 있지만, 선배의 반응에 위축되어 어떻게 해야 할지 고민하고 있다.

4-1. 학생 참여 수업이 효과적이라는 점을 최 교사에게 어떻게 설명할 것인지 2가지 제시하시오.

4-2. 수업 방식에 대한 의견이 다를 때, 자신의 철학을 지키면서도 갈등을 피하기 위해 어떻게 대응할 것인지 말하시오.

공립교사 임용후보자 선정경쟁시험 2차 심층면접 46회

▶ 예시답안 p.124

[구상형 1번] 제시문에 나타난 학교 현장의 문제 상황을 1가지 말하고, 이에 대한 대응 방안을 교사·학교 차원에서 각 1가지씩 제시하시오.

> 담임교사인 박 교사는 학급 내 친구 관계 문제로 다툼이 반복되는 두 학생을 생활지도하였다. 이후 보호자 한쪽에서 "우리 아이만 지적했다."며 반복적으로 학교에 항의하였고, 박 교사는 학생 지도를 계속하면서도 민원 대응으로 상당한 심리적 부담을 느끼고 있다.

[구상형 2번] 다음 제시문을 읽고 이 교사가 갖추어야 할 역량을 2가지 말하시오. 또 이와 관련된 자신의 경험과 그 경험을 앞으로 교직 현장에서 어떻게 적용할 것인지 제시하시오.

> 이 교사는 최근 학급 학생 중 한 명이 학교에 오기 싫어하는 모습을 반복적으로 보이는 것을 발견하였다. 상담을 통해 해당 학생이 최근 친구 관계에서 소외감을 느끼고 있음을 알게 되었고, 이를 학급 학생들에게 이야기하며 잘 지내도록 요청했다. 하지만 학생들은 "같은 반이라고 무조건 다 친하게 지내야 하는 건가요?"며 교사의 지도방식에 불만을 나타내며 감정적으로 대응하였다.

[구상형 3번] 두 교사 중 자신의 입장에 더 가까운 교사를 선택하고, 그 이유를 제시하시오. 또한 선택한 입장을 바탕으로 교사로서 수업을 설계할 때 어떻게 운영할 것인지 구체적인 방안을 2가지 제시하시오.

> A 교사 : 수업은 교사가 충분히 내용을 설명하고 정리해주는 것이 가장 효율적이라고 생각합니다. 개념을 정확히 이해시킨 뒤에 학생 활동을 시키는 것이 더 효과적입니다.
> B 교사 : 학생들은 스스로 탐구하고 협력하며 배우는 과정에서 더 깊이 이해합니다. 교사는 질문을 던지고 지원하면서 학생 주도적 활동을 유도해야 한다고 생각합니다.

[즉답형 제시문] 다음 제시문을 읽고, 면접실에 비치된 **[즉답형 질문지]**의 질문에 대해 순서대로 답하시오.

> 담임교사인 김 교사는 학교생활규정에 따라 수업 시간 중 휴대폰을 사용할 수 없도록, 매일 아침 조회 시간에 학생들의 휴대폰을 수거하고 있다. 하지만 옆 반 박 교사는 휴대폰을 따로 수거하지 않아, 김 교사의 반 학생들이 "왜 우리 반만 규칙을 지켜요? 형평성에 맞지 않아요."라며 반발하고 있다.

공립교사 임용후보자 선정경쟁시험 2차 심층면접 46회

[즉답형 질문지]

> 담임교사인 김 교사는 학교생활규정에 따라 수업 시간 중 휴대폰을 사용할 수 없도록, 매일 아침 조회 시간에 학생들의 휴대폰을 수거하고 있다. 하지만 옆 반 박 교사는 휴대폰을 따로 수거하지 않아, 김 교사의 반 학생들이 "왜 우리 반만 규칙을 지켜요? 형평성에 맞지 않아요." 라며 반발하고 있다.

4-1. 자신이 김 교사라면 학급 학생들의 반발에 대해 어떻게 설명하고 지도할 것인지 말하시오.

4-2. 생활규정 운영 방식에 대한 자신의 생각을 이유와 함께 설명하시오.

공립교사 임용후보자 선정경쟁시험 2차 심층면접 — 47회

[구상형 1번] 다음 상황에서 교육격차와 정서격차 해소를 위해 담임교사로서 어떤 전략을 수립할 것인지 수업, 생활지도, 학부모 소통 측면에서 1가지씩 제시하시오.

> A 학교는 교육복지우선지원사업 학교로, 학생들의 가정환경과 학습 수준이 매우 다양하다. 담임을 맡게 된 최 교사는 학급 내 기초학력 미도달 학생, 다문화 학생, ADHD 의심 학생이 포함된 것을 확인하였다.

[구상형 2번] 제시문과 같은 상황에서 김 교사에게 요구되는 자질이나 역량은 무엇인지 제시하고 그러한 역량을 기르기 위해 지금까지 해온 노력을 말하시오.

> 김 교사는 담임을 맡은 학급 학생 중 한 명이 수업 중 반복적으로 문제행동을 보이며 수업 분위기를 흐린다. 보호자는 학교에 매번 항의하며 우리 아이를 차별하지 말라고 강하게 주장한다. 김 교사는 그 학생에 대한 애정은 있지만, 반복되는 항의와 민원으로 인해 심리적으로 지쳐 있는 상황이다.

[구상형 3번] 다음 중 자신의 교육관에 가까운 교사를 선택하고, 그 이유를 제시하시오. 또한, 해당 입장을 반영하여 학교에서 실제로 운영할 수 있는 교육 활동 사례를 1가지 제시하시오.

> A 교사 : 교사는 아이들에게 '정답'을 주는 사람이 아니라, 스스로 질문하게 만드는 사람이어야 한다.
> B 교사 : 기초가 부족한 아이에게는 먼저 '정확한 지식'을 제공하고 구조화된 방향 제시가 필요하다.

[즉답형 제시문] 다음 제시문을 읽고, 면접실에 비치된 **[즉답형 질문지]**의 질문에 대해 순서대로 답하시오.

> 학교에서 학년별 체험학습 계획을 수립 중이다. 김 교사는 작년과 달리 지역 연계형 프로젝트 활동을 제안했다. 하지만 동학년 교사 중 일부는 "작년에 했던 프로그램 그대로 하자."라고 주장하며, 김 교사의 의견에 반감을 표했다. 회의 도중 박 교사는 "괜히 일 만들지 말자. 김 교사는 너무 튀려고 한다."라며 김 교사를 향해 불쾌한 어조로 말했고, 회의 분위기는 급격히 경직되었다.

공립교사 임용후보자 선정경쟁시험 2차 심층면접 47회

[즉답형 질문지]

> 학교에서 학년별 체험학습 계획을 수립 중이다. 김 교사는 작년과 달리 지역 연계형 프로젝트 활동을 제안했다. 하지만 동학년 교사 중 일부는 "작년에 했던 프로그램 그대로 하자."라고 주장하며, 김 교사의 의견에 반감을 표했다. 회의 도중 박 교사는 "괜히 일 만들지 말자. 김 교사는 너무 튀려고 한다."라며 김 교사를 향해 불쾌한 어조로 말했고, 회의 분위기는 급격히 경직되었다.

4-1. 자신이 김 교사라면 해당 상황에서 어떻게 대응할 것인지 말하시오.

4-2. 자신이 동료 교사라면 이 상황에서 어떻게 갈등을 중재할 것인지 말하시오.

공립교사 임용후보자 선정경쟁시험 2차 심층면접 | 48회

▶예시답안 p.127

[구상형 1번] 다음 제시문에 나타난 학생들의 태도에서 드러나는 문제점 1가지를 말하고, 김 교사의 입장에서 이를 해결하기 위한 수업 중 지도 방안 2가지를 제시하시오.

> 김 교사는 최근 학생들이 고개를 숙인 채 수업에 집중하지 않는 모습을 자주 보았다. 가까이에서 확인한 결과, 몇몇 학생이 수업 시간에 학원 숙제를 하고 있었다. 김 교사는 생활기록부와 수행평가 결과를 근거로 학생들의 수업 태도에 대해 지도하였으나, 일부 학생은 "학교 수업보다 학원 수업이 입시에 더 도움이 된다."라고 말하며 지도에 반박하였다.

[구상형 2번] 한 교원단체의 조사 결과, 교사 10명 중 9명이 학생들의 문해력이 과거보다 저하되었다고 응답하였다. 문해력 저하의 원인을 1가지 설명하고, 담임 교사의 입장에서 학생들의 문해력을 향상시킬 수 있는 방안을 2가지 제시하시오.

[구상형 3번] 제시문을 읽고, 두 교사 중 자신의 입장에 부합하는 교사를 선택하고 그 이유를 말하시오. 또한, 선택한 입장을 효과적으로 실현하기 위한 학교 차원의 노력 방안을 1가지 말하시오.

> A 교사 : 학생의 자기주도성을 보장하는 차원에서 학교는 최대한 다양한 과목 선택권을 보장해야 한다고 생각합니다. 이를 통해 학생들의 학습 동기와 몰입도 함께 높아질 수 있습니다.
> B 교사 : 학교의 인적·물적 자원은 한계가 있습니다. 학교의 여건을 고려해 일정 수준의 과목 운영 기준을 마련하는 것이 현실적이고 지속 가능한 운영을 위해 필요하다고 생각합니다.

[즉답형 제시문] 다음 제시문을 읽고, 면접실에 비치된 [즉답형 질문지]의 질문에 대해 순서대로 답하시오.

> 정 교사는 학생들에게 자유로운 교무실 출입을 허용하고 있다. 박 교사는 이러한 분위기가 교사의 업무 집중을 방해한다고 판단하여 학년 회의에서 학생들의 교무실 출입은 정해진 시간에만 이루어지는 것이 바람직하다고 말했다. 이에 정 교사는 학생들과의 관계 형성을 위해 교무실은 열린 공간이 되어야 한다고 주장하였다.

공립교사 임용후보자 선정경쟁시험 2차 심층면접 48회

[즉답형 질문지]

정 교사는 학생들에게 자유로운 교무실 출입을 허용하고 있다. 박 교사는 이러한 분위기가 교사의 업무 집중을 방해한다고 판단하여 학년 회의에서 학생들의 교무실 출입은 정해진 시간에만 이루어지는 것이 바람직하다고 말했다. 이에 정 교사는 학생들과의 관계 형성을 위해 교무실은 열린 공간이 되어야 한다고 주장하였다.

4-1. 두 교사의 입장 중 본인의 생각에 더 가까운 교사를 선택하고, 그 이유를 말하시오.

4-2. 학생과의 소통 기회를 유지하면서도 교무실 내 질서를 함께 고려할 수 있는 실천 방안을 1가지 말하시오.

공립교사 임용후보자 선정경쟁시험 2차 심층면접 | 49회

[구상형 1번] 제시문을 읽고 학생 A의 문제점을 1가지 지적하고, A와 전체 학생들을 대상으로 한 AI 활용 지도 방안을 각각 1가지씩 제시하시오.

> 김 교사는 학생들에게 학습 내용을 바탕으로 자신의 생각을 글로 표현하는 활동을 제시하였다. 학생들은 AI 학습 도구를 참고해 핵심 내용을 정리하고, 여기에 자기 생각을 더해 글을 작성하도록 안내받았다. 그러나 학생 A는 AI가 제공한 예시 문장을 그대로 옮겨 제출하였고, 발표 중 다른 학생이 해당 내용이 AI 예시와 거의 같다고 지적하였다. 이에 학생 A는 AI가 제시한 내용이 정답인데 굳이 바꿔 쓸 필요가 없다고 말했다.

[구상형 2번] 다음 두 교사의 대화에서 드러난 학생들의 문제점을 2가지 지적하고, 교과 교사로서 수업 차원에서 각각의 문제를 해결하기 위한 방안을 1가지씩 제시하시오.

> A 교사 : 요즘은 학원을 다니지 않는 학생이 거의 없는 것 같은데, 오히려 수업 이해력은 점점 낮아지는 것 같아요. 복잡한 문제나 긴 글은 읽으려 하지 않더라고요.
> B 교사 : 동감이에요. 설명이 조금만 길어져도 허공을 바라보며 집중하지 못하는 학생들이 많아졌어요. 걱정이 이만저만이 아닙니다.

[구상형 3번] 다음 제시문을 읽고, 두 교사 중 자신의 입장에 더 가까운 교사를 선택하고 그 이유를 말하시오. 또한 선택한 입장을 바탕으로, 학생 자치 활동 중 갈등이 발생했을 때 교사로서 어떻게 대처할 것인지 구체적인 방안을 제시하시오.

> A 교사 : 학생 자치는 학생 스스로 계획하고 운영해야 합니다. 교사의 개입은 자치의 의미를 약화시키며 학생들은 실패하더라도 스스로 책임짐으로써 성장할 수 있습니다.
> B 교사 : 학생 자치는 교육의 일부이므로 교사의 개입이 필요합니다. 갈등이나 편중된 운영이 발생할 수 있으므로, 교사는 조력자의 입장에서 관찰과 피드백을 지속해야 합니다.

[즉답형 제시문] 다음 제시문을 읽고, 면접실에 비치된 **[즉답형 질문지]**의 질문에 대해 순서대로 답하시오.

> 김 교사는 첫 담임을 맡은 지 얼마 지나지 않아, 생활지도 과정에서의 언행을 이유로 한 학부모의 반복적인 민원에 시달리고 있다. 김 교사는 학부모에게 상황을 설명하려 했으나, 학부모는 이를 받아들이지 않고 교육청에까지 민원을 제기하였다. 이후 김 교사는 수업과 생활지도 전반에서 위축감을 느끼며 교직을 계속해도 될지에 대해 동료 교사들에게 고민을 털어놓았다.

공립교사 임용후보자 선정경쟁시험 2차 심층면접 49회

[즉답형 질문지]

> 김 교사는 첫 담임을 맡은 지 얼마 지나지 않아, 생활지도 과정에서의 언행을 이유로 한 학부모의 반복적인 민원에 시달리고 있다. 김 교사는 학부모에게 상황을 설명하려 했으나, 학부모는 이를 받아들이지 않고 교육청에까지 민원을 제기하였다. 이후 김 교사는 수업과 생활지도 전반에서 위축감을 느끼며 교직을 계속해도 될지에 대해 동료 교사들에게 고민을 털어놓았다.

4-1. 김 교사와 같은 고민을 털어놓은 동료가 있다면, 동료 교사로서 어떤 조언을 해줄 수 있을지 말하고 그 이유를 설명하시오.

4-2. 김 교사와 같은 상황이 발생하지 않도록 담임 교사로서 실천할 수 있는 사전 예방 방안을 1가지 제시하시오.

공립교사 임용후보자 선정경쟁시험 2차 심층면접 | 50회

[구상형 1번] 다음 제시문을 읽고 학생 A와 다른 조원들의 언행에 드러난 문제점을 각각 1가지씩 말하시오. 또한, 해당 문제점에 대한 지도 방안을 각각 1가지씩 제시하시오.

> 김 교사는 조별 발표를 진행하던 중, 한 조의 발표 내용 중 일부가 사실과 다르다고 지적하며 조원 전체의 감점을 예고하였다. 이에 학생 A는 자신이 그 부분을 맡았지만, 같은 조원인 B가 AI를 통해 찾은 정보를 그대로 썼다고 해명하였다. 그러자 다른 조원들은 "잘못된 내용을 넣은 건 A인데, 왜 우리까지 감점을 받아야 해요?"라며 억울함을 표현했다.

[구상형 2번] 자신의 교육관에 비추어 빈칸에 들어갈 말을 정하고, 그렇게 생각하는 이유를 말하시오. 또한, 그러한 교사가 되기 위해 필요한 역량을 1가지 제시하시오.

> 최 교사 : 학교는 또래 친구들과의 관계를 통해 사회성과 공감 능력을 기를 수 있는 장입니다. 교사의 역할은 단순한 지식 전달자를 넘어, (　　　)로서 아이들이 올바른 인성을 갖추도록 이끌어야 한다는 점을 잊지 말아야 합니다.

[구상형 3번] 다음 제시문을 읽고, 두 교사 중 자신의 입장에 더 가까운 교사를 선택하고 그 이유를 말하시오. 또한, 자신이 선택한 관점을 반영한 학급 생활지도 운영 방안을 1가지 제시하시오.

> A 교사 : 학생 간 갈등 상황에서는 교사가 즉시 개입해 중재하는 것이 중요하다고 생각합니다. 문제를 방치하면 감정이 깊어져 학교생활 전반에 부정적 영향을 줄 수 있습니다.
> B 교사 : 학생 간 갈등은 스스로 해결하는 과정을 통해 사회성을 기르는 기회가 될 수 있다고 생각합니다. 교사는 지켜보며 필요할 때 조력자로서 개입하는 것이 바람직하다고 봅니다.

[즉답형 제시문] 다음 제시문을 읽고, 면접실에 비치된 [즉답형 질문지]의 질문에 대해 순서대로 답하시오.

> 교내 체육한마당 후 학급 순위가 발표되었다. 정 교사의 반 학생들은 계주 경기에서 심판의 오심으로 순위가 바뀌었다고 주장하며, 해당 장면이 담긴 영상도 있다고 말했다. 일부 학생은 "이대로 넘어가면 우리 반만 손해 보는 거잖아요."라고 강하게 항의하였다. 이미 시상이 끝난 상황에서 정 교사는 학생들의 불만에 어떻게 대응해야 할지 고민에 빠졌다.

공립교사 임용후보자 선정경쟁시험 2차 심층면접 50회

[즉답형 질문지]

교내 체육한마당 후 학급 순위가 발표되었다. 정 교사의 반 학생들은 계주 경기에서 심판의 오심으로 순위가 바뀌었다고 주장하며, 해당 장면이 담긴 영상도 있다고 말했다. 일부 학생은 "이대로 넘어가면 우리 반만 손해 보는 거잖아요."라고 강하게 항의하였다. 이미 시상이 끝난 상황에서 정 교사는 학생들의 불만에 어떻게 대응해야 할지 고민에 빠졌다.

4-1. 정 교사의 입장에서 학생들의 반응에 어떻게 대응할 것인지 말하고, 그 이유를 설명하시오.

4-2. 교내 행사에서 유사한 상황이 재발하지 않도록 하기 위해 담임 교사로서 실천할 수 있는 사전 지도 방안을 1가지 말하시오.

참고문헌

2022 개정 교육과정 총론
2023 중학교 스마트 휴대 학습 디벗 기본계획, 서울시교육청
2023 디지털 기반 교육혁신 방안, 교육부
2023 AI 활용 지침, 교육부
2023 '마음공감' 학생상담길라잡이, 서울시교육청
2023 정부업무보고, 교육부
2023 업무보고 보도자료, 교육부
원격학습 가이드북, 교육부
과정 중심 평가, 유영식, 테크빌교육
2017 과정을 중시하는 수행평가, 한국교육과정평가원
교육과정-수업-평가-기록의 일체화에 대한 고찰, 한국교육개발원 교육정책네트워크연구센터
교육과정 수업 평가 기록 일체화, 김덕년, 에듀니티
수업이 즐거운 교육과정-수업-평가-기록의 일체화, 우치갑 외 8명, 즐거운학교
고교학점제란 무엇인가?, 김성천 외 2명, 맘에드림
2019 고교학점제 정책연구진 합동 토론회 보도자료, 교육부
2019 고교학점제 홍보자료, 교육부
2019 고교학점제 선도학교 교원 연수자료집, 한국교육과정평가원
2019 중학교 더불어 사는 민주시민, 경기도교육청
선생님, 민주시민교육이 뭐에요?, 염경미, 살림터
논쟁 수업으로 시작하는 민주시민교육, 넬 나딩스, 로리 브룩스, 풀빛
2018 민주시민교육 활성화를 위한 종합계획, 교육부
2019 민주시민교육 정책 추진계획, 경기도교육청
보이텔스바흐 합의와 민주시민교육, 심성보 외 3명, 북멘토
2016-01호 더불어 하나되는 기쁨, 부산광역시교육청 세계시민교육 초등교사 연구회
세계시민교육 학교와 만나다, 유네스코아시아태평양 국제이해교류원
2018 평화 통일교육 방향과 관점, 통일부 통일교육원
통일교육 지원법 제3조의2(통일교육 기본사항)
살아있는 다문화교육 이야기, 손소연, 이륜, 테크빌교육(즐거운학교)
2019 탈북학생 멘토링 매뉴얼, 교육부
2019 탈북학생 지도교사 매뉴얼, 교육부

북한이탈주민의 보호 및 정착지원에 관한 법률 시행규칙

2015   탈북청소년 교육백서, 한국교육개발원

2019   학교혁신 추진 기본계획, 경기도교육청

2017   혁신학교 성과 분석 및 과제, 교육정책네트워크 정보센터 국내 현안보고서

2016   전문적 학습공동체사례연구를 통한 성공요인분석, 조윤정 주주자 외 3명

2018   전문적 학습공동체 구축 기본계획, 광주시교육청

2019   서울교육 특별기획 배움의 연쇄를 위한 교원학습공동체 활성화 방안, 임세훈 장학관

2015   교원의 능력개발을 위한 전문적 학습공동체 운영 방안, 이석열

2017   전문적 학습공동체 운영 현황과 활성화 방안 연구, 광주시교육청

2017   학생인권조례의 이해, 경기도교육청

2012   서울학생인권조례, 서울시교육청

2013   전북학생인권조례, 전북교육청

2010   경기도학생인권조례, 경기도교육청

2016   부정청탁 및 금품등 수수의 금지에 관한 법률

2019   교육공무원법

2019   교육활동 보호 매뉴얼, 서울시교육청

2019   교원의 교육활동 보호 기본계획, 서울시교육청

2018   교원의 교육활동 보호를 위한 교권보호 연수자료집, 경기도교육청

2019   학교에서 알아야 할 청탁금지법, 국민권익위원회

2014   사례로 살펴보는 생활지도 가이드북, 교육부

2014   학급긍정훈육법, 제인넬슨 외 2명, 에듀니티

2014   회복적 생활교육 매뉴얼, 경기도교육청

2016   회복적 생활교육 학급운영 가이드북, 피스빌딩

2018   학교안전교육 우수사례집, 교육부

2018   학교현장재난유형별 교육훈련매뉴얼, 교육부

2018   학교폭력 사안처리 가이드북, 교육부

2018   1차 학교폭력 실태조사 결과 보도자료, 교육부

2016   학교폭력예방 및 대책에 관한 법률

2014   정의란 무엇인가, 마이클 샌델, 아이즈베리

2019   교육복지우선지원사업 기본계획, 서울시교육청

2019   경제사회 양극화에 대응한 교육복지 정책의 방향과 과제 보도자료, 교육부

2018   교육복지우선지원사업 안내, 서울시교육청

2019   행복한 출발을 위한 기초학력 지원 내실화 방안, 교육부

2019 두드림학교 운영계획, 서울시교육청
2017 더불어숲 교육, 서울시교육청
2015 학업중단예방을 위한 길라잡이, 경기도 성남교육지원청
2018 장애인 등에 대한 특수교육법, 교육부(특수교육정책과)
2017 초·중등학교 통합교육 실행 가이드북, 교육부
2019 방과후학교 길라잡이, 경북교육청
2019 방과후학교 길리잡이, 서울시교육청
2015 학생상담 및 생활지도 매뉴얼, 한국청소년정책연구원
2018 교과교실제 안내서 중 고등학교, 교육부
2018 미래학교를 위한 학교공간 재구조화 매뉴얼, 교육부
2016 중등 S/W교육 선도교원 연수자료, 교육부
2018 학교로 찾아가는 S/W교육연수, 교육부
2016 창의융합형 인재양성을 위한 수업 혁신 지원 방안, KICE 연구리포트
2018 인성교육진흥법, 교육부
2019 문화예술교육종합계획, 문화체육관광부
2019 경기도문예교육 정책 추진 기본계획, 경기도교육청
2018 적정규모학교 육성 업무매뉴얼, 서울시교육청
2020 학교폭력 사안처리 가이드북, 교육부
2017 한국언론진흥재단 계간 미디어 리터러시
2018 한국교육과정평가원 교과 교육에서의 디지털 리터러시 교육 실태 분석 및 개선 방안
2019 국회입법조사처 디지털 시대의 미디어 리터러시 해외 사례 및 시사점
토론2.0 수업과 삶을 잇다, 서울시교육청
2022 수업평가 나눔 한마당, 서울중등교사회

2026 임용 면접레시피 [평가원 지역]

독자인증 [등업] 절차

1. 다음 카페 〈우리 함께 임용고시 공부해요〉(cafe.daum.net/heliosdek) 가입 후 정회원 등업
2. 아래의 표 빈칸에 본인의 카페 닉네임 작성 후 현재 페이지 사진 촬영
3. 카페 게시판 목록 중 [면접레시피] '독자인증'에 업로드

카페 닉네임 (별명)	※ 지워지지 않는 펜으로 아래 칸에 카페 닉네임 큰 글씨로 작성 ※ 닉네임 중복 작성 및 불일치 시 인증 불가

♥ 독자 인증 혜택 ♥
1. 독자 전용 자료 제공
2. 독자 전용 지역별 영상 강의 제공

2026 임용 면접레시피 [평가원 지역]

인 쇄 | 2025년 11월 1일
발 행 | 2025년 11월 7일
공 저 | 류은진, 양왕경, 이광한, 이지혜
발행인 | 양왕경
발행처 | 위더스
출판신고 | 제 2025-000093호
주 소 | 서울시 송파구 위례광장로 199 성희프라자 501-1-3호

ⓒ 류은진·양왕경·이광한·이지혜, 2025
ISBN 979-11-991875-1-1 / 979-11-991875-0-4 (전 2권)
이 책은 저작권법에 따라 보호받는 저작물이므로 무단전재와 무단복제를 금지하며,
위반할 시 저작권법 제136조에 의거하여 처벌받게 됩니다.
낙장이나 파본은 구입처에서 교환해 드립니다.

정가 36,000원

● 본 교재의 정오표는 다음 카페(cafe.daum.net/heliosdek)에서 다운로드 하실 수 있습니다.